Original English
language edition by
OXFORD
UNIVERSITY PRESS

14歳から考えたい

レイシズム

アリ・ラッタンシ
Ali Rattansi
久保美代子＝訳

A Very Short Introduction
Racism

すばる舎

シヴォーナとパーリンに

謝辞

本書をていねいに読みこみ、的《まと》を射《い》た提案をしてくれたピーター・ウォルシュに感謝する。彼の提案によって平凡な文章が見ちがえ、多くのミスが正《ただ》され、私は命拾《いのちびろ》いした。彼ほど優秀で博識《はくしき》な人物に読んでもらえたことを幸運に思う。

オックスフォード大学出版部から指名された二人の匿名《とくめい》のレビュアーにも感謝をささげる。二人のひじょうに的確《てきかく》なコメントによって、さらに読みやすく、まとまりのよいものになった。

また、オックスフォード大学出版部のルシアーナ・オフラハーティにも感謝をささげる。彼女は法医学的な視点で原稿を読み、数多くの修正を行《おこな》い、手直しの助言をくれた。

オックスフォード大学出版部のリーガルチームは、問題になりそうな部分を浮《う》き彫《ぼ》りにしてくれた。彼らの配慮《はいりょ》に深く感謝する。

シヴォーナの愛情と気くばりとサポートは、かけがえのないものだった。姉のパーリンはつねに私を励《はげ》まし、力を分けてくれた。

オックスフォード大学出版部のジェニー・ナジー以上の編集者は、ほかに望《のぞ》むべくもない。惜《お》しみないサポートをありがたく思う。

みなさまに心から感謝をささげる。

* *

本書で著者名のみを引用し、出版物の題名を挙《あ》げていないものがあるが、詳 細《しょうさい》はできるかぎり参考文献にふくめている。事実にもとづいた記述部分については、参考文献《さんこうぶんけん》にある各章の著作や論文を参照のこと。また「さらに読みたい読者に」も参照いただきたい。統計学的なデータは、公的な政府機関や非政府機関が発表しているデータ、参考文献に挙げた書物や論文など、さまざまな情報源から得ており、それらについてはできるかぎり名前を挙げている。しかし、たとえば、雇用《こよう》の統計学的数値や財産や所得分配などの記録には微細《びさい》な改訂《かいてい》があること、および原稿を著《あらわ》してから出版までにかかった時間をふくめた時差はご留意のほどを賜《たまわ》りたい。

本書に記載した事実にもとづいた記録については、厳密《げんみつ》に確認をとったが、それでも万一まちがいがあれば、責任はすべて私にある。

編集部注　上記の原著者コメントは原著英語版に対してのものです。本書における日本語訳や日本語版で新たに追加した頭注などの文責《ぶんせき》は、すべて日本語版の版元が負《お》います。

第二版〔原著の〕に寄せた序文

本書の初版の結論で私は〝民族、国家、人種を超《こ》えた国際的な枠組《わくぐ》みおよびアイデンティティと、もっと後《うし》ろ向《む》きのプロジェクトとのあいだの長い戦《たたか》いが、二一世紀の生活の特徴《とくちょう》として長くつづくだろう〟と述《の》べました。情報にもとづいたうえでの私の予感は、残念ながら当《あ》たりすぎるくらいに当たってしまいました。

この第二版、改訂版《かいていばん》〔くりかえすが原著のである〕では、最新のレイシズムに関するエピソードと危険性についての解説を加えました。その過程で、本書の初版を著《あらわ》した二〇〇六年以降の出来事《できごと》を考慮《こうりょ》して大半は書きなおしました。また、レイシズム分析の重要な発展も、もりこみました。

いくつかのテーマは、この第二版をつらぬく経糸《たていと》として初版に引きつづいて織《お》りこまれ、レイシストのアイデンティティにひそむさまざまなレベルの二面性と矛盾《むじゅん》を浮《う》き彫《ぼ》りにして、レイシズム分析には人種化《じんしゅか》という概念《がいねん》が不可欠であるという主張を行《おこな》っています。

また、本書を読めばはっきりしてくることですが、レイシズムは多元的《たげんてき》だという私の考えは、変わらずにあります。さらに、レイシズムは進化して、差別の文化にこっそりと、うまくその身を馴染《なじ》ませています。そのような状況で、マイノリティやアウトサイダーがいかに人種化され、制度的な文化や手順によって差別がいかに維持《いじ》されるかを理解するために、単純なレイシズムの定義を使ったり、個人や組織を〝レイシスト〟とレッテルを貼《は》って判定したりするのは、助《たす》けになるどころか、むしろ妨《さまた》げになります。

ここでまさに有用《ゆうよう》となるのが、人種化という概念です。これらの手がかりは、次に挙《あ》げる四つの問いを解明するヒントになります。

一、なぜ、ある種《しゅ》のイスラモフォビア（イスラム恐怖症）がレイシズムとみなされるのか

二、なぜ、〝インターセクショナリティ（交差性《こうさせい》）〟が重要なのか

三、どのようにして、〝カラーブラインド〟レイシズムは蔓延《まんえん》していくのか

四、なぜ、柔軟性《じゅうなんせい》に欠けるレイシズムの狭《せま》い定義では、次のような問題を把握《はあく》できないのか――〝ナショナル・ポピュリズム〟や〝ネイティビズム〟などの問題がどれほど強く人種的な色合《いろあ》いを帯《お》びているか、加えて、その色合いが右翼《うよく》ナショナル・ポピュリズム分析の専門家とみなされている人が理解しているよりもどれほど濃《こ》いのか

最後に、最近のゲノム科学の発展と右翼ナショナル・ポピュリズムの台頭《たいとう》について、いくつか重要な検討を行《おこな》いたいと思います。ヒトゲノム解読《かいどく》以降の発展は、集団の混交《ミックス》が過去にどれ

ほど重要であったかについて、私たちの理解を驚《おどろ》くほどに飛躍《ひやく》させました。その結果、特定の領域《りょういき》でネイティビストと主張する住民は、ほぼ確実に、その土地の最初の移民でもなければ、もともとの住民でもないことが明らかになったため、ネイティビストという物語《ナラティブ》は完全に勢《いきお》いを失《うしな》います。

さらに、イングランド南西部のチェダー渓谷《けいこく》で発見されたことから〝チェダーマン〟とよばれている、約一万年前に生きていた最古の英国人の遺物《いぶつ》をDNA解析《かいせき》したところ、ヨーロッパの初期の移民は暗《くら》い色の肌《はだ》であったことが確認されました。暗い色の肌《ダーク・スキンズ》は、現代用語では〝黒人〟に分類できることばです。これは最初の現生人類《げんせいじんるい》がアフリカで発展し、その後、地球のほかの場所へ広がっていったという、すでに確立された知見《ちけん》と一致《いっち》しています。このことはヨーロッパに属《ぞく》しているのは白人にちがいないというヨーロッパ人がよく行《おこな》う主張や、最終的に真《しん》のアメリカ人であるのに白人性は欠かせないという考えを完全にひっくりかえしました。

古代のDNAの回収と分析の結果は、たとえばヒンドゥー教徒のナショナリストが主張するインド系ヒンドゥー教徒集団の基本的かつ原初《げんしょ》の純粋《じゅんすい》さに対しても、重大な意味をもちます。たしかに〝純粋な〟生物学的集団など存在しません。私たちはみな、何度も移動し混交《こんこう》してきたのちに生まれた成果《プロダクト》なのです。ヨーロッパ人にはネアンデルタール人のDNAさえ、いくらか混《ま》じっています。この件については第三章で考察します。

これまでに、手軽に使えるＤＮＡ検査キットが何百万セットも売られてきました。世界中で移民が増加していますが、多くの壁《かべ》やその他移動の妨《さまた》げになるものがつくられています。

生物学的な起源《きげん》やアイデンティティを〝固定〟し、ＤＮＡ解析によってどこかに属《ぞく》しているという感覚を得たいという一部の個人の望《のぞ》みも、わからなくはありません。しかし、そのような人びとは無意識のうちに生物学的な〝科学的〟レイシズムの新たなバージョンがふたたび入りこむ隙《すき》をつくり、生物学がふたたび、ある集団のアイデンティティを理解するために、文化と結《むす》びつきはじめる危険をよびよせているかもしれないのです。

さらに、ふと気づけば、私たちは一〇〇年前と同じように〝人種〟とレイシズムについての重要な理解が急《いそ》がれ、それがよりいっそう重要になりうるときをむかえています。世界の集団はふたたび〝純粋〟で〝生まれながら〟の基本的なアイデンティティを探《さが》して、それを守ろうという思いにとりつかれています。そのような世界で、私たちが必要としている明快さのようなものを本書が提供することができればと願っています。私たちはかつての場所に戻《もど》ってきました。ただ現在の、人種的な主張は〝ネイティビズム〟や、〝純粋〟で〝本物の〟あるいは〝真の〟人びとといった概念にますます覆《おお》い隠《かく》されてきています。

右翼ナショナル・ポピュリズムの台頭は、ある種の危険性をともなっています。それは、もう二度とあらわれないだろうと思っていた、ナチズムやその他のファシズムが台頭した時代を最後に消えたはずのものです。これについては第七章で述べます。

もちろん、現代の状況は一九二〇年代や三〇年代とはちがいますし、ナショナル・ポピュリズムの台頭はきっと別の展開をしめすでしょう。しかし、ほんの数年前ならば想像もしなかったようなことが、いま起こっているというのもまちがいないのです。リベラルな民主主義国家の基盤《きばん》がしっかり確立されていた国ぐにでさえ、権威《けんい》主義的な支配に対抗するための多くの基本的な制度化されたチェック・アンド・バランス（抑制《よくせい》と均衡《きんこう》）が侵害《しんがい》されています。

この右翼の権威主義のもりあがりによって人種差別が強まりました。これはとくに新たなソーシャル・メディアでのヘイトスピーチの増加や、人種化されたエスニック・マイノリティに対する身体的な攻撃にもあらわれています。ナチスの敗北以来、これまでになく公共の場での人種差別的な発言や暴力的な人種差別行為が、圏外《けんがい》から主流《メインストリーム》へと移りつつあります。しかも、それは地球の北と南のさまざまな場所で起こっています。

この第二版の出版は、一見《いっけん》終わりがないように思えるレイシズムの物語の、ひじょうにタイムリーな瞬間に重《かさ》なったのです。

もくじ

謝辞　2　第二版に寄せた序文　3

Chapter 1
〝人種《レイス》〟と人種主義《レイシズム》――ことば遊びのような難問 ……10

Chapter 2
帝国主義、大量虐殺《ぎゃくさつ》、そして人種の〝科学〟 ……29
一四九二年　30　コロンブスが発見した〝インディアン〟　31　人種、自然、そして性――啓蒙思想のあいまいな遺産　32　人種の分類と啓蒙思想　33　黒人性、性別、美学　34　奴隷制度の問題　39　人種の〝科学〟　41　科学と病理学　44　人種と国民　46　白人性、黒人性、そしてごたまぜの〝人種〟　47　ヨーロッパ〝内部の〟レイシズム　50　人種、階級、性と帝国　51　オリエンタリズムと人種　57　優生学、社会進化論と帝国のレイシズム　60　優生学　62　ホロコーストの教訓　66

Chapter 3
科学的レイシズムの終焉《しゅうえん》 ……71
科学的レイシズムの転落　74　〝チェダーマン〟とヒトの肌色やほかの特徴の多様性　80　〝人種〟、文化、国民　84　アメリカの〝黒人〟と〝白人〟　87　人種と健康　89　〝人種〟を定義する――人種は社会構造の一つというコンセンサスはあるのか？　95

Chapter 4
人種化、文化的レイシズム、宗教 ……101
〝人種〟という概念の晩年　102　公的な言説で使われる〝人種〟と〝エスニシティ〟を定義する　110　イギリスの人種、エスニシティ、および統計学的分類 116　人種なきレイシズム——人種的特徴を除去したハードで新たなレイシズム、最初の検討 119　レイシズムのレトリックと否認——イーノック・パウエルのケース 121　〝人種化／レイシャライゼーション〟という概念の使用について 129　人種化、権力、偏見 136　文化的なちがいと〝新たなレイシズム〟139　人種、文化的なちがい、国民のアイデンティティ——レイシズムの形勢逆転 140　〝人種〟はいかにして〝文化〟を利用するか 147　レイシストと非レイシストのアイデンティティにある二面性と矛盾 151　ただ〝自然な〟ものとしてのレイシズムと自民族中心主義 156　〝文化的レイシズム〟は人種差別か？ 159　〝イスラモフォビア〟と文化的レイシズム 162　〝新たな反セム主義〟176

Chapter 5
構造的レイシズムとカラーブラインドの白人性……192

構造的・制度的レイシズム 192　制度化されたレイシズム 196　帝国主義後のパニック——二一世紀のイギリスでの民族分離と〝人種暴動〟208　イギリスの人種差別と民族の不平等 210　見ているが見えていない——白人性の事実 216　ゲイツ事件 222　アメリカの黒人と白人——白人性と黒人性の社会的な形成 234　カラーブラインド・レイシズム 245　バラク・オバマの選挙 254

Chapter 6
インターセクショナリティと〝暗黙《あんもく》〟あるいは〝無意識〟の偏見《へんけん》……260

インターセクショナリティ研究 261　〝暗黙〟で〝無意識〟の偏見 273

Chapter 7
右翼政党のナショナル・ポピュリズムの台頭《たいとう》とレイシズムの今後……300

〝ポピュリズム〟という概念を考察する 302　右翼のポピュリズム——二〇一九年のヨーロッパの簡潔で選択的な調査 307　〝四つのD〟310　ナショナル・ポピュリズムと将来のレイシズム 320

参考文献 339　さらに読みたい読者に 342　索引 351

Chapter

1

"人種《レイス》"と人種主義《レイシズム》——ことば遊びのような難問

　レイシズム（racism）ということばは、もともと一九三〇年代にドイツを"ユーデンライン（judenrein）"つまり"ユダヤ人のいない"状態にするという**ナチス**のプロジェクトに呼応《こおう》してつくられたものです。ナチスは、純粋《じゅんすい》なドイツ人は**アーリア人種**《じんしゅ》に属《ぞく》しているとして、ユダヤ人はそのアーリア人種に脅威《きょうい》をもたらす異《こと》なる人種であると考えていました。

　あとからみれば、当初からレイシズムという概念《がいねん》は、多くのジレンマを抱《かか》えながら急激《きゅうげき》に拡散《かくさん》していったとみることができます。ユダヤ人は異なる人種であるという考えは、ナチスの人種科学によって流布《るふ》されました。しかし、それ以前はユダヤ人が別の人種であるということについて一つのまと

ナチス　「国家社会主義ドイツ労働者党」のこと。一九二一年からアドルフ・ヒトラーが党首となった。

アーリア人種　インドからヨーロッパに広く分布する「インド・ヨーロッパ語族」を人種ととらえる考えにもとづく呼称。アーリアはサンスクリット語で「高貴な」という意味。

まった見解《けんかい》があったわけではないのです。

では、キリスト教が広まったヨーロッパで長くつづいたユダヤ人への敵意《てきい》をレイシズムとして記述《きじゅつ》するのは不適切《ふてきせつ》なのでしょうか。それとも、レイシズムというのは、人類の歴史とは切っても切れない長年みられてきた、もっと広範《こうはん》な現象《げんしょう》なのでしょうか。それどころか、〝人間の本性《ほんしょう》〟の一部なのでしょうか。レイシズムとして特定するのに、専門的《テクニカル》に、または科学的に受け入れられる〝人種〟の定義《ていぎ》は、かならずしも必要ないのでしょうか。

けっきょくのところナチスのプロジェクトは、とほうもなく長い**反《はん》セム主《しゅ》義《ぎ》**の単《たん》なる一《いち》ステージにすぎないと主張することもできます。あるいは、反セム主義は〝〔歴史が〕もっとも長い憎悪《ぞうお》〟といわれてきたとおり、もっとも古いレイシズムの一つともいえます。

しかし、ことはそれほど単純ではありません。反セム主義ということばは、一八七〇年代後半にやっと登場したことばです。その当時、ドイツ人の**ヴィルヘルム・マル**（Wilhelm Marr）はそのことばを、彼の反ユダヤ運動――反セム主義者連盟を特徴づけるために用《もち》いました。具体的にいうと、以前から

反セム主義　旧約聖書の大洪水と箱舟のエピソードで登場するノアの長子がセムである。そのセムから分かれた民とされるのが「セム族」で、セム語系の言語を使用する人びとの総称であり、アラブ人やユダヤ人などがこれにふくまれる。そのセム系の人たちを敵視するような考えかたが「反セム主義」である。「アンチセミティズム」「反ユダヤ主義」ともいう。

ヴィルヘルム・マル（一八一九～一九〇四）ドイツのジャーナリストにして政治活動家。

あった、より広範《こうはん》なキリスト教徒による反ユダヤ主義、すなわち、もっと一般的な〝ユーデン**ハス**（Judenhass　ユダヤ人憎悪《ぞうお》）〟と区別するために用いたのです。

マルの運動は自己を意識したレイシズムで、ユダヤ人を明らかに別の人種として定義する必要がありました。また〝反セム主義〟には、単純な宗教上の偏狭《へんきょう》さとはちがう新しい科学的な概念《がいねん》らしく聞こえるという利点《りてん》もあったのです。

ヴィルヘルム・マルの小さな本の主張は、セム族《ぞく》の人種的な（つまり生物学的な）形質《けいしつ》はユダヤ人の特徴（文化やふるまい）と体系的《システマティック》に関連しているというものでした。マルによると、ユダヤ人は物質主義者でつねに狡猾《こうかつ》なので必然的に、理想主義者で寛大《かんだい》なドイツ人種の文化を破壊《はかい》することになる……。

マルはこの本の題名を〝**ドイツを打ち負かすユダヤ人の勝利**（*The Victory of the Jews over the Germans*）〟としました。ドイツ人はその人種の特徴からして、ずるいユダヤ人に完全に圧倒《あっとう》され抵抗《ていこう》できないと考えたわけです。彼は自身の失職をユダヤ人のせいにして非難《ひなん》しました。

ハス　ドイツ語の《Hass》は「憎しみ・憎悪・嫌悪」の意味。かつては《Haß》と記した。英語では《hatred》。

〝ドイツを打ち負かすユダヤ人の勝利〟　ドイツ語の原題は《*Der Sieg des Judenthums ueber das Germanenthum*》。一八七九年に出されたこの本は、その後、何度も刷りをかさねるベストセラーになった。

アイデンティティ　日本語ではしばしば「自己同一性」などと訳される。

のちに述べるとおり、これは〃ハードな〃または〃古典的な〃レイシズムの一つの典型《てんけい》です。このレイシズムでは、生物学的特性には特定の集団の文化的形質が必然的についてまわる形で、生物学と文化がからみあっています。マルは、ほかの歴史的な反ユダヤ主義と、自分が起こした運動とは区別すべきだと主張しましたが、これは筋《すじ》がとおっているでしょうか？　また、多くの人びとが、敵意とは、さまざまな〃よそ者《もの》〃や異《こと》なる文化的**アイデンティティ**を有《ゆう》する人びとに対する疑念《ぎねん》の普遍的《ふへんてき》な一形態であるとしめしていますが、この敵意と、いわゆるレイシズムは明瞭《めいりょう》に異なるものなのでしょうか？　答えがどちらであるにしろ、ユダヤ人に対して次のような考えを耳にすることはよくあります。

――ユダヤ人は独自のアイデンティティを保持し同化《どうか》を拒否《きょひ》する（いわゆる〃ユダヤ人問題〃の一バージョン）せいで、とくに迫害《はくがい》されやすい。そして、このような主張は、ヨーロッパの国ぐにのほかのエスニック・マイノリティ（民族的・人種的少数派）に対しても用いられることが多い――。

この考えかたの根底《こんてい》にあるロジックは、レイシズムというのは**ある連続体《れんぞくたい》**

の一部で、その連続体の片側には、すべての**文化グループ**の維持《いじ》に欠かせない集団的なアイデンティティがふくまれる——というものです。そして、このアイデンティティは、完全に理解できる無害なものなので、もう片方の端《はし》にある、**ホロコースト**やその他の大量虐殺《たいりょうぎゃくさつ》は、不運だが避《さ》けられない出来事《できごと》とみなされる——というのです。また、このロジックでは、集団内でしか生きられないというのが生物学的かつ文化的な生き物としての人間の本質であり、そこから生じる本質的な類似性《るいじせい》によって、私たちは人類という一つの種《しゅ》に括《くく》られます。けれども、その大きな括りのなかで表面的なちがいからアイデンティティという共通した感情にもとづくまとまりが生まれ、それが集団的なアイデンティティの維持《いじ》をうながすとされます。

ところで、ドイツ国家をユーデンライン〔ユダヤ人がいない状態〕にするという概念は、現在〝**民族浄化**《みんぞくじょうか》（ethnic cleansing）〟とよばれるようになった概念と近いようにも思えますが、すべての〝民族浄化〟が人種差別なのでしょうか。

それとも、嫌悪《けんお》や追放、暴力といった人種差別による行為には、なにか別の特徴があるのでしょうか。

ある連続体の一部で、その連続体の片側には…　無害なものであるはずの集団的なアイデンティティと、無益な対立を生み有害であるはずのレイシズムがつながっているということをいっている。

文化グループ　民族というグループもその一つである。

ホロコースト　後述六六ページ参照。

民族浄化　戦争や紛争のさなかで、ある民族グループを強制的に隔離や移住させたり、大量に殺害したりして、その存在を消し去ろうとするような非人道的な行いのこと。その民族が大切にしている精神的なシンボルを壊すことも、これにふくまれる。具体例としては、東欧の多民族国家だった旧ユーゴスラビアが内部に複雑な民族間の対立をかかえて一九九〇年代に分裂した際に起こった多くの悲劇があげられる。このときから「民族浄化」ということばが世界で広く使われるようになった。

その場合には、民族にもとづく嫌悪と、人種にもとづく嫌悪のあいだのちがいをどのように明確に区別すべきなのでしょうか。民族グループと人種とのあいだのちがいは、なんでしょうか。別のことばでいえば、〝エスノセントリズム（自民族中心主義）〟とレイシズム（人種主義）は区別すべきなのでしょうか。

レイシズムということばの意味をごくごく簡単に調べるだけでも、かならずといっていいほど多数の困惑《こんわく》するような疑問や、次のようなさまざまな同《どう》義語《ぎご》に出会うことになります。

- 民族性《みんぞくせい》（ethnicity エスニシティ）と自民族中心主義《エスノセントリズム》（ethnocentrism）
- 国家／国民（nation）と国家主義《ナショナリズム》（nationalism）
- 外国人嫌悪《けんお》（xenophobia ゼノフォビア）と〝ヘテロフォビア（heterophobia）〟ともよばれる〝部外者《ぶがいしゃ》〟と〝よそ者《もの》〟に対する敵意

これらはみな説明が必要です。さらに問題を複雑にするなら、ある程度はいまだに残っている、ユダヤ人の〝白人性（whiteness）〟をめぐる歴史的なあいまいさを思い出すのもよいでしょう。あとで述べますが、ユダヤ人の〝白人性〟はとくにアメリカで社会的かつ政治的な**インクルージョン**（包摂《ほうせつ》）プロセスの一環《いっかん》として、イタリア人やアイルランド人と同じく、二〇世紀に徐々《じょじょ》に達《たっ》せられたものです。

ユダヤ人は〝セム族《ぞく》〟として、あるいは〝**東洋人**《オリエンタル》（oriental）〟として、しばしば白人種には属していないとされました。いっぽうで一九世紀のイギリス人とアメリカ人にとって、アイルランド人を〝黒人〟とみなすことは珍《めずら》しいことではありませんでした。また、アメリカではイタリア人が白人と黒人のあいだのあいまいな状態に置かれることが多くありました。

そもそも、だれを黒人とみなすべきなのでしょうか。アメリカの議論と法律制定の歴史をみれば、この集団の定義がいつも困難だったことがわかろうというものです。たとえば、有名な〝**ワンドロップ**〟**ルール**は、南部の多くの州で採用されました。これは、先祖に一人でも〝黒人〟がいる場合、それがどれほど遠い血縁でも、白人／黒人の境界線の悪い側、つまり黒人に分類され、住める場所も、就《つ》ける仕事も、白人のパートナーとの結婚や交際がで

インクルージョン　より大きなまとまりで全体をまとめ包みこむこと。例外や仲間はずれを生み出さない考えかたや取り組みをさす。

東洋人　《oriental オリエンタル》は「東洋（風の）／東洋人」を意味する英語で、「西洋（風の）／西洋人」を意味する《occidental オクシデンタル》に対することば。この「東洋」と「西洋」もその地理的・文化的な境目があいまいな概念である。

〝ワンドロップ〟ルール　このルールにしたがえば、世界的な歌姫であるマライア・キャリーは「黒人」ということになる。

きるかどうかさえも決められたのです（つまり、不利な立場に置かれました）。しかし、一滴《いってき》の〝白人の血〟は、黒人か白人かの判断に同じ重みをおよぼすことはありませんでした。

レイシズムの考えは、明らかに人種という概念と固《かた》く結《むす》びついていますが、両方の概念の歴史を調べれば調べるほど、ますます混乱してくるのはまちがいありません。

ユダヤ人やアイルランド人、そして、あとで述べるその他のグループの例をいくつか検討することで重要なポイントが浮《う》かびあがってくるでしょう。

一つめは、〝人種〟という概念には、たとえば肌《はだ》の色、宗教、ふるまいなど生物学的要素と文化的要素の両方がふくまれるということです。

二つめは、生物学的要素および文化的要素というのは、問題となるグループや歴史的な時期によって、さまざまな割合で人種グループのあらゆる定義と結びつけられるということです。さらにユダヤ人やアイルランド人など、その他の人びとが時代や状況に応じて〝白人化〟つまり白人とみなされたように、人種的な立場というのは政治的な交渉や変革《へんかく》の対象となり、その時代や時期で変わっていきます。したがって、当然のことながらレイシズムということばも、社会的な圧力や政治的な論争の対象となってきました。

人種という考えは、ナチズムの失敗と遺伝学《いでんがく》という科学の発見の影響を受けて二〇世紀後半に影《かげ》をひそめましたが、二一世紀にはいると、その概念《がいねん》の復活が（説得力のないままに）試《こころ》みられてきました。

こんにちでは、最近の生物医学的研究に関する主張を（誤解をまねく方法で）根拠とする一部の人びとと極右《きょくう》政党は別として、共同体のあいだの敵意は人種的なちがいというより文化的な問題から生まれるとみなす傾向が強くあります。多くの時事解説者によれば、人種ではなく文化を理由に敵意と差別を正当化するのは、レイシズムをタブーとする近年の風潮をかわすための策略《さくりゃく》で、たんに表現を変えているにすぎないといいます。

とくに西洋のリベラルな民主主義国家ではその傾向が強くあります。新たな〝文化的レイシズム〟が古い生物学的レイシズムにどんどん取って代わりつつあるというのです。

〝イスラモフォビア（イスラム恐怖症）〟はこの新たなレイシズムのごく最近

の一形態と認識されていますが、宗教的嫌悪《けんお》とほかの文化的嫌悪を組みあわせて人種差別を説明することはできるのでしょうか。こうすることで、レイシズムという概念を分析する際《さい》に用《もち》いられる特徴が弱まってしまったり、その概念の正当性を単純に低下させる**概念上のインフレーション**への水門が開いてしまったりしないでしょうか。この問題については本書でのちほど考察します。

西洋社会では、自分自身をレイシストだと公言する人びとが最近どんどん減ってきています。それでも、社会科学者、政治家、ジャーナリスト、さまざまなコミュニティのメンバーは、自分たちの属《ぞく》する社会には根強い人種差別があると主張する傾向があります。政府機関は人種差別の統計学的な証拠《しょうこ》やその他の証拠を集めつづけ、さまざまな法律やその他の手段を用いて、差別のない行動規範を強化しようとしています。

イギリスでは一九九九年に重大な論争が巻きおこりました。それは、黒人ティーンエイジャー、スティーブン・ローレンスが殺害された事件について、**ウィリアム・マクファーソン**卿《きょう》が調査を行《おこな》ったときのことでした。

概念上のインフレーション ある概念が急にふくらんで、かえってとらえにくくなること。ここでは、なんでもかんでもレイシズムにふくめることで、レイシズムの概念が拡がりすぎ、ぼやけてしまうことをいっている。

ウィリアム・マクファーソン（一九二六～二〇二二）英国の判事。高等裁判所裁判官、北部巡回裁判長などを務めた。

マクファーソンはロンドン警視庁が組織的なレイシストであると結論づけ、この公的な機関に新たな特徴を与えたのです。

これは、イギリスのエスニック・マイノリティに対する組織的かつ長期におよぶ差別を確認した一連の調査のほんの一端《いったん》で、差別は住宅や民間・公共セクターへの雇用、その他の領域におよんでいました。たとえば、イギリスの病院で働いている人びとに関する研究をみてみましょう。

二〇一八年九月五日、イギリスの**ガーディアン紙**は、白人の専門医がエスニック・マイノリティの同僚より五〇〇〇ポンド多く稼《かせ》いでいるという調査結果を発表しました。

二〇一四年には〝**雪のように白い山**、NHS〟と題された研究がミドルセックス大学ビジネス・スクールによって実施され、**NHS**（国民保健サービス）の高い職位《しょくい》には**BME**（少数民族の国民）がいないことが暴露《ばくろ》されました。いっぽう、二〇一六年のNHSによる全国調査では、ハラスメントやいじめ、虐待《ぎゃくたい》などのケースを報告する割合がBMEの医療スタッフのほうがずっと多かったと発表しました。

ガーディアン紙　英国ロンドンに本拠を置くガーディアン・メディア・グループ社発行の日刊新聞。

雪のように白い山…　原題は《*The Snowy White Peaks of the NHS*》。巨大組織であるNHSが白人びいきであることを「白い山」にたとえている。

NHS　《National Health Service》の略。英国政府が運営する保健サービスで、適切で公平な医療を国民全員に提供するため、一九四八年に創設された。

BME　原著英文は《British minority ethnic》のあとに略語としてしめしている。すなわち、英国内の少数民族、つまり〝非白人〟の英国民こと。ただし一般的にBMEは「黒人と少それ以前に、**ブラッドフォード大学**が二〇〇八年六月から二〇〇九年一一月にかけてＮＨＳ管轄《かんかつ》組織（トラスト）八〇か所を調査したところ、ＢＭＥ職員は白人職員にくらべて懲戒《ちょうかい》手続きに直面する確率が二倍近く高いことが明らかになりました（二〇一二年一一月七日の**ＢＢＣニュースの記事**〝「ＮＨＳ内の組織的レイシズムが問題」と語る元重役〟を参照。ただし記事によると、ＮＨＳは組織的レイシストではないという見解を**保健省**はしめしています）。

キングス財団と現在レイス・イクオリティ・ファンデーションとして知られる団体、その他の関連組織による研究によって、黒人とアジア人のイギリス国民は、ＮＨＳの患者として白人とくらべて劣悪《れつあく》な治療を受けており、とくにメンタルヘルスサービスの場合にそれがおおいにあてはまることが明らかになりました。

これらの結果や事象《じしょう》は、一部の人びとには疑《うたが》いをもってむかえられたものの、その他の多くの人にとっては意外なことではありませんでした。

一九八八年三月五日の**ブリティッシュ・メディカル・ジャーナル**（ＢＭＪ）誌で報告されたとおり、人種平等委員会の調査によってすでに、ロンド

数民族」(black and minority ethnic)の略語として使われることが多い。

ブラッドフォード大学　英国の国立大学。一八三二年創立。所在地のブラッドフォードは繊維産業で栄えた（後述二二五ページ）。

BBCニュースの記事　記事の原題は《*"Institutional racism is an issue" in NHS, says ex-executive*》。

保健省　いまの日本でいえば厚生労働省にあたる英国政府の省庁。

ブリティッシュ・メディカル・ジャーナル　イギリスの医学誌。国際的な知名度があり、日本でも医師であれば必読の雑誌といわれている。

ンで高く評価されている医学校、セント・ジョージ校において、学校のコンピューターソフトにうっかり入力された入学処理手順から、ヨーロッパの響《ひび》きではない姓《せい》をもつイギリス人の入学希望者と女性の入学希望者に対する**組織的な差別**が明らかになっていたからです。

ＢＭＪに掲載されたレポートによると、そのコンピューター・プログラムには〝組織内にすでにあった偏見《へんけん》〟が組み入れられていました。すなわち、民族の由来《ゆらい》や性別を理由にしたそのような差別的な行為は、入学処理を単純化しスピードアップするためにコンピューター・プログラムがつくられる前から職員によって日常的に実施されてきたというのです。

ＢＭＪは、そのような姿勢は〝許されない〟という適切な主張をしました。その結果、入試プロセスはすべての入学希望者に公平な機会を提供するように修正されました。

二〇一〇年以降の人種的不平等としては、イギリスのトップランクの大学からエスニック・マイノリティが除外される問題があり、その議論のなかではとくに、オックスフォード大学とケンブリッジ大学が突出《とっしゅつ》しているとみ

組織的な差別　これはなにもイギリスにかぎったことでなく、日本でも複数の大学の医学部が女子の受験生を一律に減点するなどの不正を行っていた事件が二〇一八年に発覚した。

なされました。

さらに二〇一九年七月六日、ガーディアン紙がイギリスの大学一三一校に情報公開請求を行い、その結果を発表しました。それによると、過去五年間にスタッフや学生から寄せられた人種差別に関する正式な苦情は、少なくとも九九六件ありました。全部で三六七件の苦情が正当とみなされ、その結果、少なくとも七八人の学生が停学《ていがく》または除籍《じょせき》され、五一人の職員が停職・解雇《かいこ》されたか辞職しました。

ガーディアン紙の記事を書いたデイヴィッド・バティとサリー・ウィールは、これらの数字は大学内で実際に起こっている人種差別の数より小さいと考えています。多くの学生や職員が苦情の請求を思いとどまったり、請求をやめるよう説得されたり、非公式の解決法に同意したりしているからです。

アメリカ合衆国では、レイシズムにまつわる問題のもう一つの徴候《ちょうこう》として、映画業界の**オスカー賞**候補者がほぼつねに白人で占《し》められていたことに議論が起こりました。

オスカー賞　アカデミー賞の別名。副賞として与えられる黄金のオスカー像から。なお、賞を主催する映画芸術科学アカデミーは二〇二〇年、作品賞ノミネートの条件に多様性の項目を設け、女性や人種的マイノリティを積極起用するとした。その影響からか二〇二一年の第九三回アカデミー賞では『ノマドランド』で中国出身のクロエ・ジャオが監督賞を受賞(非白人女性で初)、韓国人俳優のユン・ヨジョンが米国南部に移住したコリアン家族を描いた映画『ミナリ』で演技部門賞(助演女優賞)を受賞し、話題になった。

セシル・ローズ（一八五三〜一九〇二）一九世紀後半にアフリカ大陸南部の植民地化をおしすめた英国の政治家。

オックスフォード大学とケンブリッジ大学では、植民地主義者でレイシストの**セシル・ローズ**の像を倒《たお》す運動が盛《さか》んになり、アメリカでは同様の運動によって、当時の制度として奴隷《どれい》制《せい》を維持しようとした南軍《なんぐん》の司令官たちの像が倒されました。

二〇一七年三月、イギリス政府は〝人種格差監査《かんさ》（Race Disparity Audit）〟を発表しました。この監査結果では、とくに二〇一六―一七年に警察から職務質問を受けた割合が、黒人では一〇〇〇人あたり二九人だったのに対し、白人では一〇〇〇人あたり四人だったことが明らかになりました。

いっぽう、イギリスの大学における総学生数に対する黒人とその他のエスニック・マイノリティの学生の割合は、二〇〇七―〇八年の一七・二パーセントから二〇一五―一六年の二二・九パーセントに上昇したのに対し、白人学生の割合は八二・八パーセントから七七・一パーセントに低下しました。

しかし、これらの総数だけをみると、イギリスのトップ大学へのエスニック・マイノリティの入学者数と白人の入学者数とのあいだの大きな差、および両グループ内にある階級や性の格差がみえなくなるでしょう。事実が明らかになればなるほど、そこに埋《う》もれてしまう別の事実もあるのです。

したがって、このように比較された統計上の数字をさらに細かく分類して検討する必要があります。さまざまな警察活動や教育格差のなかでレイシズムがどのような役割を果《は》たしているかは、複雑な問題なのです。

ドイツでは、過去のナチスに対する嫌悪感から、ドイツの一般的なディスコース（言説）のなかではレイシズムより〝ゼノフォビア〟（ドイツ語では**Ausländerfeindlichkeit**）ということばのほうが好《この》まれていますが、これがさらに多くの問題を生んでいることに注目すべきでしょう。

当然ながら、ゼノフォビアとレイシズムのあいだの関係は明確にしておく必要があります。移民問題によってヨーロッパ全体で極右《きょくう》政党の出現が活発になっている現状ではとくにです。

アメリカではもちろん、南軍司令官の像の問題にかぎらず、〝人種〟とレイシズムをめぐる論争がつづいています。二〇一六年一一月にトランプ大統領が選任されたのは、メキシコとイスラム出身のエスニック・マイノリティと移民に対する政策が一つの理由でした。対立候補らはこれを〝**犬笛《いぬぶえ》レイシ**

Ausländerfeindlichkeit ドイツ語の単語は複数の単語がくっついて長くなる。この語も〈Ausländer（アウスレンダー）外国人〉と〈feindlichkeit（ファイントリヒカイト）敵意・敵対〉の複合語。

犬笛レイシズム　後述一四七ページ参照。

ズム〟とよんでいました。二〇一九年七月、トランプ大統領は、民主党の有色人種の女性議員に対して（そのうち三人はアメリカで生まれ、一人は子どものころに難民としてアメリカにやってきたのですが）〝故郷《くに》へ帰れ（should go back home）〟とツイートしました。この行為は、民主党員が多数派を占《し》めるアメリカ下院から〝レイシスト〟と非難されました。

　また、二〇年以上も前、二つの刑事裁判によってアメリカ人の集団には〝黒人／白人〟のくっきりした線が引かれていることが明らかになりました。

　白人の妻の殺害の容疑で裁判を受けることになった有名なスポーツ選手O・J・シンプソンは、陪審員《ばいしんいん》による裁判と証拠《しょうこ》の検討が始まる前から、大半の白人からは有罪と思われ、大半のアフリカ系アメリカ人からは無罪と思われていました。O・J・シンプソンには無罪判決が下《くだ》されました。

　同じ無罪判決といえども、黒人ドライバーのロドニー・キングを打ちのめしているところを写真にとられた四人の白人警察官に対する州立裁判所の無罪判決は、一九九二年にロサンゼルスで大きく広がった〝人種〟暴動に発展しました。その後、連邦裁判所の審理《しんり》が行われ、そのうちの二人の警官に有罪判決が下されました。

もっと最近、すなわち二一世紀に入ってからの二〇年のあいだに起こった、警察によるアメリカ市民である黒人の死——たとえば二〇一四年七月一七日に亡《な》くなったエリック・ガーナーの死は、嫌悪感《けんおかん》を広範《こうはん》に巻きおこし相当な怒《いか》りをかきたて**〝ブラック・ライブズ・マター〟運動**に発展しました。

ただし、アフリカ系アメリカ人は白人アメリカ人よりも、レイシズムのせいで殺人が起こったと考える割合がはるかに高いことに留意《りゅうい》しておくことが大切です。

ブラック・ライブズ・マター運動は、二〇歳から三四歳までのアフリカ系アメリカ人男性の九人に一人が刑務所に入っており、大学に通学しているより投獄《とうごく》される確率が高いという事実を公《おおやけ》にすることにもつながりました。

アメリカ合衆国司法省は二〇一四年に、三〇歳から三九歳までの男性囚《しゅう》人《じん》の大半は黒人で、**ヒスパニック**が二パーセントを占《し》め、白人は一パーセントであることを確認しました。黒人男性が一生のうちどこかの時点で刑務所に入る割合は三人に一人であったのに対し、ヒスパニック男性は六人に一人、

〝ブラック・ライブズ・マター〟運動　黒人に対する暴力や差別の撤廃を求めて行われた一連の抗議運動の総称。「黒人の命は大切」という意味のプラカードを掲げたことに象徴される。近年とくに記憶に新しいところでは二〇二〇年、米国ミネアポリスで起こった白人警察官によるジョージ・フロイドさんへの暴行殺害がある。これによって、いわば再燃する形で世界中にこのことばとともに波紋が一気に広がった。

ヒスパニック　英語《Hispanic》はスペイン語、スペイン文化、あるいはスペインにかかわるもの全部をさすが、ここではスペイン系の人をいっている。

白人は一七人に一人でした。しかも、アメリカの多くの州では懲罰《ちょうばつ》がとくに厳《きび》しく、重罪の有罪判決を下された者は**投票権が奪《うば》われる**ため、投獄の割合が高いことの一つの影響として、アフリカ系アメリカ人は不《ふ》釣《つ》り合《あ》いに権利を剥奪《はくだつ》されているともいえます。

さらに、アメリカの死刑情報センター（Death Penalty Information Center）の報告によると、白人を殺した罪で有罪となった被告は、黒人を殺害した罪で有罪になった被告より、死刑を宣告《せんこく》される率が著《いちじる》しく高かったのです。また、同センターはその被告が黒人であった場合は死刑宣告を受ける率が四倍近く高くなることをしめす複数の研究を報告しています。

どのような形であれ〝人種〟の問題は、なおも頑固《がんこ》に存在しています。あとでみていきますが、イギリスやアメリカだけでなく、東西ヨーロッパでもそれは同じです。

投票権が奪われる　日本でも収容施設に収監されているあいだは投票できない。ちなみに中東イランの刑務所では移動式の投票箱が巡回してきて、受刑者でも投票できるという（ＮＨＫ選挙ＷＥＢの記事「刑務所に入ってる場合投票できる？」より）。

Chapter

2

帝国主義、大量虐殺《ぎゃくさつ》、そして人種の〝科学〟

《race（人種）》という用語は一六世紀前半に英語に入ってきました。この用語は同じ時期にその他のヨーロッパ言語にも普及《ふきゅう》し、たとえばフランス語では《rassa》や《race》、イタリア語では《razza》、ポルトガル語では《raca》、スペイン語では《raza》という用語が用《もち》いられました。そして一六世紀の半《なか》ばには、一つの共通した意味が形をとりはじめました。《race》は家族や血統《けっとう》、（動植物の）種族《しゅぞく》をさすようになり、とくに貴族や王族の世代を超《こ》えた連続性をしめすようになったのです。

　私たちが現在受《う》け継《つ》いでいる《race》の概念《がいねん》は、さまざまな起源をもつ現代的な概念でもあるのですが、その意味は、あとで追加されたものです。こ

race　小学館『ランダムハウス英和大辞典』第二版には同じスペルで同じ発音の三つの《race》をのせている。「競走・競争」の《race》につづく第二に「人種」の《race》、第三の《race》は「（食用にもなる）ショウガの根」とあるが、これは一般的ではないか。同辞典は各語釈の末尾に語源や初出の年をしめすが、それによれば「人種」の《race》は一五〇〇年から一五二〇年が初出で、イタリア語《razza》がフランス語を経由し英語化し

れはおもに一五世紀以降、肌《はだ》の白いヨーロッパ人の旅人がヨーロッパの外《そと》で、肌が褐色《かっしょく》の人びとと出会ったときに生まれました。

一四九二年

コロンブスは、アジアと考えていた土地へ向けて重要な航海に出発したとき、一四九二年という年の重要性を理解していました。

その年は**ムスリム**（イスラム教徒）**とユダヤ教徒がスペインから追放された年**でした。コロンブスは航海日誌の冒頭《ぼうとう》にこう書いています。

〝本年一四九二年は**ムーア人**との戦争を王、女王が終結されたあと……この月……両王は……インド地方といわれる地へ私を遣《つか》わし……したがって、すべてのユダヤ教徒が領土から追放されたあと、両王から……インドへ……充分な部隊で出発するようにと命《めい》を受けた〟

近代西洋の幕開《まくあ》けとされるこの年は、内《うち》なる〝他者〟の追放と、キリスト教徒がつくった〝文明〟社会の外側にある世界の征服《せいふく》と略奪《りゃくだつ》の始まりに象徴

たという。ちなみに本書の原著書名《racism》はずっと遅れて一八七〇年ごろが初出とある。

ムスリムとユダヤ教徒がスペインから追放された年　イベリア半島の南部アンダルシア地方の中心都市であるグラナダを、当時のカスティーリャ王国（のちのスペイン王国）が陥落させたのが一四九二年。スペインあるいはキリスト教側からみた世界史的表現では、これによりレコンキスタ（国土回復運動）が完結したことになる。

ムーア人　もともとは北アフリカの先住民族であるベルベル人をさす呼称だったが、北アフリカやイベリア半島のイスラム化以降はイスラム教徒全般をさす呼称となった。

される年でもありました。いわば近代は〝人種の〟攻撃とともに始まったのです。この事実の重要性を、私たちは忘れてはならないでしょう。

この航海から始まった近代は、スペインと南北アメリカ大陸の征服によって投げられた影《かげ》から完全には逃《のが》れることができませんでした。

コロンブスが発見した〝インディアン〟

コロンブスが上陸した海岸は、知ってのとおり〝インド諸島〟からは、ずいぶん遠く離《はな》れていました。しかし、コロンブスは探《さが》していたものを発見したと確信していました。

コロンブスが偶然発見した島じまに居住していた、カリブ族とアラワク族は、洗練《せんれん》された人びとでした。農業に精通《せいつう》し、さまざまなデザインの陶磁器《とうじき》をつくり、航海の技術もありました。

しかし、コロンブスは服を着ていない肌の浅黒《あさぐろ》い原始的な人びとを目にして、野生に近く野蛮《やばん》な人びとだと考えました。また、コロンブスの航海の目的は、黄金を見つけ、キリスト教の神のことばを広めることでした。

人種、自然、そして性——啓蒙思想のあいまいな遺産

一八世紀には一般的に**啓蒙思想**《けいもうしそう》といわれる強い知的活動への情熱と社会的変化が起こりました。その結果、人種の概念は、世界の本質をより秩序立《ちつじょだ》てて考えようとする行為に組みこまれはじめました。ヨーロッパは、啓蒙思想の広がりにともない、コロンブスのキリスト教的精神を超越し、近代へと決定的な転換を遂《と》げたのです。

啓蒙時代は通常、**理性**《りせい》**の時代**とよばれています。これは理性を人間の最高の能力として評価した時代と考えられています。しかし、理性の強調は、喜びや情熱など感情の役割の重要性を認《みと》めることでバランスがとられました。

この時代の象徴として、東洋の英知と文明への崇拝《すうはい》があります。とくに中国は、その英知、技術の達成度、文明が称賛《しょうさん》されました。**chinoiserie**《シノワズリ》（中国風装飾《そうしょく》）や**Sinophilia**《シノフィリア》（中国愛好家）ということばは一八世紀半ばのフランスをよくあらわしており、中国風の庭園や磁器、中国をまねた村さえ流行しました。

啓蒙思想　一七世紀末から起こった旧時代の遺制を打ち破ろうとする新しい思想の流れ。一八世紀に全盛をむかえた。なお、東洋では「蒙（もう＝くらいこと）を啓（ひら）く」で啓蒙だが、英単語の《Enlightenment》をはじめ西洋では「光で照らす」の意味をもつ。

理性の時代　英語では《The Age of Reason》。英国生まれで新生のアメリカ合衆国で活躍した社会思想家トマス・ペイン（一七三七～一八〇九）の著書の題名でもある。

chinoiserie　英単語としては「シーンワーズリー」と発音。

Sinophilia　英単語としては「シノゥファィリア」あるいは「サィノゥファィリア」と発音。

人種の分類と啓蒙思想

啓蒙思想を支配した合理性という考えは、おもになにかを分類するときに用《もち》いられ、そのなかで人種という概念が徐々《じょじょ》に、この世のものを分類する熱意を反映して、自然の多様性を理解するために活用されました。

さまざまな分類の枠組《わくぐ》みを組み立てるにあたって、その中心にあった問題は、あらゆる人間は一つの種《しゅ》なのかどうかということでした。

一八世紀の分類学の制度《システム》にもっとも大きな影響を与えたのは、スウェーデンの自然主義者**カール・リンネ**でした。一七三五年以降に複数巻として出版された著作『自然の体系《たいけい》（*Systema Naturae*）』のなかでリンネは、ホモ・サピエンスは全人類と**番《つが》える**能力があることから一つの種として統一し、人類には次の四つの分類があると提案しました。

アメリカヌス……赤色の肌、癇癪《かんしゃく》もちで背筋が伸びている

ヨーロペウス……白い肌、筋肉質

アジアチカス……黄色の肌、憂鬱《ゆううつ》で頑固《がんこ》

カール・リンネ（一七〇七～一七七八）「分類学の父」ともいわれるスウェーデンの博物学者・医師。ウプサラ大学の解剖学および植物学の教授。

番える　つがい、すなわちカップルになること。

アーフェル……黒人、冷静、寛大《かんだい》

外見と性質のあいだの関係を見つけようというリンネの意図《いと》は、一七九二年の英語版の次の一文からもうかがい知れます。

〝H. Europaei　白い肌、多血質《たけつしつ》、屈強《くっきょう》な外見……礼儀正しい、判断が早い、迅速《じんそく》な創造力、規定の法律による統治……
H. Afri.　黒い肌、冷静な気質、くつろいだ性質……狡猾《こうかつ》で怠惰《たいだ》、軽率《けいそつ》、気まぐれな行動で統治〟（図1参照）

黒人性、性別、美学

一八世紀の偉大な二人の哲学者、**カント**（現在は人種についての最初の厳密な理論家とみなされています）と**ヒューム**は二人とも、分類されたさまざまな人びとの道徳や知的価値を肌の色で評価する傾向にありました。

カントは、一七六四年に次のように公言しました。

カント（一七二四〜一八〇四）ドイツの哲学者。ドイツ観念論の出発点となった哲学者でもある。主著『純粋理性批判』『実践理性批判』『判断力批判』。

ヒューム（一七一一〜一七七六）スコットランド、エディンバラ出身の哲学者・歴史家。ベーコンやジョン・ロックに始まるイギリス経験論を代表する一人。主著『人間本性論』。

図1　穴居人《けっきょじん》とピグミー

リンネの分類例。分類には明確な評価判定が組みこまれていました。

〝この男は相当に黒く（this fellow was quite black）……彼の話はバカらしいということの明確な証拠《しょうこ》になる〟

カントは、スコットランド人哲学者のデイヴィッド・ヒュームが自著『国民性について（*On National Characters*）』改訂版（一七五四年）のなかで自信たっぷりに主張している部分を引用しています。

大方《おおかた》の黒人《ニグロ》と（四、五種ある）すべての種《しゅ》の人は、白人より生まれながらに劣《おと》っているのではないか、と私はつい考えてしまう。白人以外の肌色で文明化した国家はなかった……精巧《せいこう》な製品も、芸術も、科学もない。いっぽう、古代ゲルマン人さながら、もっとも粗野《そや》で野蛮《やばん》な白人である現在の**タタール人**でさえ、ほかの人種よりはいくらか抜《ぬ》きんでている。

カントとヒュームは黒人との親交がほとんどありませんでしたが、一六世紀の初期からポルトガル、スペイン、イギリスの**投機家**《とうきか》は、西アフリカ人を

タタール人　もとは「韃靼（だったん）」とも表記されるモンゴル系の一部族名だったが、のちにモンゴル人全般をさすようになり、さらに時代が下るとテュルク系（トルコ系）の人たちもふくむようになった。文中の「タタール人」はトルコ系タタール人で、当時のヨーロッパ社会では「タタール人」が白人とみなされていたことが読みとれる。

投機家　機をみるに敏で、チャンスさえあれば金もうけをしたい人。

エリザベス一世（一五三三〜一六〇三）イングランド王国の「テューダー朝」時代の女王で、イギリス絶対王政の全盛期に君臨。父はヘンリー八世。英国史上初の女王メアリ一世（「ブラディ・メアリ」というカクテルにその

ヨーロッパに連《つ》れてきはじめていました。まもなく、宮廷や貴族の家庭で黒人の召使《めしつかい》に上等の服を着せ、主人の裕福さを誇示《こじ》することが流行しました。

一五九〇年代になるころには、黒人の存在は国内政治の保険がわりにもなりました。飢饉《ききん》と景気後退が起きたとき、多数の黒人使用人を使っていた**エリザベス一世**は、すべての黒人を国外追放しようとしたのです。

エリザベス女王のこの黒人排除の試《こころ》みは、完全な失敗に終わりました。一八世紀半《なか》ば、スコットランドとイングランドには、およそ二万人の黒人が暮らしていました。また、一八世紀末までには一部の黒人作家が本を出版しました。その一人である**イグナティウス・サンチョ**は、**サミュエル・ジョンソン**など文学界の多くの著名人と親しい関係にありました。

それでも、黒人は粗野で野蛮というイメージが大半を占《し》めていました。とくに、**黒さと醜《みにく》さ、美《うつく》しさと道徳的な美点《びてん》**とが関連づけられました。一七世紀と一八世紀の美学《びがく》では、すべてのヒトの美しさの理想の形態はギリシア美術とローマ美術にあるという前提に支配されていたのです。ひじょうに影響力のある美術史家、**ヨハン・ヨアヒム・ヴィンケルマン**は、美を体現《たいげん》するも

名を残した）の腹ちがいの妹で、新教徒への弾圧という姉メアリの失政の後を受けて王位についた。その在位は一五五八年から半世紀近くにおよんだ。

イグナティウス・サンチョ（一七二九ごろ～一七八〇）アフリカからの奴隷船の中で生まれ、その後、英国で奴隷から選挙権を得るまでに立身出世を果たした。

サミュエル・ジョンソン（一七〇九～一七八四）イングランドの詩人・批評家・文献学者・辞典編纂者。多くの名言を残した。主著に『詩人列伝』。

黒さと醜さ、美しさと道徳的な美点　外面的な黒さが内面的な醜さに、また外面的な美しさが内面的な道徳心に結びつくという差別的な考えかたをいっている。

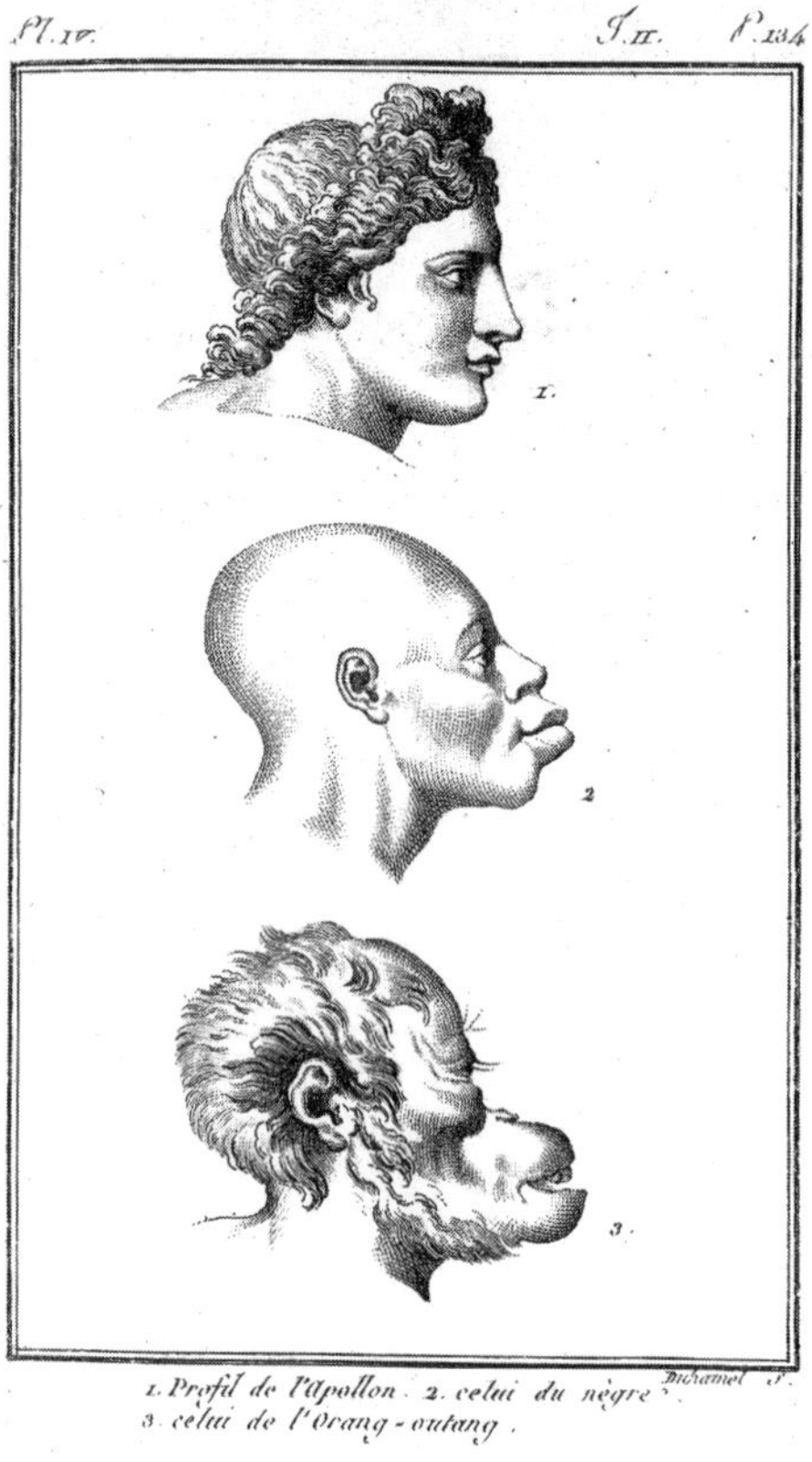

図2 〝ニグロ〟と類人猿の〝顔面の角度〟の類似性をしめそうとして並べられた、古典的なギリシア人の横顔と〝ニグロ〟と類人猿。

のとして古代の彫刻の特徴を強調した美しさの尺度《しゃくど》を発案しました。ヴィンケルマンは、低い鼻がとくに醜《みにく》いと考えました。

アフリカ人は、このヨーロッパの美しさと道徳的な価値の理想には適合《てきごう》しなかったわけです（図2参照）。

ヨハン・ヨアヒム・ヴィンケルマン（一七一七〜一七六八）ドイツの美術史家。主著『ギリシア芸術模倣論』『古代美術史』。

王立アフリカ会社　一六七二年の設立から独占の特許が廃

奴隷制度の問題

人種の基本原則《ドクトリン》が奴隷貿易の増加にともなって劇的《げきてき》に強まったことは、ほぼまちがいないでしょう。アフリカ系人種が劣《おと》っているという概念は、これらの人びとの隷属《れいぞく》状態を正当化するために欠かせない要素でした。

イギリスの奴隷貿易は一七世紀の半ば、**王立《おうりつ》アフリカ会社**（Royal African Company）の設立とともに始まります。この貿易によって、アフリカ人は人間として不完全であるという見かたが強まったのです。

アフリカの奴隷制度は、アフリカ人は劣《おと》っているという、すでに存在していた見解によって道理にかなう制度とされ、その見解はアフリカの奴隷制度が確立されるようになるとさらに発展しました。新たに人気が高まっていた、お茶やコーヒー、チョコレートなどの飲料は苦《にが》いため、そこに甘味を加える砂糖が売れ、ラム・パンチという酒の人気が高まりました。そのため、カリブ海地域でイギリス人が経営している砂糖プランテーションでの奴隷労働力の需要《じゅよう》に拍車《はくしゃ》がかかりました。悪名高い**三角貿易《さんかくぼうえき》**とは、リバプール、ブリストル、ロンドン〔上の地図を参照〕から出航する船がかかわっていました。

止される一六九八年まで存続した、イギリスの国策会社。奴隷貿易をはじめ象牙や金など、イギリスの西アフリカ地域での貿易を独占した。

三角貿易　大西洋をまたいでヨーロッパ・西アフリカ・南北アメリカの三地域で行われた貿易。寄港地の三つを巨大な三角形に見立てている（次ページの世界地図参照）。アフリカからアメリカ大陸へ「黒い積み荷」として奴隷が、アメリカ大陸からヨーロッパへ「白い積み荷」として砂糖や綿が運ばれた。

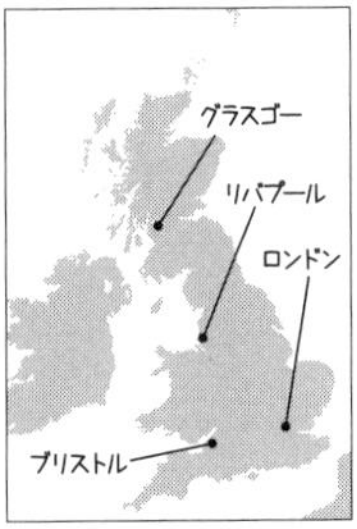

※この図は原著にはないものです。

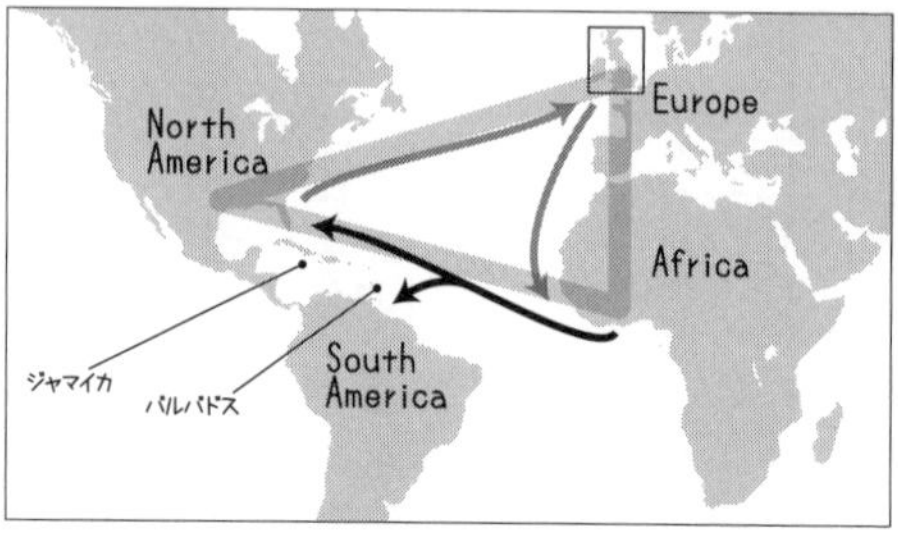

※この図は原著にはないものです。

ミドル・パッセージ　大西洋を挟んで行われた奴隷貿易において、アフリカ人を船に乗せて南北アメリカ大陸へと向かう航路をさす（右図の濃い矢印）。「中間航路」と訳されることもある。

それらの船には織物、銃器、食卓食器類、ガラス製品、ビーズ、ビールその他イギリスの製品が積みこまれ、アフリカ沿岸で奴隷と物々《ぶつぶつ》交換されました。

　奴隷制度が存続した全期間中に、推定で一二〇〇万人ものアフリカ人が帆《はん》船《せん》に詰めこまれたと示唆《しさ》されていますが、それとは別に少なくとも四〇〇万人が奴隷港への強行軍《きょうこうぐん》や、**〝ミドル・パッセージ〟**の移動中に亡《な》くなっている可能性があります。〝ミドル・パッセージ〟というのは、大西洋をわたってジャマイカやバルバドス、南北アメリカ大陸へ奴隷を輸送したときの、きわめて非人間的な環境につけられた名前です。

　目的地にたどり着くまでに苛酷《かこく》な状況で亡くなった多くの人びとは、海に投げ捨てられました。生き残った者は、砂糖やラム酒やタバコ、スパイスと交換されました。それらの物品はイギリスに持ち帰って売られました。

　奴隷制度はイギリスの貿易商や農場主《ぬし》に莫大《ばくだい》な富《とみ》をもたらしただけでなく、ブリストル、リバプール、グラスゴー〔前ページの地図を参照〕の発展に不可欠なものでした。奴隷貿易商や農場主が蓄《たくわ》えた巨額の財産は、イギリスが世界に先駆《さきが》けて産業経済と銀行取引の中心となり、支配的な政治力や軍事力を確実に手にするのに重要な役割を果たしました。
奴隷貿易商と農場主は、黒人には奴隷以外の運命はふさわしくないことをしめすのに熱心でした。また、黒人のことをくわしく知っていると自負《じふ》してもいました。ジャマイカ人の農場主の息子、**エドワード・ロング**はその典型的な人物で、長いあいだ黒人は別《べつ》の種《しゅ》だと考えていました。さほど意外なことではありませんがロングは、奴隷制度がアフリカ人に文明をもたらすという結論を導《みちび》きだしました。

人種の〝科学〟

一九世紀に、生まれながらの人種的特性にもとづいた、あらゆる人間の多様性を説明するさまざまな理論が出現しました。
たとえば、その典型として**ロバート・ノックス**の説は『人種（*The Races of Men*）』（一八五〇年）として出版され、フランス人の**アルテュール・ド・ゴビノー**は一八五四年に『人種不平等論（*Essay on the Inequality of Human Races*）』

エドワード・ロング（一七三四～一八一三）英国からジャマイカに移住したサミュエル・ロングの四番目の息子として生まれる。一七七四年に著書『ジャマイカの歴史（*The History of Jamaica*）』を出した。

ロバート・ノックス（一七九一～一八六二）英国エディンバラ出身の解剖学者・外科医。

アルテュール・ド・ゴビノー（一八一六～一八八二）フランスの外交官・小説家・思想家。伯爵。

を発表しました。

この二人の見解は、さまざまな前提が共通しています。

その前提の一つめは、人類は限られた数の明快で永久的な人種に分けられるということ。そして人種は人間の多様性を理解するうえでの重要な概念であること。

二つめは、異《こと》なる人種を特徴づける明確な身体的マーカーとして、とくに肌の色、顔面の特徴、髪質《かみしつ》および骨相学《こっそうがく》の影響が高まったことで、頭蓋骨《ずがいこつ》の大きさと形が用いられたこと。

三つめは、それぞれの人種は明確な社会的形質、文化的形質、道徳的形質と生まれつき関係しているということ。

四つめは、白人をいちばん上とし黒人をいちばん下とする、能力と美の首《しゅ》尾一貫《びいっかん》したヒエラルキーで格付けすることができるということ。

ゴビノーの見解を検討すると、科学的なレイシズムのほかの重要なテーマが浮《う》き彫《ぼ》りになります。ゴビノーは歴史を、白人、黄色人種、黒人などさまざまな人種間の争《あらそ》いの歴史とみなしましたが、人種と階級を混同していました。すべての〝社会的地位〟の歴史は、支配的な人種による征服の結果であって、それによって形づくられたのは、貴族階級、さまざまな出身が混じりあった中産階級、および、より低い階級である〝一般の人びと〟であると考えていました。

ロバート・ノックス（一七九一〜一八六二年）は、同時代の人びとに、ヨーロッパのおもな政治的論争の根底にあるのは、人種的な基盤であると確信させたいと考えていました。ノックスは人種を次のように区別しました。

- **スカンジナビア人**は生来、民主主義であるが、征服した人びとに民主主義を拡大させることができない。
- **ケルト人**は優《すぐ》れた戦士だが、政治的な能力はほとんどない。
- **スラブ人**は潜在能力があるものの、リーダーシップには欠けている。
- **サルマティア人**または**ルス人**は、科学と文学に現実的な進歩がない。

当時の人種理論の原則に忠実ではあるものの、ノックスは、より色の濃い人種を、肌の白いサクソン人からもっとも離れている人種とみなして、色の

スカンジナビア人　一般には現在のスカンジナビア半島のスウェーデンとノルウェーにデンマークを加えた地域の人びとをさすと思われるが、そこにかつてデンマーク領で、その後デンマークと連合王国だったアイスランドや、かつてスウェーデンの一部だったフィンランドも加えた、いわゆる北欧諸国全体をさす見かたもできるため、ノックスが意図したのがどこまでかは議論の余地がある。

ケルト人　紀元前五世紀ごろからヨーロッパの中西部で栄えた先住民。現在はフランスのブルターニュ地方や、アイルランド、英国のウェールズやスコットランドなどにその伝統文化が残る。なお、スコットランド南西部の都市グラスゴーを本拠地とするサッカーチーム「セルティック」は「ケルトの」を意味する。

より黒い人種と白い人種のあいだには自然に生まれた根深い憎悪がはびこっていると断定しました。

現在、科学的なレイシズムのこの段階《フェーズ》には、ほかに二つの特徴があることに注目すべきでしょう。

一つめは、黒人と黄色人種集団が劣《おと》っていることを証明しようとする人は、女性が劣っていることについての科学的な根拠も見つけようとしていたことです。頭蓋骨と脳の大きさの測定に人気が高まると、女性の脳は軽くて不完全な構造で下位の人種の脳と同等であるとしばしば主張され、このせいで、おそらく知的な能力が劣っているだろうとされました。

もう一つは、女性と下位人種は本能的かつ感情的で、白人男性の領分《りょうぶん》とされる理論的な論証を行うことができないとみなされました。

科学と病理学

関連のある現象としては、人種の分析が病気の治療研究の一端《いったん》として行われたことがあげられますが、ここでもまたセクシュアリティについて強い含《ふく》

スラブ人　ヨーロッパ最大の民族的・言語学的集団で、現在はおもに中欧・東欧に居住している。言語系統でみた場合、ロシア語・ウクライナ語などの東スラブ語群と、ポーランド語・チェコ語・スロバキア語などの西スラブ語群、およびセルビア語・スロベニア語・ブルガリア語などの南スラブ語群に大別される。

サルマティア人　紀元前四世紀から紀元後四世紀にかけて、ウラル山脈南部から黒海北岸にかけて活動した遊牧民集団。

ルス人　原文は《Russ》なので現代なら一般的な訳は「ロシア人」だが、前項にスラブ人があり、現代のロシア人と区別するため、あえて「ルス人」とした。

みが加わります。この〈病気〉と〈セクシュアリティ〉という二つの要素が黒人女性と売春婦についての研究のなかで結びつけられたのです。

一九世紀の科学的レイシズムでは、あたかも黒人女性の生殖器《せいしょくき》の外見が異《こと》なっているかのようにみなされ、黒人女性に過度に動物じみたセクシュアリティがあるようにみえる外見上の特徴が探求されました。

一八一五年、サラ・バールトマン、あるいは**ホッテントット・ヴィーナス**という呼《よ》び名がより一般的なサーキ・バールトマンの死体解剖《かいぼう》が行われ、この女性の臀部《でんぶ》と生殖器が標本にされて展示されました。亡くなる前もこの女性はヨーロッパの人たちに、脂肪臀症《しぼうでんしょう》のせいで突き出た臀部が見世物《みせもの》にされたのです。

医療の言説《ディスコース》では、白人売春婦の生理学と顔相学についての研究が黒人女性の身体的な分析と関連づけられ、黒人性と女性生来の病理学的セクシュアリティとのあいだを結びつける強力なつながりがつくられました。

ホッテントット・ヴィーナス　南アフリカからヨーロッパに連れてこられたうえに、死後までも「見世物」として博物館にさらされた悲劇の女性、サラ・バールトマン。彼女の生涯とその後の顚末（てんまつ）については、バーバラ・チェイス＝リボウ著『ホッテントット・ヴィーナス――ある物語』（井野瀬久美惠監訳、安保永子・余田愛子共訳、法政大学出版局）がくわしい。

人種と国民

国民（ネイション）という概念は、人種主義的な考えの起源と発展に欠かせない役割を担《にな》ってきました。人種と国民は、**ヨハン・ゴットフリート・ヘルダー**（一七四四〜一八〇三年）による対比が有名です。

ヘルダーは、さまざまな国の国民はさまざまな人種によってつくりあげられていると主張し、次のように述べています——長いあいだ、それぞれの国の国民は独自の文化と文明を発展させてきた。とくに言語や神話、歌で表現される民族精神《フォルクスガイスト》（**Volksgeist**）は、ほかの国民の文化とは整合《せいごう》しない全体的な生活様式であり、それらはすべて独自のものである——。

民族精神という概念と人種的な特性との距離は近いのです。

一七八九年の革命後、フランス国家は、自由で平等な国民の自発的なつながりによって団結したようにみえました。フランス人は、民族の起源や宗教にかかわりなく、国家の領域内に居住していることを一つの価値として、共同体のメンバーシップを享受《きょうじゅ》しました。しかし、国民であることという市民モデルの**普遍主義**《ふへんしゅぎ》も、人種という**個別主義**によって簡単に損《そこ》なわれました。

ヨハン・ゴットフリート・ヘルダー　現代哲学に多大な影響を与えたドイツの哲学者・文学者。主著『言語起源論』。

Volksgeist　ヘルダーがドイツ人であることで、あえてドイツ語で強調している。〈Volks（フォルクス）民族〉と〈Geist（ガイスト）精神〉の複合語。

普遍主義／個別主義　両者は対(つい)の概念で、身近な例でいえば、「クラス全員に同じ記念品が贈られる」のが普遍主義だとしたら、「女子だけに特別なプレゼントが贈られる」のが個別主義。ここでは、フランスの国民であればだれもが平等であるといいながら、たとえばユダヤ人は反セム主義などで国民としての平等が保たれていなかったことを指摘している。

一八四〇年代のフランスの共和制国家〔第二共和制〕では、現地**ゴール人**（ガリア人）を抑圧《よくあつ》するドイツ〔正確にはまだプロイセン王国〕に攻《せ》め入《い》るという考えを政治利用することが多くありました。反セム主義も依然《いぜん》として強い力を保《たも》っていました。

白人性、黒人性、そしてごたまぜの〝人種〟

国民《ネイション》という概念でとくに重要なのは、それが〈人〉と〈文化〉と〈人種〉を混《ま》ぜあわせたものにもとづいて〝彼ら〟と〝私たち〟とを分ける新たな境界を生みだしたことです。

この境界は、人種の分類について意見が一致する人種科学者は二人といないという事実によって、より複雑になりました。つまり、分類基準になる肌のトーンが科学者によって微妙に異《こと》なっていたのです。また、いずれも最終的には破綻《はたん》したのですが、骨相学と人相学のあいまいな調査結果を組みあわせて、さまざまな人種が、個々の人種理論家の気まぐれにもとづいて発案されました。民主主義と独裁主義などの無数の文化的および政治的な形質と、人種とが恣意的《しいてき》に結びつけられました。

ゴール人　古典ラテン語Gallia（ガッリア）はフランス語ではゴール（Gaule）となる。ガリア人はケルト人の一派で、彼らが居住した地域を古代ローマ人が「ガリア」とよんだことによる。

領土と国民という概念（たとえば〝**プロイセン**〟）は、**チュートン人やサクソン人**、北欧系など人種的な概念と厳密に切り離した状態にはできませんでした。同様の問題が、イギリス、フランス、イタリア国民を定義する際に生じました。

社会的な階級と性別の要素も、そこにふくめられることがありました。すなわち、より低い階級と女性は、異なる国民や異なる人種と同じく、財産を有する白人男性とくらべて理性と自制心が欠けているという理由で、国民として完全な権利を否定されたのです。

歴史的に、国民、人種、〝人民（people）〟、市民権といった概念と、国民主権（popular sovereignty）が合体するのに、それほど時間はかかりませんでした。強い国の形成が、このプロセスに重要な役割を果たしました。

ヨーロッパの国家がより明確に文化的な統一をすすめるにつれ、ある国の国民と外国人とのあいだの分断がさらに強固になりました。共通の長い歴史によって育《はぐく》まれてきた、フランス、ドイツ、イタリア、それぞれの国民の特徴がますます強まってきました。そのようにして、国民でない者は、侵入《しんにゅう》

プロイセン　英語名「プロシア」。もとはドイツ北東部、バルト海に面する地域名。長きにわたり分裂状態だったドイツ連邦のなかで、しだいに領域を拡げ頭角をあらわし、ドイツ最強の王国になった。その台頭に脅威を感じドイツ統一を妨害する隣国フランスとの戦い（普仏戦争［一八七〇～七一。普はプロイセン＝漢字で「普魯西」と書く］）で勝ったのち、ドイツ帝国を成立させる。

チュートン人やサクソン人　ともに、もとはゲルマン民族の一つ。

者《しゃ》か国賊《こくぞく》として区別されたのです。

アウトサイダーは、国家を構成する国民を汚染しかねない汚れのある人びととされました。〝母国〟や〝祖国〟という概念は、まるで国民のあいだに生物学的な血縁関係があるかのような結びつきをイメージさせました。

アルテュール・ド・ゴビノーの人種理論では、これまでみてきたとおり、階級とセクシュアリティの問題は、国民と人種の問題に組みこまれてきました。人種の起源についての恐れと、より低い階級の特徴は、啓蒙時代後のヨーロッパでは重要な意味をもっていました。

国家形成の計画には、農民階級と、都市部で急増しつつある貧しい産業労働者集団を、よきフランス国民またはイタリア国民へと文化的に転換させることがふくまれていました。そして、固有の男らしさや女らしさという概念や、純粋なドイツやフランスの男性と女性という考えは、国民の特徴や国民の健康という考えに本来そなわっているものでした。

意外なことではありませんが、貧しい移民はとくに問題とみなされるようになりました。イギリスでは、飢餓《きが》と都市部の劣悪《れつあく》な環境での暮らしから逃《に》げてきたアイルランド人の流入は、毒のある敵意を誘発《ゆうはつ》しました。たとえば当時、アイルランド人は猿に似ているという見解が広まりました。

ヨーロッパ〝内部の〟レイシズム

人種という概念は、近代初期という時期に、ヨーロッパ以外の人びととの接触が増えたことと同じくらい、ヨーロッパ内部での懸念《けねん》から育《はぐく》まれてきたものです。

一八世紀と一九世紀に急激に広がった〈人間の多様性を分類する〉という目論見《もくろみ》は、白人と黒人、アジア人とのあいだに境界線を引くのと同じくらい、ゴール人やサクソン人、スラブ人などの白人ヨーロッパ人種つまり〝国民〟のあいだに境界線を引くことについての懸念から生まれたのです。

ナショナリズムの高まりと貴族階級という階層の崩壊に対する保守的な反応が組みあわさって、〝国内レイシズム（internal racisms）〟と時折よばれるものの温床《おんしょう》ができました。

とくに、産業化がはじまると、急速に発展した都市に、土地をもたない労働者が急激に押し寄せないようコントロールする必要があるのではないかという懸念《けねん》が高まりました。

帝国の拡大によって、新たな社会の風景に必要不可欠な知的人材や経済的人材が提供され、そのなかで階級が人種化されていきました。植民地集団の政府では、人種と階級と**ジェンダー**とが撚《よ》りあわされていったのです。

人種、階級、性と帝国

増大する労働者階級は、中産階級と上流階級とは異なる〝血統〟および〝人種〟とみなされはじめました。同時に、労働者階級が暮らしていた都市部の**スラム**は、帝国主義者のことばでは〝湿地《しっち》〟や〝荒れ野〟だらけの異質の地として言いあらわされ、労働者の堕落《だらく》した習慣と同じ程度に、社会的にコントロールする必要があるとされました。

さらに、人種的な異常さの概念は、性的な逸脱《いつだつ》やその他、社会的な逸脱という概念と重ねあわされました。労働者階級の好戦的な人びと、アイルランド人、ユダヤ人、ホモセクシュアル、売春婦、および精神異常者は、人種的

ジェンダー《gender》 生物学的な性別(sex)に対して、社会的・文化的につくられる性差のこと。もとは文法用語。

スラム 都市で貧しい人びとが居住する地区。貧民街。

に逸脱しているとみなされたのです。働く女性は、働いているがゆえに、**ビクトリア朝時代**のプライベートとパブリックの境界線を超《こ》えていたため、人種的な退行《たいこう》の例として扱《あつか》われました。

家族、家長《かちょう》主義、および歴史的な進歩というメタファー（暗喩《あんゆ》）によって、女性や労働者階級、植民地の劣《おと》った人種は、子どもじみていて、中産・上流階級の白人男性の厳格で穏《おだ》やかな手を必要としていると表現されました。したがって、帝国は一つの〝家族〟とみなされ、国内外を問《と》わず、女性も、劣った人種も、特権的な白人男性によって支配される自然秩序の一部とされたのです。

これは、植民地の現地人の女性化とよばれるものと密接に関連しています。植民地には女性の名前がつけられ、たとえば**バージニア**には、かなり明確に女性的なイメージが付加されています。

イギリスの帝国主義計画として植民対象の女性化は、階級が分断されたイギリスの男らしさの再構築と組みあわされました。上流階級、とくに帝国の運営を委任《いにん》された人びとの男らしさの形成は、排他的《はいたてき》な〝パブリック〟ス

ビクトリア朝時代　ビクトリア女王がイギリスを統治していた一八三七年から一九〇一年の期間（六〇ページの注「後期ビクトリア朝」も参照）。

バージニア　バージニア植民地は、北米大陸にあったイギリス領の植民地であり、独立後の合衆国の州名としても引き継がれた。

クールで制度化され、そこで性的な自制心が強調され、感情表現が失《うしな》われていきました。同時に、帝国の男らしさによって、中流階級のイギリス人女性は、清《きよ》く、かよわく、守護を必要としているものの、帝国の人種の先祖として貴《とうと》くもある存在とみなされました。

これによって、イギリス人女性は、性的な捕食者《ほしょくしゃ》である現地人と労働者階級のイギリス人と、性的に利用可能でエロティックな〝現地の〟女性をふくむ物語のなかに登場する便利な駒《こま》となりました。これらは植民地の行政官や増えつづける旅行者が発表した物語によって育《はぐく》まれた性的な幻想の不可欠な要素でした。

アジア女性の性的魅力によって大陸のルールが複雑になり、肌の黒い人種は単純に人種的に劣っているというロジックがさらに不安定になりました。

歴史家の**ウィリアム・ダルリンプル**がしめしているとおり、一八世紀にイギリスがインドで植民地を拡大した当初は、イギリス人男性はインド式の衣服を着て、インド式の設備の家に住み、インドの神々に祈《いの》りを捧《ささ》げ、インド人女性と恋に落ちて結婚することがよくありました。

ウィリアム・ダルリンプル（一九六五〜）スコットランド生まれのベストセラー作家。ケンブリッジ大学在学中に発表した、マルコ・ポーロについての評伝『ザナドゥにて（*In Xanadu*）』で一躍有名になる。インド在住。

ホモセクシュアルもアジアのほうが寛容《かんよう》で、なじみやすい土地であることに気づいていました。
しかし、一九世紀になると、より冷ややかで残忍《ざんにん》な形の支配がはじまりました。とくに**一八五七年のインド大反乱**と**一八六五年のジャマイカでの反乱**の影響で、植民地支配はより抑圧《よくあつ》されたものになっていきました。
インドで発展した植民地文化の例は、そのさまざまな複雑さのなかに帝国主義的なレイシズムが垣間《かいま》みえるという点で有用であるといえるでしょう。〝ヒンドゥー（Hindoos）〟が劣った人種であるという概念や、専制的で停滞《ていたい》した社会としてのインド観と、ムスリム教建築とヒンドゥー教建築への賛美、芸術と産業、とくに織物製造の進歩に対する賛美とが共存していました。
インド人女性の性的な魅力は、旅行に関して伝承される情報の重要な主題になりました。インド人の知的な能力はおおいに尊重され、一八三五年の**マコーレー**による有名な提案につながりました。それは、インド人の血統と肌の色をそなえ、イギリス人の美的感覚があり、自分の意見をもち、道徳観と知識を有し、〝我々と我々が統治している何百万もの人のあいだの通訳者〟

一八五七年のインド大反乱　いわゆる「セポイの乱」のこと。セポイはシパーヒー(sipahi)ともいい、イギリス東インド会社が編成したインド人傭兵のこと。

一八六五年のジャマイカでの反乱　「ジャマイカ事件」とも。のちにジャマイカの国民的英雄ポール・ボーグル率いる黒人男女数百人がジャマイカ東部のモラント湾の市街へ乱入した事件。イギリス本土での大論争を引き起こし、ジャマイカ史における一大画期となった。

マコーレー（一八〇〇～一八五九）英国の政治家・歴史家。下院議員、のちにインド最高会議議員。インドの法制改革に尽力。

として行動する〝優秀な人物〟を生みだす教育制度でした。

これによって、英語の学校と大学がインド各地に設立されました。これこそがアングロサクソン化のプロセスの始まりで、それがナショナリスト運動に拍車《はくしゃ》をかけたのです。

この運動は最終的にイギリスのルールの崩壊をまねきました。

インドの古代言語、サンスクリット語の研究は、ベンガル・アジア協会を設立した**ウィリアム・ジョーンズ**（一七四六〜一七九四年）をはじめ、さまざまな学者によってなされていますが、この言語の研究が叙事詩《じょじし》〝**バガヴァッド・ギーター**〟など重要な古代文献の翻訳《ほんやく》につながり、インドの神話や形而《けいじ》上学《じょうがく》、宗教の洗練ぶりに、ヨーロッパ人が注目しはじめるきっかけとなりました。

こうしたインドの文献は、ドイツでいっそう強い影響をおよぼしました。

ドイツでは、**ロマン派**の知識人が啓蒙思想を過度な合理主義とみなし、これに対抗する自分たちの意見を強化するためにインドの文献を用いました。

ヘルダー、ゲーテ、シェリングとショーペンハウアーが先導したドイツ観《かん》

ウィリアム・ジョーンズ　英国の法律家、東洋学者、宗教学者。ラテン語・ギリシア語・サンスクリット語の関係を研究し、インド・ヨーロッパ祖語（印欧祖語）という考えかたをみちびいた。ちなみに父は数学者で円周率にπ（パイ）という一文字を用いた同名のウィリアム・ジョーンズ。

バガヴァッド・ギーター　ヒンドゥー教の聖典の一つとされる宗教哲学詩で、古代インドの長編叙事詩である『マハーバーラタ』に収められている。

ロマン派　「ロマン主義」「浪漫主義」「ロマンチシズム」とも。明治期の日本にも大きな影響を与えた。

念運動《ねんうんどう》ではとくに、彼ら自身がインドのパラレルな哲学的観念論とみなしたものに魅力を感じていました。そしてとくにその最終的な分析において、すべてのものは単一の全体〔ブラフマン＝梵（ぼん）〕を形づくっており、この単一性は現実の肉体に宿《やど》る魂《たましい》〔アートマン＝我（が）〕が一つであること〔梵我一如《ぼんがいちにょ》〕から生まれているという考えに惹《ひ》かれたのです。

多くのヨーロッパの研究者は、すべての宗教と文化はインドにその根源があると考えていました。**フリードリヒ・シュレーゲル**（一七七二～一八二九年）は〝すべての、そう、すべてのものの起源はインドにある〟と書いています。

とはいえ、インドへの崇拝《すうはい》は**原始主義**（primitivism）への回帰をともなうものでした。インド人は無垢《むく》で優《やさ》しげなふるまいから子どもっぽいとみられており、また回《まわ》りくどく臆病《おくびょう》な面が女性っぽいとみられていました。

アシシュ・ナンディの秀作『**身近な敵**（*The intimate enemy*）』（一九八三年）でも明らかにしめされているとおり、ヨーロッパの帝国主義的なディスコース（言説）においてインド人は、単一のステレオタイプではなく、相反する

フリードリヒ・シュレーゲル　ドイツの批評家・哲学者・言語学者で、初期のロマン主義の旗手となった。サンスクリット語の研究でも知られる。

原始主義　自然や原初の状態を最良のもの、価値の基準とする考えかた。

アシシュ・ナンディ（一九三七～）「インドの良心」とも称されるインドの社会・文明批評家・政治理論家。二〇〇七年には福岡アジア文化賞を受賞。

『身近な敵』　原著は記していないが、その副題は「植民地主義下での自己の喪失と回復」（loss and recovery of self under colonialism）である。

複数の存在として特徴づけられました。

オリエンタリズムと人種

知識、権力、およびルールを結びつけるという、フランスの社会哲学者**ミシェル・フーコー**（一九二六〜八四年）の洞察《どうさつ》に影響を受けて、とくにアラブ人でもありアメリカ人でもある文化評論家**エドワード・W・サイード**の『**オリエンタリズム**（*Orientalism*）』（一九七八年）や〝ポストコロニアル理論〟という新分野で用いられているとおり、現代の学者らは、帝国主義的な計画のもとで、植民地に関する知識が直接的にも間接的にも、植民された集団の征服を助ける形になってしまったことを強く意識しています。

その結果、初期の東洋学者がしめしたインド文化への関心がどのように統治方法や実践に直接生かされてインドが統治されたのか、インド文化が東洋学者の先入観に沿《そ》ってどのように形づくられていったのか、現在ではかなり理解がすすんでいます。

つまり、サンスクリット語の研究によって、インド文化への理解は深まり

ミシェル・フーコー　二〇世紀最大の思想家ともいわれる、フランスの哲学者。主観を排して対象を観察することで社会の構造を見きわめる構造主義、および、その後のポスト構造主義の潮流をつくった。

エドワード・W・サイード（一九三五〜二〇〇三）パレスチナ系アメリカ人の文学研究者、文学批評家。主著『オリエンタリズム』で、西洋における東洋へのあこがれを「オリエンタリズム」として批判的に再定義し、そこから植民地主義や帝国主義に関わる文化や歴史などの広範囲な事象を取り扱う「ポストコロニアル理論」を確立した。

『**オリエンタリズム**』　邦訳は平凡社刊、今沢紀子訳。

ましたが、その知識は利用され、行政が現地の慣習法《かんしゅうほう》へうまく組みこまれて、植民地の管理が行われたわけです。

インド人集団の性質は、さまざまな調査や国勢調査で記述されました。この文脈でもっとも重要なのは、イギリスの植民地政府がインド人集団を人種的に分類しようとしたことです。

インドはおもに二つの人種に分類されました。とくに、戦力として軍へ動員することを基準にその人種の分類は確立されました。そして、肌の色が白くサンスクリット語を話す、北西部出身の〝**アーリア民族**〟系統と、暗い色の肌をした劣《おと》った人種に分けることができるとされたのです。

とくにインド・アーリア族やインド・ヨーロッパ語族という一般的なグループの概念から、〝アーリア民族〟はヨーロッパを起源とする人びととみなされました。

もちろん、これはヨーロッパの植民者とインド・アーリア族とが同等であるかもしれないという問題をはらんでいますが、もともとのアーリア人は肌の色が濃い**ドラビダ人**やその他の人種と混じりあうことで人種的な退行《たいこう》を経

アーリア民族　一〇ページの注「アーリア人種」参照。

ドラビダ人　おもに南インドとスリランカで話されているドラビダ系の言語を話すグループをさす。長い伝統と豊かな文化をもつとされる。「ドラビダ語族」ともいう。ドラビダ系の言語は東南アジアや南アフリカ共和国などでも話されており、話者数は一億人をゆうに超えるとも。

験したとほのめかすことによって、その問題は解消されました。したがって、インドは古代の、過去のヨーロッパとだけ結びつけられました。

一八五七年に起こった衝撃的な反乱のあと、イギリスの行政当局は、インドをさらに直接的に支配する手引きを作成し、〝好戦的な人種〟である**パンジャブ人**と、**グルカ族**起源の人種は、戦闘能力とイギリスの統治に対する忠誠心の高さから軍への動員に最適であると助言しました。

インド人の人種的な**類型学**は、カースト制度の区分と結びつけられました。カースト制度は数多くある社会的な区分の一つで、それを中心にして寺院や一族、村、言語および地域的なアイデンティティなどとともにインド人の伝統的な社会生活を構成しており、職業や仕事の区分にも重なっています。

イギリスは簡略化された**四つのカースト**分類をおしすすめ、インド文化の核を形づくる原理としてカースト制度を強調しました。さらに、カースト制度の頂点に位置するバラモンに属する人だけを、正しいアーリア民族の系統とみなしたのです。

古代の出土人骨のDNA解析にもとづく最新の遺伝学的研究では、**デイ**

一八五七年に起こった衝撃的な反乱　五四ページの注「一八五七年のインド大反乱」参照。

パンジャブ人　インド北西部からパキスタン北東部にまたがるパンジャブ地域を中心に生活している民族。現在のパキスタン最大の民族でもある。

グルカ族　元来グルカはネパールの一地名で、そこに住む部族がグルカ族だが、一八世紀のネパール統一以降は全ネパール人を意味することもある。セポイの反乱の鎮圧で力を発揮した。

類型学　類似点から本質を理解しようとする学問。

四つのカースト　上位から「バラモン」（司祭）、「クシャトリヤ」（王族・武人）、「ヴァイシャ」（庶民）、「シュードラ」（奴隷）。カー

ヴィッド・ライクが考察しているとおり、古代インドの社会的な区分はもっと複雑であることがしめされています。これは第三章で述べます。

優生学、社会進化論と帝国のレイシズム

後期ビクトリア朝時代は、重大な文化再構築《さいこうちく》の時代でした。この時代から**ジェンダー**、人種、国民、階級が密接にからみあい、人種をより重要なものと想定する局面が出現しました。

これにはいくつか要因があります。

第一に、一八六五年のジャマイカ事件としても知られる、ジャマイカ、モラント湾《わん》の暴動（一八五七年のインド大反乱後のわりと早い時期に生じました）と、労働者階級のより大きな区分へと選挙権を拡大する選挙法改正運動の高まりとが同時代に偶然に生じたことがあげられます。この政治的な動きが一八六七年の選挙法改正につながり、これによって、労働者階級の既婚《きこん》の**ブリテン島**《とう》内の戸主《こしゅ》男性に選挙権が与えられました。この結果、投票権をもつ白人と、見かたによっては投票権を得るには未熟あるいは遺伝的に劣《おと》っていることか

スト制度は一九五〇年のインドの憲法で廃止されたが、現在も存在している。

デイヴィッド・ライクが考察しているとおり　第三章八二ページ以降を参照。

後期ビクトリア朝　ビクトリア朝は、英国をビクトリア女王が統治していた一八三七年から一九〇一年までの六〇年以上におよぶ期間のこと。この時期には一八四〇年にアヘン戦争が発生し、一八五七年にはインドでセポイの乱が起こるなど、海外へ勢力拡大した英国と、拡大した先ざきの国家や地域勢力とのあいだに軍事衝突があり、また一八七七年からはビクトリア女王がインド皇帝を兼ねたことに象徴されるように、インドをはじめアジアに対する支配がすすんだ時期でもある。ま

た、産業革命がさらに進展し、大英帝国が経済的にも文化的にも黄金期をむかえた時期でもあるが、その後期にはそれにもかげりがみえはじめた。

ジェンダー　五一ページ注参照。

ブリテン島　英国の中心的かつ最大の島。イングランドのほか南西部のウェールズ、北部のスコットランドで構成する。三一六ページ注参照。

ら、自身では統治できず、大英帝国の白人の利益に供《きょう》することにのみ適切であるとみなされた黒人やその他の植民地の現地人とのあいだに、より厳密《げんみつ》な境界線が引かれたのです。

第二に、帝国《ていこく》という概念がレイシズムという広く普及したポピュラーな文化の一部となったことです。帝国内の取引がとんとん拍子《びょうし》に拡大するにつれ、宣伝によって、黒人は野蛮で劣っているが笑顔で陽気で、喜んでへつらうというイメージがさらに広く普及しました。帝国にはキリスト教的精神と衛生観念を〝有色の〟人びとにもたらす〝白人の責務《せきむ》〟があるとされていました。

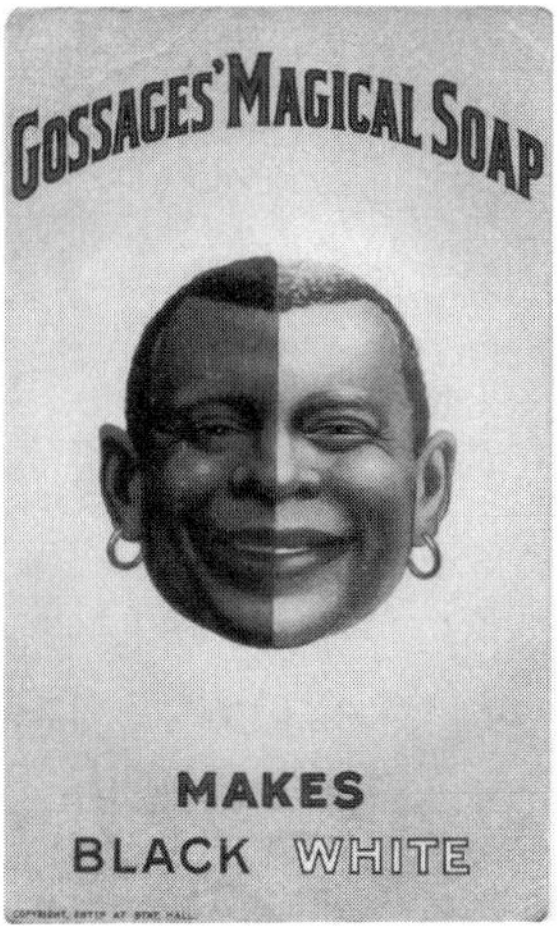

図3　ゴセージズのマジカル・ソープ
黒人性と汚れを同一視しています。

とくに印象的なのは、どこにでもみられた石鹼《せっけん》の広告で、石鹼をつねに使用することで、比喩的《ひゆてき》にも文字どおりにも浄化《じょうか》され白くなりうる汚れと〝有色〟であることが同一視《どういつし》されたのです（図3参照）。

第三に、ヨーロッパ人の成功そのもの、とくにイギリス人の帝国主義的計画の成功によって、白人種が明らかに優《すぐ》れていることが正当化され、この結果、複数の社会的階級が一つの合弁《ごうべん》事業、つまり植民活動を構成することとなりました。一九一四年にはヨーロッパ列強《れっきょう》が、ある種の領土として世界の八八パーセントを保有していました。

さらに、社会進化論と**優生学**《ゆうせいがく》の運動が、人間の重要な分類法として人種という考えを補強しました。

優生学

チャールズ・ダーウィンは、すべてのヒトが同じ種に属していると考えました。原則として、ダーウィンの著書『**種の起源**（*The Origin of Species*）』（一八五九年）と『**人間の由来**（*The Descent of Man*）』（一八七一年）はなおのこと、その時代の科学的なレイシズムとは調和していません。

人種という概念は、人種の特徴が時を経《へ》ても変わらないという想定にもとづいています。いっぽう、ダーウィンがとなえる自然選択による進化論は、集団内で生じるランダムな多様性によって、変わりゆく環境に適応していく作用にもとづいており、変化を尊《とうと》んでいます。しかし、ダーウィンの考えは

優生学　英語では《eugenics》。生物の遺伝のありかたに改良を加えることで人類の進歩をうながそうとする考えにもとづく学問または社会改良運動。

チャールズ・ダーウィン（一八〇九～一八八二）英国の博物学者。英国海軍の測量船ビーグル号に乗りこんだのは二七歳のときで、それがやがて進化論提唱の画期的名著『種の起源』として結実、出版されたのは五〇歳のときだった。

『種の起源』　少し長い題名は「自然選択の方途（ほうと）による種の起源」（正式タイトルはさらに長い）。わかりやすく手に入りやすい邦訳が光文社古典新訳文庫から上下巻で出ている。

『人間の由来』　講談社学術文庫から二〇一六年に邦訳あり。

すぐに、科学的なレイシズムという支配的な概念、とくに〝社会進化論者〟とよばれるようになるグループに利用されました。

その社会進化論者の代表が、イギリスの社会学者**ハーバート・スペンサー**（一八二〇～一八九三年）です。有名な〝適者生存（Survival of the fittest）〟ということばをつくったのはスペンサーです。このことばは、白色人種の技術的な進歩と洗練された慣習は、ほかの人種よりも〝適者〟であることの証《あかし》であり、それゆえに白人が色の黒い劣った人種を支配するのは自然で不可欠なことだという考えを肯定《こうてい》していました。

社会進化論は、優生学を育《はぐく》みました。これは一八八〇年代から一九三〇年代にアメリカとヨーロッパで広く行きわたっていた人種差別的な考えかたの一潮流です。鍵《かぎ》となる人物は、チャールズ・ダーウィンの従弟《いとこ》**フランシス・ゴルトン**です。彼の見解の要旨《ようし》は、イギリスからアメリカやカナダ、オーストラリアへの移民は、下級白人のいわば自己追放をまねき、結果として、よりよい階級のイギリス人があとに残る、という考えに顕著《けんちょ》にあらわれています。

ハーバート・スペンサー　英国の哲学者・社会学者。ダーウィンの進化論を社会学に援用した社会進化論で当時の思想界に多大な影響を与えた。

フランシス・ゴルトン（一八二二～一九一一）英国の人類遺伝学者。「ゴールトン」とも表記される。

ゴルトンはとくに、ヒトの集団のなかで知性レベルのちがいをマッピングすることに、ことさら関心を寄せるようになりましたが、知性を評価するための明確な方法はもちませんでした。

『**遺伝的天才**（*Hereditary Genius*）』（一八六九年）では、完全に非システマティックな観察にもとづいて、もっとも高い知性レベルの犬は、もっとも知性の低いオーストラリアの**アボリジニ**、黒人、イギリス人、古代ギリシア人より優れていると結論を下《くだ》していますが、これはさほど意外な展開ではありません。

ゴルトンと優生学者は〝知的発育不全〟の原理も提案しました。この原理では、高い知性をもつ者より低い知性クラスが多く繁殖《はんしょく》することで起こる知性の退化プロセスを記録すべきとの主張がなされました。すなわち、チェックをしないままでは、知性が全体的に希釈《きしゃく》され（うすまって）、社会的体制の崩壊が生じかねないというのです。

この運動の発展をうながした二つの出来事があります。

一つめは、イギリスで**ボーア戦争**のために動員された新兵の身体的な状態

『遺伝的天才』　原著のタイトルは《Hereditary Genius》なので、本文は『遺伝的天才』としたが、日本では大正時代に『天才と遺傳』（傳は伝の旧字体）というタイトルで早稲田大学出版部から翻訳が出ている（その後、岩波文庫、現在は絶版）。

アボリジニ　オーストラリア大陸とその周辺島タスマニアの先住民の総称。ラテン語の「原初からの（ab・origine）」に由来。

ボーア戦争　英国とオランダ系のアフリカ入植者のボーア人（「ブール人」とも。《Boer》はオランダ語で農民の意）が南アフリカの植民地化の主導権を争った二度にわたる戦争で、「ブール戦争」ともいう。第一次（一八八〇～八一）ではボーア人側が勝ち、第二次（一八九九～一九〇二）では英国側が勝った。

の悪さが明らかになり、衝撃が広がったこと。

二つめは、アメリカ合衆国で〝チュートン（アーリア）〟系でも〝アングロサクソン〟系でもない白人、つまりアイルランド人、イタリア人、ポーランド人、セルビア人、ギリシア人に加えて中国人の移民数が急速に増加し、高い出生率を有する劣った人びとに、優《すぐ》れたアングロサクソン人が圧倒されるのではないかという恐怖が増したことです。

一八九四年、アメリカで**ＩＲＬ**（移民制限同盟）が設立されました。

一九二四年にＩＲＬは、人種的退化の危険性を議会に認めさせることに成功しました。一九二四年の移民法では、いわゆる〝北欧〟の国からの移民がとくに有利になりました。こうして課せられた制限は、申請の順番によってのみ移民を制限する一九六五年のハート・セラー法によって、ようやく撤廃《てっぱい》されるまでつづきました。

〝人種衛生〟のためのナチスの優生学運動は、最初から一貫《いっかん》して反セム主義をかかげていたわけではありませんでした。むしろ一九〇四年から一九一八年の人種衛生運動には多くのユダヤ人も参加しており、選別育成によるドイ

ＩＲＬ《Immigration Restriction League》米国への移民を制限する目的で設立。支持したのは、ＷＡＳＰ（ワスプ。白人［Ｗ］のアングロサクソン［ＡＳ］のプロテスタント［Ｐ］の略）とよばれる上流階級で、自分たちの権利擁護をかかげた。一九二〇年代の米国は、一九一八年に終結した第一次世界大戦のあとの不況のもとにあった。国内経済の落ちこみが移民規制強化の背景にあった。

ツの**遺伝系統**の改善プログラムを支持していたのです。しかし、まもなくすると、憎悪《ぞうお》に満ちた反セム主義的なナチスの計画がおしすすめられていきました。

近年、**ホロコースト**（この用語は一九六〇年代になって広範《こうはん》に用いられるようになりました）の研究が驚異的に再燃しています。ヒトラー政権がその手のおよぶかぎりすべてのユダヤ人を物理的に絶滅させる〝最終的解決〟へと突《つ》っ走《ぱし》っていった出来事を解き明かす詳細が、これまでにないほど多く明らかになってきています。

ホロコーストの教訓

ホロコーストが不合理で野蛮かつ邪悪な異常行為であったという考え――さもなくば、西洋の文明化の理想を体現していたはずの**寛容《かんよう》でリベラルな民主主義のドイツ文化**の歴史を、短期間妨《さまた》げた集団的な国民的精神病は、いまや筋のとおったものとはいえず、ナチスによるいくつかの反セム主義の**プロパガンダ**は、ひじょうに粗削《あらけず》りなものでした（図4参照）。

遺伝系統　遺伝ストック、遺伝株、遺伝材料とも。当時は、遺伝性の疾患がある女性に断種や避妊を強要するような「改善」が行われた。

ホロコースト　ギリシア語に起源をもつことばで、ユダヤ教で神に供える生けにえに由来。そこから転じて「全滅」「大虐殺」の意となった。いまではもっぱらナチスによるユダヤ人大量虐殺をさしていう。

寛容でリベラルな民主主義のドイツ文化　二つの世界大戦にはさまれたワイマール憲法下のドイツがまさにそうであった。

プロパガンダ　特定の主義や教義などを広めるため国家などの組織が意図的に行う宣伝。

ハンナ・アーレントは、影響力の大きい、ドイツ出身のユダヤ人識者《しきしゃ》です。アーレントは、イスラエル秘密情報機関に逮捕《たいほ》された**アドルフ・アイヒマンのエルサレムでの裁判に関するレポート**を、一九六〇年代半《なか》ばに発表しました。そのレポートでアーレントは、

〝悪の陳腐《ちんぷ》さ（banality of evil）〟

という決定的なフレーズを用いて、ぱっとしない冴《さ》えない官僚が、冷淡な死刑執行人という状況に置かれるや、きわめて恐ろしい犯罪に身を捧《ささ》げうることをしめそうと試《こころ》みました。

そこから、しかるべき環境と権力を与えられれば、だれでも大量虐殺を実行しうるという見かたが生まれたのです。

ポーランド出身のユダヤ人社会学者ジグムント・バウマンは、自

Courtesy of US Holocaust Memorial Museum

図4　ユダヤ人と、ドイツ人のアーリア民族らしいとされる特徴を誇張したナチスのプロパガンダ漫画

ハンナ・アーレント（一九〇六〜一九七五）「ハンナ」「アレント」とも表記。米国の政治学者、哲学者。ドイツ生まれのユダヤ人女性。ナチスが政権をとった一九三三年にパリに亡命。のち四一年に米国に亡命。主著に『全体主義の起原（起源とも）』。

アドルフ・アイヒマンのエルサレムでの裁判に関するレポート　みすず書房から『エルサレムのアイヒマン――悪の陳腐さについての報告』（大久保和郎訳）が邦訳新版として出ている。

著**『近代とホロコースト**（*Modernity and the Holocaust*）』（一九八九年）のなかで、ほぼ同様の主張を行っており、平凡で官僚的な職務を非人間的に淡々とこなすことによって、結果的にその人の人間性が失《うしな》われ、ユダヤ人を大量の貨物のように輸送し殺害して処分することにつながった点をとくに強調しています。

しかし、二〇一七年の**バウマンに関する私の著作**でしめしたとおり、アーレントとバウマンはいずれも、アイヒマンが過激な反セム主義者であった点や、ユダヤ人を追放し殺すというヒトラーの強烈な強迫観念《きょうはくかんねん》が、ホロコーストにおいて大きな役割を果たしたことについては言及していません。

別のことばでいえば、ユダヤ人に対する大量虐殺に関して、反セム主義という人種差別的なイデオロギーの果たした役割を控《ひか》えめに述べていることに、そもそも大きな疑問を感じます。

ホロコーストの原因のくわしい調査については本書ではとうてい網羅《もうら》できませんが、このテーマに関する重要な研究からいくつか重要な結論を導きだすことはできます。

『近代とホロコースト』　邦訳は大月書店から二〇〇六年に出版されている。

バウマンに関する私の著作　巻末・参考文献、三三九ページ参照。

第一に、ドイツをユーデンライン〔ユダヤ人がいない地〕にするというヒトラーの強迫観念にも似た欲求がなければ、ホロコーストは起こらなかったでしょう。重大なレイシスト的大量殺人に対する個人の影響は、けっして小さくはないのです。

第二に、反セム主義は、ヒトラーの台頭に貢献した数多くの要因（ドイツ経済の危機的な状態など）のうちの一つにすぎません。

第三に、ホロコーストのような出来事が起きるのに、かならずしも国民全体が過激な反セム主義者になる必要はありませんでした。多くのドイツ人はユダヤ人が迫害されていると認識していましたし、多くが組織的《システマティック》な殺人についても知っていたものの、認識していない人びとも多くいたのです。さらに認識している人びとの多くは、戦時下で家族や友人の行《ゆ》く末《すえ》をふくめ、日々の悩《なや》みのほうが気になっていました。

第四に、大量殺人の最前線にいた加害者の多くは、自分自身が携《たずさ》わっていることに大きく心を乱されており、それらの加害者らのあいだでは深酒《ふかざけ》がよくみられました。最近出版されたノーマン・オーラーの著書『**ヒトラーとド**

ラッグ――第三帝国における薬物依存（*Blitzed: Drugs in the Third Reich*）』では、薬物は、ヒトラーが大きく依存していただけでなく、大量殺人に加担《かたん》するという非人間的な行為に対する免疫《めんえき》を与え、長時間にわたり人を収容所に追い立てて管理するあいだ目を覚ましておくためにも、ヒトラーの軍に広く流通していたことがはっきりと実証されています。カッツ（E. Katz）は、一人の人間が根本的に異なる二つの倫理規範《りんりきはん》あるいは〝モラルの世界〟を生き、愛情あふれる親や献身的《けんしんてき》な科学者でありながら、同時に大量殺人者にもなりうることをしめしています。

　第二次世界大戦後、ドイツは潰滅的《かいめつてき》な敗北を味わいました。そして、ナチスのイデオロギーを支持した〝科学的なレイシズム〟は、長いあいだ批判されつづけました。これについては次章でさぐっていきます。

『ヒトラーとドラッグ…』　この題名で白水社から二〇一八年に日本語版が出ている（須藤正美訳）。原著者のノーマン・オーラーはドイツ出身の作家。ドイツ語版原題は《*Der totale Rausch: Drogen im Dritten Reich*》（完全なる中毒――第三帝国における薬物）。ちなみに、本文にしめした英語版のメインタイトル《Blitzed》は、この場合「麻薬などで酔っぱらった」状態という意味だが、ドイツ軍による《Blitzkrieg》＝「電撃」戦（ブリッツクリーク）を連想させる。

Chapter

3

科学的レイシズムの終焉《しゅうえん》

ポスト・ファシスト　直訳すれば「ファシスト後」。ファシストはイタリア王国下でムッソリーニが率いた独裁政権の党名に由来する。ここではより広く、第二次世界大戦の枢軸国（すうじくこく）イタリア・ドイツ・日本のことをさしていると考えられる。「ファシスト」というのはしばしば対象をおとしめる侮蔑語として使われるが、使う人の立場しだいで意味合いが変わる面があり、簡潔に説明するのはむずかしい。

ホロコーストの余波《よは》が残る一九四五年の第二次世界大戦の終結当時、ナチズムのイデオロギーを下支《したざさ》えしたという部分で、優生学と科学的レイシズムの役割は、無視できないものがありました。

反セム主義は、最終的にユダヤ人を絶滅させる殺人計画につながった、いくつかの要因の一つにすぎませんでした。しかし、レイシズムとその科学的根拠に関する問題は、**ポスト・ファシスト**の良好な世界秩序を打ち立てる試《こころ》みの一つとして、国際的なレベルで見据《みす》えるべき問題でした。

一九五〇年の七月、新たに設立された**国際連合教育科学文化機関**（ユネスコ）が、科学的レイシズムの信憑性《しんぴょうせい》に疑問を呈《てい》した声明を発表しました。

この声明の影響は、当時の時代背景から理解すべきです。当時は、政治的計画としてのナチズムにどれほど不安があったにせよ、さまざまな安定した生物学的遺伝《いでん》特性で人種を分ける、人類の分類に関する科学的根拠が、アカデミックに受け入れられ、広く普及していました。

ユネスコの声明は多くの人びとにとって青天《せいてん》の霹靂《へきれき》であったかもしれませんが、この疑問を裏づける科学的根拠は実のところ、ホロコーストのしばらく前に準備されていました。二つの世界大戦のあいだの期間に、科学的レイシズムに対する懐疑論《かいぎろん》〔疑いの声〕はすでに高まっていたのです。

アメリカでは、新たに拡大しつつあった**文化人類学**という分野を中心に懐疑論が起こりました。イギリスでは、おもに生物学とその他の自然科学分野から批判が生まれました。

アメリカの人類学者**フランツ・ボアズ**と学生らは、アメリカ軍によって実施されたIQテストを再分析する研究を行い、実は北部の黒人が南部の白人のIQを上回《うわまわ》っていたことをしめしていました。

彼らはまた〝純粋な〟人種の存在と重要性に関する考えを揺《ゆ》るがしました。

国際連合教育科学文化機関　国際連合の主要機関の一つである経済社会理事会の下におかれた、教育・科学・文化面での発展・推進を目的とした専門機関。いわゆるユネスコ憲章にもとづき、一九四六年に設立。略称はユネスコ（UNESCO）。

文化人類学　人類学の一分野で、おもに米国で用いられた名称。英国など多くのヨーロッパ諸国では「社会人類学」の名称が用いられた。

フランツ・ボアズ（一八五八〜一九四二）ドイツ生まれの人類学者。ユダヤ系ドイツ人として生まれ、ハイデルベルク大学などで物理学と生物学を学ぶ。その後、物理学から地理学に転じ、カナダ東部バッフィン島のイヌイットの暮らしを観察・研究。主著『プリミティヴアート』。

人体計測と詳細な家系の調査が行われた結果、黒人と白人の〝混交〟から生じた**ハイブリッド**な集団は、均質性をしめし、その均質性は〝純粋な〟ヨーロッパの家系にみられる均質性よりずっと高いことがしめされたのです。

しかし、科学的レイシズムのナチス・バージョンに対する嫌悪感にもかかわらず、また一九三〇年代の新たな批判の声にもかかわらず、戦時中、アフリカ系アメリカ人部隊が白人兵士らから人種差別を受けていたことは記憶しておくに値《あたい》します。血液供給〔つまり輸血〕は別にされ、人類学者**ルース・ベネディクト**が白人の優位性という概念に疑問を呈《てい》した小冊子〝人類の人種（*The Races of Mankind*）〟は軍隊内で読むことを禁じられました。人種隔離《かくり》は南部の州の学校や職場で広く実施され、アメリカ市民である黒人の選挙登録者数は低く抑《おさ》えこまれました。

ヨーロッパでは多くのイタリア人が、ローマ帝国を建国したとされる**ローマ人種が優位とする概念**に苦しめられました。そして、ドイツには多数のナチス支持者がいました。さらに**日本人はアジアの支配的民族であると主張**しました。しかし、一九五〇年以降は生物学者や社会科学者の研究により、人

ハイブリッド　雑種あるいは混血。近年はガソリンエンジンと電気モーターとを併用する高性能で低燃費の自動車にこのことばが使われるため、従来の雑種というストレートな日本語より良いイメージがあるかもしれない。

ルース・ベネディクト（一八八七～一九四八）米国の文化人類学者。日本文化について分析した『菊と刀』や「レイシズム」を批判した書《*Race and Racism*》を著したことでも知られる。

ローマ人種が優位とする概念　古代ローマ人と現代イタリア人が別の人種であるという認識がベースにある。

日本人はアジアの支配的民族であると主張　一例として明治期の洋学者で近代主義の啓蒙

種の分類についての科学的な主張は徐々《じょじょ》に弱められていきました。

この概念に科学的な要素が欠けていることは、一つの重大な問題をみれば明らかです。それは、人種科学者がそれぞれに、驚くほどさまざまな人種の分類法を思いついている点です。

たとえば、一九三三年、**フォン・アイクシュテット**は、三大人種系と一八の小分類の人種、三つの副次的な人種と三つの中間型をふくむ分類体系を考えだしました。この概念に対して一九三〇年代に異《い》をとなえた人びとが指摘したとおり、また実はもっと以前にダーウィンが指摘していたとおり、用《もち》いられる基準がどうであれ、人種という概念では、明白に異《こと》なるタイプが提供されることはありませんでした。

要は、〝純粋な〟人種など一つも特定できなかったということです。

科学的レイシズムの転落

一九七〇年代から八〇年代までに〝**表現型**《ひょうげんがた》〟という概念、つまり肌の色や鼻の形、毛髪の質、頭蓋骨の形と大きさなど、ヒトの表面的な特徴にもと

思想家・教育者でもあった福沢諭吉は「亜細亜(アジア)東方に於(おい)て此(この)首魁(しゅかい)盟主(めいしゅ)に任ずる者は我(わが)日本なり」と主張した。西欧列強の圧力にさらされるアジアを救いたいという諭吉なりの義侠心(ぎきょうしん)に発するものだったが、これがかえって中国や朝鮮を刺激するものであることを私たちは理解すべきであろう。

フォン・アイクシュテット (一八九二～一九六五) ドイツの人類学者。ブレスラウ大学、マインツ大学で人類学教授を歴任。インドや中国などで人類学的な調査を行う。一九三三年に『人種学および人種史』を著し、人類を肌の色で白・黒・黄の三つに分け、その下に地域別に細かく分かれた人種をおいた。

づいた、批判に耐《た》えうる人種の概念と人種のヒエラルキーを発展させようという試《こころ》みがありましたが、真のヒトの多様性を評価する指針としては徹底的に反証されました。遺伝学的解析を用いて内在する〝遺伝子型〟について研究が行われた結果、ヒトとヒトとのあいだのばらつきはごくわずかであることが実証されたのです。

さらに、決定的な結果として、その研究で以前は別の〝人種〟としてほかのグループから区別されていた集団は、その集団内のほうが別の人種間より遺伝学的なばらつきが大きいことがしめされました。

一九七二年、**リチャード・ルウォンティン**による、広く影響力があり説得力のある研究によって、〝人種〟と地理的な地域で分類された集団の遺伝学的多様性はたった一五パーセントであるという結論が下《くだ》されました。ルウォンティンは次のように力強く結論を述べています。

〝ヒトの多様性は、［中略］個人間のちがいが最大の部分を占めています。したがって人種の分類は社会的価値がなく、社会や人間関係に明らかに害を与えるものです。〟

表現型　遺伝学用語で、生物に特徴的にあらわれる、見た目のちがいのこと。遺伝子型に対することばで、表現型が同じでも、遺伝子型が異なる場合があるのでややこしい。「ひょうげんけい」ともいう。

リチャード・ルウォンティン（一九二九～）米国の進化的生物学者・数学者・遺伝学者。

ヒト**ＤＮＡ**の研究開発と**全ヒトゲノム解読**が急速にすすみ、二〇〇〇年に解読が完了すると、それまでに行われた遺伝学的研究の結果が追認《ついにん》されました。〝遺伝学〟は、ヒト集団の多様性をそれまでよりもずっと正確かつ科学的にしめそうとする〝ゲノム解析学《かいせきがく》〟という研究へと移り変わっていきました。しかし、同じような研究には、以前から使われている用語もよく用いられています。

二〇〇〇年六月、ヒトゲノム研究プロジェクトの最初の結果がクリントン大統領を中心とするホワイトハウスのセレモニーで発表されました。そしてその後、ＤＮＡの塩基《えんき》配列決定法研究の先駆者《パイオニア》である**クレイグ・ヴェンター**が、初期の遺伝学的研究でしめされていたことを次のことばで追認しました。

〝人種の概念には、遺伝学的な根拠も、科学的な根拠もない〟

ゲノム解析学は急速に進歩しています。いまや、すべてのヒトは個々に同じ遺伝子をもち、一卵性双生児をのぞく各個人は、それらの遺伝子の一部がわずかにだけ異なるバージョンをもっているのにすぎないということを、私

ＤＮＡ　deoxyribonucleic acid（デオキシリボ核酸）の略。

全ヒトゲノム解読　ヒトゲノムは、人間のもつＤＮＡにふくまれるすべての遺伝情報のこと。約三〇億個の塩基配列に〝記録〟されている全部の情報を解読するのが全ヒトゲノム解読計画である。

クレイグ・ヴェンター（一九四六〜）　米国の生物学者・実業家。米国海軍の医療衛生兵としてベトナム戦争に従軍。国立衛生研究所を経て、一九九八年に遺伝情報サービス会社を設立し、その社長に就任。二〇〇〇年に人間の全遺伝情報（ヒトゲノム）を解読したと発表。その後のバイオ産業の発展に貢献した功労者として知られる。

たちは知っています。また、すべてのヒトは、アフリカを起源とする集団の子孫であることもわかっています。

解剖学的には、人類はアフリカを起源とし、二七万年も前に、おそらく厳《きび》しい干《かん》ばつによって、いくつかの集団が南部および中央アフリカから北へ移動したと思われます。私たち全員の先祖《せんぞ》である、より現代的なアフリカ人は約六万年前にアフリカからの移動を開始しました。

これらの人びとと、もともとのアフリカ人集団の遺伝学的な相違は、ごくわずかでした。意外でもないことですが、もっとも幅広《はばひろ》い遺伝学的なばらつきはアフリカでみられます。つまり、その集団内の遺伝学的なちがいのほうが、ほかの大陸全体でみられるちがいよりも大きいのです。

さらに、アフリカ人の表現型の類似点として一般的に、アフリカ人はみな肌が〝黒く〟て、平《ひら》たい鼻と分厚《ぶあつ》い唇《くちびる》をしていると思われがちですが、実際はまったくちがいます。

人類学者はアフリカの、たとえば現在アイボリーコースト（象牙《ぞうげ》海岸《かいがん》）とよばれる**コートジボワール**の単一地域でさえ、肌の色ならライトブラウンか

コートジボアール　西アフリカ、ギニア湾に面する国。国名の《Côte d'Ivoire》はフランス語で、後半のイボワールが「象牙」、前半のコートが「海岸」の意。かつて、この地域の海岸から象牙が多く出荷されたことによる。一八九三年にフランスの植民地になり、「アフリカの年」といわれる一九六〇年に独立して、コートジボワール共和国となる。人口約二二〇〇万。

ら非常に濃い茶色まで、鼻の形なら平たい鼻から鷲鼻《わしばな》まで、また髪の色にしても、容易に目につくちがいがあることを証明しました。そして、これらのちがいは、サハラ以南のアフリカ全体を系統的に調査したとき、もっとはっきりあらわれます。

アフリカは、バラエティに富《と》んだ遺伝学的な遺産のおかげで、身体的なタイプが世界でもっとも多様です。たとえば、もっとも背の低い人びとだけでなく、もっとも背の高い人びとがいますし、唇がもっとも厚い集団とともに、もっとも薄《うす》い集団がいます。鼻の幅や頭蓋骨の寸法のちがいもひじょうに幅広いのです。

単一の〝部族《ぶぞく》〟を構成すると考えられる集団の**遺伝子頻度《ひんど》**が変化しつづけていたいっぽうで、生物学的に離《はな》れていると考えられていた集団どうしは以前考えられていたよりはるかに遺伝学的に似通《にかよ》っていました。

アフリカの遺伝学的なちがいは、**二〇〇〇もの異なる言語**を話す集団がいるという事実と似ていると、しばしばみなされます。

遺伝子の変化はヒトのランダムな変異《へんい》の結果であり、それらの変異が、い

遺伝子頻度　互いに繁殖可能なメンデル集団の遺伝子プール（九〇ページの注「遺伝子プール」参照）において、それぞれに対応する対立遺伝子（アレル）がふくまれる割合。

二〇〇〇もの異なる言語　数えかたによっては三〇〇〇種類以上とも。

かなる環境であれ、ヒトの生存を高めるとき、その変異があとの世代に伝えられていく傾向が強くなります。

とはいえ、このような方法では説明のつかない表現型の多様性が一部にあります。たとえば、長期間分離していた複数のグループは、グループ間で遺伝学的な多様性が大きくなる可能性が高いですが、それは許容範囲内のほんのわずかなちがいにすぎず、すべての集団は依然《いぜん》として共通した単一の人類に属していると定義できます。

近年、古代の出土人骨からDNAを抽出する方法が進歩し、それによって、アフリカから移動した集団は、**ネアンデルタール人**と混交《こんこう》し（このような混交は、残存している現在のアフリカ人では、それほど明らかではありません）、四万二〇〇〇年前から六万五〇〇〇年前にオーストラリアに達したことが明らかになりました。しかし、定住地となった最初のおもな地域は、アラビアとペルシア、つづいてインドだったようです。ヨーロッパでの定住は、約五万年前に起こったとみられており、現代の中国よりもあとのことだったようです。南アメリカへの定住はおそらく約一万五〇〇〇年前のことでした。

ネアンデルタール人　およそ四〇万年前に出現し、約四万年前から二万数千年前に絶滅したとされるヒト属の化石人類の一つ。ヨーロッパ大陸を中心に西アジアから中央アジアに分布。旧石器時代の石器をつくり、火も使用していた。ネアンデルタールはこの化石人骨が発見されたドイツ西部、デュッセルドルフ近郊のデュッセル川の谷の名称。

〝チェダーマン〟とヒトの肌色やほかの特徴の多様性

二〇一八年二月、最初の現代イギリス人の復元モデルが公開されました。これらの古代人が生きていたのは約一万年前で、骨格のDNA解析《かいせき》から、これらのイギリス人は、それまで考えられていたような白い肌で直毛《ちょくもう》金髪の人とは、ほど遠いことが明らかになりました。チェダーマンの骨自体は、イギリス南西部サマセットの**チェダー渓谷《けいこく》**地域にある《**ゴフの洞窟《どうくつ》**》で一〇〇年以上前に発掘されたものでした。〝チェダーマン〟は〝褐色《かっしょく》または黒い肌〟でカールした色の濃い髪、青い目をしていました（図5参照）。

彼は、最後の氷河時代の末期にヨーロッパ大陸からブリテン島にわたってきた最初の開拓者集団に属していました。こんにち生存しているイギリス白人の一〇パーセントは、このグループの子孫です。

DNAの解析結果から、チェダーマンの起源は中東であることが示唆《しさ》されています。ヨーロッパの集団は、充分な**ビタミンD**を生成するために、長い年月をへて肌の色が明るくなっていったのだろうと考えられていますが、皮《ひ》膚《ふ》がんに対する防御《ぼうぎょ》は、メラニンによって生成される肌を黒くする色素沈《ちん》

チェダー渓谷　英国南西部にある英国内で最大級の峡谷。この渓谷があるチェダー地方は、チェダーチーズの発祥地でもある。

ゴフの洞窟　洞窟内の温度が安定しているためチェダーチーズの熟成に利用。観光名所にもなっている。名前は発見者のリチャード・ゴフ氏にちなむ。

ビタミンD　人類の生存にかかわる必須のビタミンで、血中カルシウム濃度を一定に保つ働きがあり、食べ物からカルシウムの吸収や骨の正常な形成を促す。紫外線を浴びることで体内で合成される。

着《ちゃく》よりも、ずっと複雑なメカニズムがかかわっていることに留意しておくべきでしょう。

肌の黒いチェダーマンは狩猟採集民であった可能性が高く、**鋭《するど》い石の刃《は》**や漁をするための銛《もり》、弓矢をつくることができたようです。

明るい肌色はヨーロッパだけに起源するものではないのです。DNA解析により、その肌色は最初にアジアで発展し、その後ヨーロッパに広がった可能性が高いことが明らかになりました。世界中のヒト集団とくらべて明るい色の肌にかかわるほかの遺伝学的バリアント（変《へん》異《い》体《たい》）もアフリカに起源があります。

ロンドン自然史博物館の考古学者トム・ブースは、一八世紀および一九世紀、二〇世紀の〝人種〟科学者にいたく愛されていた人種カテゴリーは、太古にはまったく存在していなかったと主張しましたが、これは意外でもなんでもないでしょう。彼らが断定していた〝人種のタイプ〟は、それまでの何世紀ものあいだに、ほかの種類の集団が何度も取って代わった末の、比較的最近に起源をもつ集団です。

鋭い石の刃　ブレード、石刃（せきじん）とも。

ロンドン自然史博物館　英国一はもちろん世界一ともいわれる博物館。しかも特別展を除いて入場無料。

Mark Richards/Associated Newspapers/Shutterstock

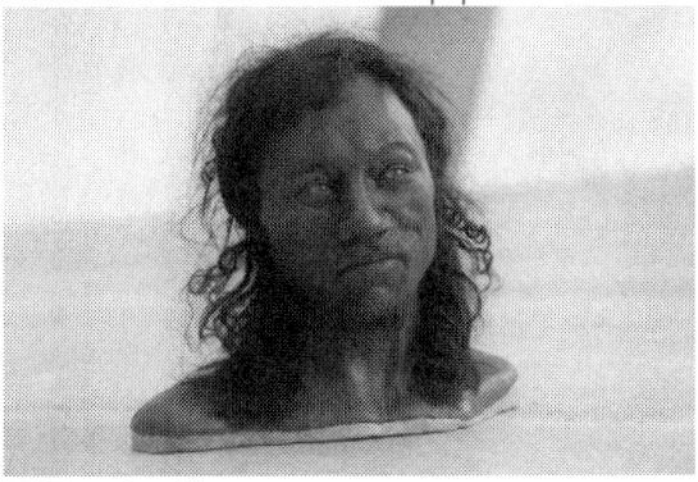

図5　チェダーマン

ヨアン・ディークマンは、〝チェダーマン〟のDNA配列解読プロジェクトに従事《じゅうじ》したロンドン大学の**計算生物学**者です。ディークマンは、その研究プロジェクトによって、白人性とイギリス人であること（ヨーロッパ人らしさも同様）のあいだには、かならずしもつながりがないことが実証された、と指摘しました。

現在のイギリス人集団のたった一〇パーセントのみが狩猟採集民の〝チェダーマン〟に由来《ゆらい》するというのは意外に思えるかもしれません。しかし、古代の骨からDNAを抽出《ちゅうしゅつ》する科学技術分野の草分け《パイオニア》、**デイヴィッド・ライク**は、〝古代のDNAから知りえたこととして、現在のある特定の場所に暮《く》らしている人びとが、過去に同じ場所に暮らしていた人びとの独自の子孫ということは、ほとんどない〟と指摘しています。

ライクによると、ヨーロッパの狩猟採集民は〝チェダーマン〟がもつ褐色の肌と青い目をしていましたが、ヨーロッパの最初の農民は、白い肌で褐色の髪と茶色の目をしており、したがって〝ヨーロッパ人の明るい肌色は、移民農民にその起源がある〟とのことで、おそらく東部シベリアに由来し、ア

計算生物学　応用数学、統計学さらにはコンピュータ科学などを応用して生物学の問題解決にあたる研究分野。

デイヴィッド・ライク（一九七四〜）ハーバード大学医学大学院遺伝学教授。古代のヒトDNA分析の世界的な先駆者。著書邦訳に『交雑する人類——古代DNAが解き明かす新サピエンス史』（日向やよい訳、NHK出版）がある。

ジア人集団とも混交《こんこう》した集団の可能性もあるようです。

〝人種〟（またはのちに述べる〝国民〟にも暗示されるもの）の純粋性という概念に関するライクの結論は、省略せずに引用するに値《あたい》するでしょう。

> 古代ＤＮＡ革命によって、一万四、五〇〇〇年前から一万年前の西ユーラシア大陸の遺伝学的な境界線は現代のものとまったく異《こと》なっていたことが証明され、こんにちの分類が生物学の基本的で純粋な単位をあらわしていないことがしめされた。むしろ現在の分類は最近の現象であり、それらはくりかえされた混交と移動に起源がある。
> 古代ＤＮＡ革命という知見は、今後も混交がつづいていくことを示《し》唆《さ》している。
> 混交は私たちが現在の私たちであるために重要であり、起こったことを否定するのではなく受け入れる必要がある。（強調は著者による追加）

たとえば、ライクと同僚の研究者らは、一二〇〇万もの世界最大の集団である**漢《かん》民族がさまざまな集団に由来《ゆらい》**していたことを発見しました。

漢民族は**紀元前二〇二年に中国を統一**しましたが、チベットの集団と多くの遺伝学的類似性を共有しています。しかし、重要なことに〝一集団に由来する彼らの祖先の大半は、混交されていない形態ではもはや存在していない〟うえ、多くの東南アジア集団に影響を与えた祖先にはふくまれていない可能性があります。

〝人種〟、文化、国民

古代にルーツをもつ国民というよくみられる概念については、たとえばインドのDNA研究によると、（本書を書いている時点〔二〇二〇年〕で政権の座にある）与党インド人民党と結びついているさまざまな過激なヒンドゥー教組織が支持している**ヒンドゥトヴァ**のイデオロギーは、端的にいうと誤《あやま》りです。

ヒンドゥトヴァのイデオロギーは一枚岩《いちまいいわ》ではなく、一部はより文化的で他方はより人種差別的でもあるのですが、それらに共通しているのは、何千年もの歴史がある非常に古い一つのヒンドゥー教徒集団がムスリム（イスラム

漢民族がさまざまな集団に由来　数千年にわたり分裂と統一をくりかえしてきた中国大陸の華北（かほく）平原は、古来「中原（ちゅうげん）」とよばれ、周辺から漢民族以外の異民族が進入をくりかえし、混乱と混交・同化を重ねてきた地域。その多様性は、そこの住民の多様性、少数民族の多さもさることながら、現代の「中国語」の各方言（大別して四つあるとされる）の差異がヨーロッパの別々の国の言語か、それ以上といってよいくらいの差があるといわれる点にも裏づけられる。

紀元前二〇二年に中国を統一　中国の統一王朝は始皇帝の秦のほうが早く、紀元前二二一年。しかし、始皇帝の死後、内乱状態になり、前二〇二年に項羽を倒した劉邦（高祖・前漢の初代皇帝）によって再統一された。

教徒）の侵攻《しんこう》やイギリスのキリスト教徒による植民地支配によってその単一性を妨《さまた》げられたという考えです。

ところが古代のDNAの証拠から、インド人集団はさまざまな集合体で構成されていることが明らかになりました。

ヒンドゥトヴァのイデオロギーを支持する多くの人が声高《こわだか》に主張していることは、約四五〇〇年前から三八〇〇年前まで存在した**ハラッパ**と**モヘンジョダロ**という城壁で防御《ぼうぎょ》された都市の周辺に基礎をなした古代文明が、完全なヒンドゥー教徒集団の存在をしめしているということです。しかし、**その文明の文字**は、インドの言語とイランとヨーロッパの言語の基礎になっているインド・ヨーロッパ語族の言語、サンスクリット語とは似ても似つかないもので、いまだ解読されていません。

いまだ解かれていないもう一つの大きな謎《なぞ》は、なぜそれらのインダス渓谷《バレー》の文明が衰退《すいたい》したかです。ナチスは北方からのインド・アーリア族の侵攻という共通した概念を利用しました。これはすべてのヨーロッパの言語の本当の起源は、ドイツをふくむ北東ヨーロッパの地にあるという彼らの見解と一

ヒンドゥトヴァ　ヒンドゥー教にもとづく政治思想である「ヒンドゥー・ナショナリズム」の核となる概念。「ヒンドゥー至上主義」と訳されることもある。

ハラッパ　インダス文明の都市遺跡。パキスタン北東のパンジャブ地方にある。ハラッパーとも。

モヘンジョダロ　ハラッパと並び称されるインダス文明の都市遺跡。パキスタン南東部にある。

その文明の文字　インダス文明の残した象形文字で「インダス文字」とよばれる。ハラッパ遺跡から出土した印章に動物や神、人間の姿とともに彫られている。インダス文字のみの記述であるため、三種の文字が併記されていたロゼッタストーンのようには解読がすすんではいない。形状による系統も不明。

致していて、彼らが北東ヨーロッパに由来すると考えているアーリア人集団による軍事的な勢力をふたたび拡大させるという野望に好都合《こうつごう》でした。

ヒンドゥトヴァのイデオロギーは、そのような概念にとくに批判的でした。それはその概念が、インド文化の重要な要素が、南アジア以外に起源があることを示唆《しさ》しているからです。

それはたしかに一理あります。比較的短期間に大移動したという考古学的証拠はほとんどないからです。しかし、遺伝学的証拠は、ハラッパ文化の衰退と崩壊にまでさかのぼる、もっと段階的な混交をはっきりとしめしています。これは、インダス文明では馬が使用されず、その文明の終末後の集団では使用されていたという考古学的な証拠からもみてとれます。インド人の遺伝学的混交には、西ユーラシアと近東起源の個人やグループ、またはまったく異《こと》なる集団がふくまれているという知見があり、これはインド亜大陸《あたいりく》南部のインド人が**ドラビダ語**を話すという事実によって強化されます。

ライクとインドの共同研究者らは、〝割合は異なるものの、こんにちの本土インドの人びとはみな混血で……インドの集団で、遺伝学的に純粋と主張

ドラビダ語　おもに南インドとスリランカで話されている。話者人口は一億人超（五八ページの注「ドラビダ人」参照）。

できるグループはない〟という結論に至《いた》りました。

〝祖先の北インド〟とより強い関係がある人びとと、西ユーラシアや**近東**《きんとう》の人びと、および**コーカサス人**との混交は、純粋なヒンドゥー集団という概念や一部の人がいだいている純粋な〝人種〟という概念が、まったく筋のとおらないものであることを実証しています。そして、インド人についていえることは、〝人種〟科学者が〝純粋な〟人種として分類しようとしているすべてのグループについてもあてはまります。

アメリカの〝黒人〟と〝白人〟

アメリカの白人と黒人の成り立ちの複雑さを考慮《こうりょ》すると、アフリカ系アメリカ人の〝アフリカ的部分〟に〝純粋な〟アフリカ人の部分がほとんどないことは、意外なことではないでしょう。

ナショナル・ジオグラフィック誌が二〇一八年四月に〝人種〟の特集記事を発表しました。特別にデザインされたキットを用いて、さまざまな方法で自己を認識させ、多少なりともアフリカ系の祖先が混じっていると認識して

近東　ヨーロッパからみて近いところの東の地域。中東とあわせて「中近東」とよばれることもある。

コーカサス人　形態的な特徴による人種の三大区分の一つで、黒海とカスピ海をまたぐようにのびるコーカサス山脈（カフカス山脈とも）に語源をもつ人類集団の名称。「コーカソイド」とも。英語の《Caucasian》はコーケ（ィ）ジャン、コーケ（ィ）シャンなどと発音する。

ナショナル・ジオグラフィック誌が…〝人種〟の特集記事を発表　「人種と遺伝子」というタイトルで、「人種」とはなにかについてから説き起こし、遺伝子レベルでは人種など存在しないことを解説。

いる六名の参加者を検査したのです。

その結果、参加者全員が見た目はかなり異なるものの、同じ複数の祖先のミックスであることが判明しました。その割合は、

北ヨーロッパ人……………三二パーセント
南ヨーロッパ人……………二八パーセント
サハラ以南のアフリカ人…………二一パーセント
西南アジア人／北アフリカ人……一四パーセント

でした。そのうちの一人、ブレンダ・ユルコスキは現在バージニア州に居住していますが、検査前から祖先に第三代アメリカ大統領トマス・ジェファソンと彼の黒人奴隷で愛人でもあったサリー・ヘミングスがふくまれていると知っていました。この関係の事実はDNA鑑定によっても確認されました。

ただし、ブレンダ・ユルコスキはアフリカ系アメリカ人として自己を認識していますが、ほかの人はしばしば〝混血〟ということばを用《もち》いています。

人種と健康

疾患《しっかん》のなかには、特定の集団によく起こるものがあります。しかし、関連研究の結果はいずれも、異なる人種の概念を支持してはいません。

サラセミア（地中海性貧血とも）はしばしば、インドの亜大陸出身の人にひじょうによくみられる疾患とみなされていますが、一部の地中海地域と東南アジアでも同様に高い頻度《ひんど》で生じることが知られています。

鎌状《かまじょう》赤血球貧血は一般に〝アフリカ人〟または〝黒人〟が罹《かか》る病気と考えられていますが、研究の結果〝人種〟ではなく、ある環境下でのマラリアの存在に関係していることが指摘されました。鎌状赤血球症を有《ゆう》する集団は、マラリアの流行を生きのびる可能性が高いようで、そのため鎌状赤血球症に対する遺伝的素因が次の世代に伝わったのです。

この疾患が西アフリカに起源があることを示唆《しさ》するエビデンスはほとんどなく、表現型として〝黒人〟である人にのみ限定されるものではありません。鎌状赤血球症は、インド人、アラビア人、ギリシア人、トルコ人、イタリア人の祖先をもつ集団のあいだでも起こるのです。

サラセミア　「タラセミア」とも。赤血球を構成するヘモグロビンが変異して起こる溶血性貧血の一種。遺伝性疾患で、地中海沿岸地域で多いことから「地中海性貧血」ともいう。

鎌状赤血球貧血　酸素を運ぶ赤血球内のタンパクであるヘモグロビンの遺伝子異常で起こる慢性的な貧血症。「鎌状」という名の由来となる三日月の形をした赤血球が一因となるのが特徴的。

骨粗鬆症《こつそしょうしょう》は、ヒトが異なった人種に合理的に分類できるという見解を裏づけるために使われてきた、さまざまな重要な例の一つです。生物医学的文献で、〝コーカサス人〟と〝アジア人〟はこの疾患に罹《かか》る傾向が高いとみなされています。しかし、これは人種的な区分ではありません。〝アジア人〟は地理学的なカテゴリーで、いっぽう明確なグループとしての〝コーカサス人〟という概念は、これまでみてきたとおり、生物学と地理学、文化がいつもごたまぜになっています。

このような混乱が生じたのは、正確な知識が不足しているせいです。その結果、生物学的なちがい〔たとえば赤血球の形など〕と、人種グループ内での遺伝学という考えとのあいだに誤《あやま》った結合が起こったのです。

疾患に関する研究が裏づけていることは、ヒトには祖先の**遺伝子プール**(gene pool)という明確な共通項をもつ複数の集団がたしかにいて、それは混交と特定の移動の結果であるという見解です。しかし、遺伝子プールの分布パターンや生理学的特性は、別々の人種があるという概念をまったく裏づけていません。ライクが指摘するように〝「祖先」は「人種」の婉曲《えんきょく》表現で

骨粗鬆症　加齢などが原因で骨がすかすかになる病気。骨多孔症とも。食べ物などに細かい穴ができるというときに使う「鬆(す)が入る」の鬆の字がむずかしいので、しばしば「骨粗しょう症」と表記される。

遺伝子プール　交配可能な集団を構成する各個体がもつすべての遺伝子をあわせたもの。「遺伝子給源」ともいう。

はなく、「人種」と同義でもない〟のです。

遺伝学的革命がこれまでしめしてきたのは、あらゆる領域の形質において、集団間には〝些細《ささい》ではない〟一般的な遺伝学的差異《さい》があるということなのですが、〝人種という用語はあまりにあいまいで、歴史的な重荷を背負《せお》わされすぎて役に立たない〟ようです。

したがって、集団のなかで一般的に認《みと》められている明確なちがい（肌の色や澱粉《でんぷん》または**乳糖**《にゅうとう》を効率よく消化する能力、高地で健康に生きられる能力、一部の疾患の罹《かか》りやすさなど）はありますが、前述のルウォンティンが下《くだ》した結論はいまだに有効です。すなわち、《形質の大半の多様性は、集団間よりも集団内でのほうがずっと大きい》のです。

遺伝学的な差異のおかげで、一部の集団が特定のスポーツや競技で能力を発揮するという主張にひそむ矛盾をしめす例も、一つだけ挙げておきましょう。

ケニアの高地に住んでいるアスリートは、この地に住んでいることで長距離走に有利な遺伝学的な特性を得ていると断言されることが多いようです。

乳糖　「ラクトース」とも。哺乳類の乳にふくまれる。

しかし、チベット人もまた、能力を発展させなくてもケニア人ランナーと同じように高地で歩行し走ることができます。この種の例は数多くあり、遺伝子や環境と、行動に関する特徴とのあいだの関係を調べると、別々の人種があるという考えは根拠がないことがしめされます。

また、くりかえしになりますが、絶え間ない移動や集団の入れ替わりをしめすDNAの証拠から、こんにちの集団グループの大半は、少なくとも一万年前に同じ地域に居住していた人の末裔《まつえい》とはかぎらないという、明白な結論がみちびかれます。

生物科学でより直近に進歩した領域は**エピジェネティクス**ですが、**マウリツィオ・メローニ**(Maurizio Meloni)など多くの解説者は、この新たな形の研究と仮説をつうじて〝人種〟の概念が、すでにこっそりもちこまれようとしているのではないかと懸念《けねん》しています。

エピジェネティクスは通常、DNA配列の変化をともなわない遺伝子機能の変化の研究として定義されています。この一見《いっけん》すると害のないDNA解析

エピジェネティクス　DNA配列が変化しないままの後天的な変化について研究する分野。具体的には、たとえば臓器の部位によって「働く遺伝子」と「働かない遺伝子」があるように、遺伝子各部の「オン」と「オフ」の切り替えをコントロールする機能面での変化をみる。

マウリツィオ・メローニ　オーストラリア、ディーキン大学の社会学の准教授。

の形態にひそむ危険は、ヒトの環境が遺伝子の発現に影響をおよぼすという主張にあります。

たとえば、子宮内の胎児は、母親が経験した外傷に影響を受ける可能性があるというような主張がそうです。さらにこの影響は、世代が変わってもつづく可能性があるとされています。

〝人種〟に関するエピジェネティクスでもっとも有名な仮説の一つは、いわゆる〝奴隷仮説（slavery hypothesis）〟です。これは数世代にわたって、白人アメリカ人乳児にくらべてアフリカ系アメリカ人乳児の出生時低体重の発生率が高いという現象は、母親の前の世代の奴隷制度下で経験した栄養不良や苛酷《かこく》な労働条件の結果で、それが世代を超えて伝わる遺伝的影響をもつとするものです。

この見解は、アフリカの奴隷貿易が行われていた国で生まれて現在アメリカに住んでいる〔つまり奴隷を祖先にもたない〕女性が、奴隷を経験した母親を祖先にもつアフリカ系アメリカ人の母親より体重が**有意**《ゆうい》に重い赤ん坊を生んでいる、という研究結果に支えられています。さらに、ホロコーストの**トラウマ**を経験した

有意　統計上の言いかたで、偶然ではなく一定の必然性をもっていること。

トラウマ　「トラウマになる」などと現代日本語として定着した感があるが、もとはギリシア語《*traúma*》で「傷」の意。「精神的外傷（がいしょう）」「心的外傷」などと訳される。

先祖をもつ母親の子どもは、トラウマのエピジェネティックな影響をしめすという主張もあります。

もちろん、このエピジェネティクスという遺伝学的な説明は真実でしょうし、アフリカ系アメリカ人女性への支援を改善することで、エピジェネティックで有益《ゆうえき》な変化を引き起こすという主張の裏づけにもなります。また原則として、これは健康だけでなく、ほかのパフォーマンスの指標にもなります。しかし、現在、エピジェネティックを介《かい》した人種という概念の強化には、三つの深刻な問題があります。

第一に、エピジェネティックが存在するとしても、環境的要因と遺伝子発《はっ》現《げん》とがどのように相互作用するのか、そのメカニズムがほとんど解明されていないこと。

第二に、それらの遺伝学的変化の世代間伝搬《でんぱん》のメカニズムにいたっては、なおさら解明されていないこと。

第三に、エピジェネティックなちがいが人種の系統的な分類をあぶりだすという主張の根拠が乏《とぼ》しいこと。

エピジェネティクスは真正の科学的理解よりも推測にその多くを依存している学問です。それでもなお、多くの研究者が生物学的な人種の概念を復活させようとして、それを利用するであろうことから、人種やレイシズムの研究者は、エピジェネティックな研究に用心深く目を向けつづけるでしょう。

〝人種〟を定義する——人種は社会構造の一つというコンセンサスはあるのか？

イギリスとアメリカの多くの社会学者は現在、科学的な研究にもとづいて〝人種〟は生物学的な事実というよりも**社会構造**の一つであると確信しています。

この考えは、社会学者が人種という**ことばの前後に引用符をつける**ことでしめされることが多く、それはまさに本書やほかの文献で私がよく行っている方法です（とはいえ本書での用法はさまざまですが）。

さらに、社会学者らがしばしば強調しているのは、人種という概念が、集団の計画にふくまれる一つのイデオロギー、あるいは〝人種〟の優位性に関する一つのイデオロギーとして利用されてきたことです（これは本書ですでに

社会構造　社会学用語の一つ。社会を構成する人びとのあいだでとりもたれる関係（これを「社会関係」という＝一三二ページ注参照）が複雑にいりくむことで、あたかも昔からあった建物や構造物のような堅牢（けんろう）さで現実社会に存在している「しくみ」のこと。逆にいうと、それは「かつてはなかった」という逆説的な存在でもある。

ことばの前後に引用符をつける　引用符は和文のカギカッコ「　」や欧文のクォーテーションマーク“　”や‘　’などがある。たとえば本書のように〝人種〟というふうに〝　〟でくくることで、くくられたものが「いわゆる」のそれであることをしめす。著者は人種という概念に科学的根拠がないという立場なので、すべて〝人種〟とくくりたいところだろうと推測でき

るが、それでは読みにくくなるなどの配慮から、人種という概念の不確かさをとくに強調したいところにのみ引用符をつけている。訳文においてもそれにできるだけならっている。

アン・モーニング（一九六八〜）米国の人類学者・社会学者・人口統計学者。著書に《*The Nature of Race: How Scientists Think and Teach about Human Difference*》（人種の性質：科学者はどのように考えて、人のちがいについて教えるか）がある。

歴史的な研究をしめして確認したとおりです）。

したがって社会学者は、どの形であれ〝人種〟という分類形態では、白人を頂点にして、ほかの非ヨーロッパ人の特徴を有する肌の色が濃い人びとを下位に位置づける階層的に順位をつけられていると主張することが多くあります。

このヒエラルキーは、教育的なリソースの提供、住宅の割り当て、高等教育機関への入学、雇用機会の提供、雇用慣習などで、アフリカ系アメリカ人やアジア人などに対する人種差別的な不平等を正当化し、それらのグループを差別するために用いられているといわれています。

しかし、社会学や生物学というアカデミックな文化の外側で、社会構造としての〝人種〟という見解は、どれほど広がっているのでしょうか。

人種という概念への疑いが広がっているはず……と心地《ここち》のよい自己満足に浸《ひた》っていると、すぐにつまずくことになるでしょう。

人類学者の**アン・モーニング**がアメリカで行った面談と文書による重大な研究によると、多数のアカデミックな人類学者と生物学者さえもが、生物学

本質主義　一六一ページ注参照。

的に〝**本質主義**〟である人種の概念にいまだしがみついていて、さらに、人類学と生物学課程を選択しているアメリカの大学生に対するサンプリングでも、この概念は一般的であることが明らかになっています。
　人種〝本質主義〟とは、一集団に属している人びとは、生まれつき不変の明らかな特徴を一つ以上共有しているという見解を意味します。アメリカの学校で一般的に用いられている生物学と人類学の教科書に関するモーニングの調査結果も、学生に社会構造としてしめすよりも、生物学的な概念として人種を用いる傾向が大きく広がっていることをしめしています。
　アメリカ（とヨーロッパ社会）の一般常識に関する複数の研究の結果にもみられるとおり、これこそが、
《生物学的に独立した複数の〝人種〟があるという考えかたが、なぜ、これほどまでに一般的な文化に溶《と》けこんでいるのか》
という問いに対する答えの一つであることはまちがいないでしょう。
　しかし、人種の構造的なヒエラルキーに関する見解の証拠は、あってもせ

いぜい部分的なものです。アメリカとヨーロッパ社会の大半の一般人は、あいまいな考えしかもっていない傾向にあり、たとえば社会学的研究や人類学的研究で、人種についてピンポイントで質問された場合にのみ考えるだけでしょう。とはいえ、本書を執筆時のイギリスをふくめヨーロッパの社会で、世間一般にある〝人種〟の概念を調べた研究はほとんどありません。

　さらに、アン・モーニングが主張しているとおり、また期待に反して、ゲノム革命は実際のところ、さまざまな人種があるという一般的な見解を補強することになりました。

　アメリカとヨーロッパで**多様性**《たようせい》（ダイバーシティ）が広がっている現在では、多くの人びとは、肌の色やほかの表現型の特徴が微妙に異なっていたり、ばらばらにみられたり、そのグループの特徴とは合わない形であらわれたりしていることを認識しています（たとえば、多くの中国系アジア人は、アフリカ人の特徴とされる幅広の鼻をしていますが、髪は直毛です）。

　しかし、外見ではなく、生物学的な科学によって明らかにされた遺伝学的な差が、人種はたしかに存在するという概念を追認しているとみなすことも

多様性　二八一ページ注「ダイバーシティ研修」参照。

できます。**ニコラス・ウェイド**の著作『**人類のやっかいな遺産**（*A Trouble-some Inheritance*）』（二〇一六年）では、遺伝学の最新の研究で、生物学にもとづいた〝人種〟の分類を発見したと主張しており、これはまちがいなく、生物学の進歩から人種という概念を引き出そうとする本の一バージョンにすぎず、この類《たぐい》の本は今後もあらわれるでしょう。

アン・モーニングの主張を裏づける重大な根拠がほかにもあります。第一に、一部の疾患は遺伝学的にある特定のグループに多く生じるという見解を多くの医学研究者が保持しつづけていること――第二に、ある薬の標的は遺伝学的に定義した特定のグループに適切であると製薬会社が主張している点です。

ひょっとすると、それらの薬のなかでもっとも広く知られている例は**バイディル**かもしれません。

この薬は、黒人の心不全治療にとくに有効とされ、アメリカの食品医薬品局に二〇〇五年に認可されました。しかし、この推奨《すいしょう》を支持する研究は、自己認識した黒人にのみ焦点があてられた臨床試験であり、したがって、異

ニコラス・ウェイド　英国生まれの科学ジャーナリスト。ケンブリッジ大学キングスカレッジ卒。「ネイチャー」「サイエンス」の科学記者を経て「ニューヨークタイムズ」編集委員。

『**人類のやっかいな遺産**』　この邦題は二〇一六年の晶文社刊にもとづく。

バイディル　英表記《BiDil》。黒人患者向け心不全治療薬として議論をよんだ。

なる方法で人種を同定したグループ間の有効性の直接比較という方法は提供されていなかったため、重大な欠陥があるのです。

　モーニングが指摘しているとおり、〝人種〟を特定した薬はつねに販売促進されており、今後も、肌の表面だけでなく肌の内側にあるゲノム情報でも異なる人種は同定できるという見かたを強める影響を与えつづけるでしょう。

　怪《あや》しげな論理ではあるものの、人種という概念をふたたび科学に導入しようという試みが行われていることが、モーニングと**アンジェラ・サイニー**によるその後の研究で確認されています。サイニーの著作『**科学の人種主義とたたかう**（*Superior: The Return of Racial Science*）』（二〇一九年）は人種の科学が残存し、現在復活しつつあることをしめす優《すぐ》れた手引書です。

アンジェラ・サイニー　英国の科学ジャーナリスト。オックスフォード大学で工学の修士号を取得。

『科学の人種主義とたたかう』　この邦題は二〇二〇年に刊行された、作品社の翻訳にもとづく（副題は「人種概念の起源から最新のゲノム科学まで」）。同社からは同じくサイニー著作の邦訳『科学の女性差別とたたかう――脳科学から人類の進化史まで』が先行して出ている（原著タイトルは《*Inferior*》）。人種差別と女性差別、それぞれの本質をつく〈Superior〉と〈Inferior〉という対照的なタイトルが印象的。

Chapter 4

人種化、文化的レイシズム、宗教

ネオナチ　かたよった民族主義や個人の権利を抑圧する全体主義を特徴とするナチズムの思想をなつかしみ、擁護するような立場を前面に出す政治勢力。

こんにちでは、**ネオナチ**やその他の極右《きょくう》グループの筋金入《すじがねい》りのメンバーの集団以外に、レイシストであることを自分から認《みと》める人びとは、ほとんどいないでしょう。しかし、みずから公言しているレイシストでさえ、何種類の人種が存在するか、いかにしてそれぞれの人種を区別するかについては意見がほとんど一致していません。

過去の人種概念を支持する人たちは、これまでみてきたとおり、まさにこれと同じ問題をかかえていました。

人種分類の図式が増えてしまったことが〝科学的レイシズム〟終焉《しゅうえん》の一つの理由になったのです。

〝人種〟という概念の晩年

第三章の終わりで述べたとおり、〝人種〟という概念は、とくに白人優位社会で強力に晩年を生きています〔つまり、まだ生きのびているということ〕。

アメリカの大衆文化は〝人種〟と人種主義的な考えであふれています。かつてこの社会は、黒人は市民ではないという人種差別的な前提にもとづいていました。アメリカ合衆国憲法の原本《げんぽん》では、連邦議会議員を決めるにあたって、一人の奴隷はその州の一人の**白人住民の〝五分の三〟**として計算することとされていました。これは、もし奴隷を一人とみなした場合、南部の州から選出される議員数が不釣《ふつ》り合《あ》いに増えるという問題に対する妥協案《だきょうあん》でした。

〝ニグロ〟問題の議論は、公的かつ日常的な議論において不可欠な部分でしたし、アメリカの国勢調査では人種の分類がはっきりと用《もち》いられ、学校や病院その他の国や州レベルの機関でも同じように用いられていました。

ところで〝ニグロ〟ということばは、アフリカ系アメリカ人自身によっても使われていたことばでしたが、それは〝ニグロ〟から〝ニガー〟ということばにスライドされるまでのことで、その後、一九六〇年代の**公民権運動**に

白人住民の〝五分の三〟　合衆国憲法第一章第二条第三項には、「下院議員と直接税は、連邦に加わる各州の人口に比例して各州間に配分される」という条項のあとに「各州の人口は、年期を定めて労務に服する者をふくみ、かつ、納税義務のないインディアンを除いた自由人の総数に、自由人以外のすべての者の数の五分の三を加えたものとする」とあった。この付帯条項の一文は南北戦争後まで廃止されなかった。

公民権運動　一九五〇年代から六〇年代に米国で起こった、アフリカ系アメリカ人が中心となったマイノリティ解放運動。五五年のマーチン・ルーサー・キング牧師によるバス・ボイコット運動や六三年のワシントン大行進などを経て、六四年に人種差別撤廃をもりこんだ公民

権法が成立。

モーニング　九六ページ注「アン・モーニング」参照。

帝国主義や植民地主義　いち早く資本主義国として発展した西欧など「列強」とよばれる国ぐにが競うようにして世界各地を植民地として分割支配し、その土地の権益を占有してそこから得られる富をすいあげた、一八七〇年以降に加速する国際的な動きを「帝国主義」とよんでいる。また、その根幹となる植民地を拡大・支配・運営する政策や理念を「植民地主義」とよんでいる。つまり両者はほとんど同義で、コインの裏表の関係。

よって使用されなくなりました。**モーニング**は、二人めの子どもをイタリアで産んだときに至《いた》るところで聞かれた、一人めの子をアメリカで産んだときに至るところで聞かれた自分の〝人種〟についての質問が一切《いっさい》なかったことに安堵《あんど》したと書いています。

イギリスでは、奴隷をふくめ、帝国や植民の長い歴史があり、人種という考えは〝文明化〟計画や白人の務《つと》めとして、大英帝国主義《ブリティッシュ・インペリアリズム》の概念に埋《う》めこまれていました。これはもちろん、**帝国主義や植民地主義**は基本的に搾取《さくしゅ》の形態で、それによってイギリスが莫大《ばくだい》な利益を得ていたという事実を覆《おお》いかくすために用《もち》いられました。

とくに、黒人性を汚《よご》れの一形態とみなす考えは、人種の一般的な表現として汚れた黒い肌でさえきれいに「白くする」ほど、ひじょうに効果があるとして石鹸《せっけん》の宣伝で長く使われました（六一ページ図3参照）。

学校の教科書や子どもに人気の童話、さらには大人向けのフィクション小説では、とくに一九世紀の最後の四半世紀と二〇世紀初頭にかけて、アフリカやアジアの新たな土地を白人の英雄が〝発見〟し、〝野蛮《やばん》で原始的な〟人びとを制圧し、優《すぐ》れた白人によるイギリスやヨーロッパの文明を彼らに紹介するという話が描《えが》かれました。

植民《しょくみん》というのは、近代的な技術や、よりよい形態の統治をもたらす、基本的によいことであるという概念は、年輩者《ねんぱいしゃ》に多いとはいえ、いまだに一般に普及しています。たとえば、**インドは鉄道を〝与えられた〟**という考えは、本書の著者やほかの多くの人びとがよく遭遇《そうぐう》する考えです。

ごく最近、**シャシ・タルール**の本『不名誉《ふめいよ》な帝国――英国がインドにしたこと（*Inglorious Empire: what the British did to India*）』でしめされた、鉄道はインド人産業を犠牲《ぎせい》にして、おもにイギリスの商品を輸入・拡散《かくさん》するために建設されたという反論には、著者が教えている白人のイギリス人大学生のあいだでさえ相当な抵抗《ていこう》がみられ、すんなりとは信じてもらえませんでした。

第二次世界大戦後、黒人とアジア人移民（一九四八年に約八〇〇人の**西インド人を乗せた汽船ウィンドラッシュ号**に始まります）は、イギリス経済を立て直すために必要な労働力をもたらしましたが、同時に、さまざまな社会的混乱を引き起こしました。それでもなお政府は、たとえば、戦争中に植民地に定

植民　ある国の国民やグループが、自国に従属する関係にある地域に移り住んで、経済活動や開拓などを行うこと。「殖民」とも書く。

インドは鉄道を〝与えられた〟　「戦前あるいは戦時中、日本は朝鮮半島でよいこともした」という論理もこれに通じるか。

シャシ・タルール（一九五六〜）ロンドン生まれのインド人作家。大学卒業後、国連で勤務し、二〇〇二年からは広報担当の国連事務次長を務めた。その後、インド政府で人材開発相、外相を歴任。

西インド人を乗せた汽船ウィンドラッシュ号　当時まだ英国領だったジャマイカなど西インド諸島の人びとをイギリス本国に運んだ。

住したポーランド人やその他のヨーロッパ人によって供給されていた労働力が枯渇《こかつ》したあと、植民地で積極的に人を雇《やと》わざるをえなくなりました。

イーノック・パウエルはのちに〝有色の〟移民を追放しようとしたことで悪名を得ましたが、一九六〇年代の**保健省**の大臣であったころは実をいうと西インド人看護師を積極的に雇用していましたし、国土交通大臣もバスの人員のために西インド人、インド人、パキスタン人の雇用を熱心におしすすめていました。ほかには、とくに自動車や織物工場の未熟練の製造職を満たすために移民が奨励《しょうれい》されました。

しかし〝有色人種〟の到来によって、イギリスでは長く発展段階だった明らかなレイシズムが、強力な潮流をひきおこしました。

この新たな移民は、とりわけ住宅を見つける段階で、甚《はなは》だしい人種差別に直面することになります。下宿屋に掲《かか》げられた〝犬、アイルランド人、有色人種、お断《ことわ》り（no dogs, no Irish, no coloureds)〟という看板は、まもなく当時の人種差別の様子をしめす悪名高い具体例となったのです。

〝人種〟という言語は、イギリス政治に強い力を発揮しました。一九六四年

イーノック・パウエル（一九一二〜一九九八）英国の政治家・軍人。文学者、作家でもある。一九六〇年から保健大臣。六八年にイギリス本国への移民に反対する「血の川」演説で物議をかもした。

保健省（前出二二ページ）いまの日本でいえば厚生労働省にあたる英国政府の省庁。

に**ウェスト・ミッドランズ**の**スメスウィック**で勝利した候補者のキャンペーン中に補欠選挙のスローガンとして使われた有名なことばは次のとおり。

〝ご近所《ネイバー》に黒人《ニガー》が増えてほしければ、労働党《レイバー》に投票せよ〞

(If you want a nigger for a neighbour, vote Labour)

イギリスでは、増大するエスニック・マイノリティ集団と白人イギリス人との関係を〝人種関係〞の問題として言及するイギリスの習慣によって、人種化（レイシャライゼーション）されたことばが長く使われました。このディスコース（言説）は、**一九六五年**、六八年、七六年の一連**の人種関係法**で体系的にまとめられ、これらの法によってようやく〝人種〞にもとづく、あからさまな差別や隠《かく》れた差別を阻止《そし》しようという試《こころ》みが行われました。

もう一つ注目すべきは〝陳腐《ちんぷ》なナショナリズム〞現象です。これはマイケル・ビリッグが**同名の自著**で警告を発しています。

ビリッグは、ナショナリズムのシンボルが日常生活の基本構造の一部になっている様子を浮《う》き彫《ぼ》りにしています。

ウェスト・ミッドランズ　イングランドの州の一つで、イングランド中央部にある。バーミンガム市、コヴェントリー市をふくむ。

スメスウィック　《Smethwick》バーミンガムからほど近いところにある工業都市。

一九六五年…の人種関係法　一九六五年はイギリス初の人種関係法の制定年。同年は第二〇回国連総会で「人種差別撤廃国際条約」が可決（発効は六九年）。前年の六四年に米国で公民権法が成立、その前年の六三年には第一八回国連総会で「人種差別撤廃宣言」が採択、こうした流れを受けている。

同名の自著　『陳腐なナショナリズム（*Banal Nationalism*）』は一九九五年刊。ビリッグは英国ラフバラー大学教授。

たとえば、日常の決まった作業としてイギリスの国旗ユニオンジャックを掲揚《けいよう》し、国家の記念行事として王室の結婚を祝《いわ》い、君主の治世《ちせい》年数を節目《ふしめ》とし、国を守るために戦った戦没者の祈念式典を行い、とくに一九四五年のナチス・ドイツの敗北を描《えが》いた映画で壮大かつ歴史的な戦いの果てに自国（イギリス）が勝利したことをくりかえし語り、競技や選手権大会などで国のチームや代表選手を応援する……。

これらすべてによって、ナショナリズムの習慣化された形態とともに、世界は〝当然のごとく〟さまざまな国に分かれていて、それぞれの人に祖国と言語があり、長く確立されてきたさまざまな文化的特徴があるという考えが、各国民のステレオタイプ（固定観念や思いこみ）の一つとして埋《う》めこまれるわけです。

しかし、〝国民《ネイション》〟と〝人種〟という概念のあいだの密接な親和性《しんわせい》を考慮《こうりょ》すると、移民と外国人を、国のちがう他者としてだけでなく、人種がちがう他者としてレッテルを貼《は》るようになったとしても、けっして驚くにはあたらないでしょう。

移民についての議論は、たとえば〝**ブレグジット**〟の国民投票（英国《ブリテン》が欧州連合を離脱《りだつ》すべきか否《いな》かに関する投票）をまねいた二〇一六年の出来事は、人種と帰属についてのメッセージにあふれていました。もっとも有名なものは〝離脱〟支持の政治家として名前の知られた**ナイジェル・ファラージ**の写真で、立っている彼の後ろにある広告の看板には、ヨーロッパに入国しようとして長い列をつくっている人びとの黒っぽい姿が写っていました。これによって〝白い〟ヨーロッパに不法に押し寄せようと待ちかまえている褐色の群れ、という印象がはっきりと伝えられたのです。

この写真は、**離脱派**のキャンペーンによって作動《さどう》した、人種化された警告《けいこく》とうまく重なりました。それは、トルコがまもなく欧州連合に加わろうとしており、そうなればトルコ人がイギリスをふくめたヨーロッパに自由に入国できるようになるというものでした。

もちろん、このメッセージは本章の後半で述べる〝イスラモフォビア（イスラム恐怖症）〟と混同されるのですが、ここで重要なのは、世界は当然のごとくさまざまな国ぐにに分けられるという考えは、他国の——とりわけ非白

ブレグジット 《Brexit》と表記。Britain（英国）の意の〈Br〉と「出る」意の〈exit〉からなる造語で、欧州連合（EU）から英国が離脱することをさす。賛否が分かれた英国内の世論を反映し、三回もの延期をへて、二〇二〇年の一月末から二月一日に日付が変わるころ正式離脱となった。当初、ドイツやフランスなどの六か国が一九五二年に前身となる欧州石炭鉄鋼共同体（ECSC）を創設し、それ以来、ヨーロッパ共同体（EC）をへて、二〇一三年のクロアチア加盟で二八か国にまで拡大したEUだが、その初の離脱国が英国となったわけである。

ナイジェル・ファラージ （一九六四〜）英国の政治家。「英国独立党」の党首。

離脱派 欧州連合からの離脱

人国家やムスリム国家の文化や価値観が、我々の価値観や生活様式と本質的に同じ尺度で測《はか》れない場合、いとも簡単に《国家》から《人種》に置き換えられるということです。

ブレグジットキャンペーン時の移民に対する混乱は、イギリス国民戦線やイングランド防衛同盟などの極右《きょくう》政党とつながりのあったトーマス・メアという白人男性による、**ジョー・コックス英下院議員**（シリアほかの難民の擁護者として有名だった）の殺害という悲劇的な結果をまねきました。

もちろん確固とした因果関係を打ち立てるのはむずかしいのですが、当時は反移民の機運がイギリス全体を覆《おお》っていました。メアは殺害におよんだときに〝**Britain first**（イギリス優先）〟と叫《さけ》んでおり、ジョー・コックスのことを〝白色人種の反逆者〟だと考えていました。法廷で裁判官は有罪となった殺人犯を〝白人至上主義者〟と形容《けいよう》しました。

とくに注目すべきは、メアが関心をもっていた政党がしめしている〝国民〟〝ブリテン〟〝イングランド〟〝白人〟といったことばと、彼が怒《いか》りを爆発させながら表現したことばとのあいだに、かなり省《はぶ》かれた部分がある点で

に賛成する人たちのこと。

ジョー・コックス（一九七四〜二〇一六）英・労働党の女性議員（下院）。二〇一六年に自身の選挙区内の路上で街頭演説の準備中に殺害された。夫とのあいだに幼い二児がおり、殺害当時まだ四一歳の若さだった。

下院 英国は二院制（両院制とも）で、上院（貴族院）と下院（庶民院）で構成されている。英語では貴族院を「ハウス・オブ・ローズ（House of Lords）」、庶民院を「ハウス・オブ・コモンズ（House of Commons）」という。ちなみに、日本も二院制で、参議院は英語で《House of Councilors》、衆議院は《House of Representatives》という。

Britain first より正確には Put Britain first といっていた。

す。要するに〝ブリティッシュ（またはイギリス国民）〟と白色〝人種〟とのあいだに悲劇的な同等性《どうとうせい》が築《きず》かれていることがみてとれるわけです。

公的な言説で使われる〝人種〟と〝エスニシティ〟を定義する

人種差別的行為が行われたという主張が厳格《げんかく》に実証されるべきものであるなら、人種についての明確な定義が不可欠でしょう。

すでにみてきたとおり、人種関係法として定義された人種差別撤廃法《てっぱいほう》が存在するイギリスをふくめ、人種差別撤廃法の制定時は、とくにこの定義が重要です。人種差別を撤廃の標的とするといってみたところで、科学的な裏づけが〝人種〟にはないということが認められている状況で、人種をどのように定義できるのでしょうか。

定義の例をみることからはじめましょう。

一九七八年のこと、一九七六年の人種関係法下のイギリスで、**シーク教徒**の少年グリンダ・シン・マンドラの両親がバーミンガムの私立学校パークグローヴを訴《うった》えました。この学校はこの少年の**ターバン**が制服規則に違反して

シーク教徒　一五世紀末、ヒンドゥー教にイスラム教の要素をとりいれる形でナーナクが創始した。「シク教」とも。シーク教の信者はインドではヒンドゥー教徒ほどではないものの、富裕層が多く、社会的に活躍する人が多いとされる。ターバン着用が戒律上の義務で、英国ではオートバイ運転時のヘルメット着用が免除されている。

ターバン　インドから中央アジアやパキスタン、北アフリカにかけて広まったかぶりもの。幅三〇センチ、長さは最大で一〇メートルの薄い布を頭部に巻きつける。もとは男性専用。近年は女性もつけるようになり、日本でもファッション性の高い簡便なものが出まわるようになった。ひだづけしながら巻くのが特徴。

貴族院　英国の貴族院（上院）は当時、最高裁判所に相当する裁判を担っていた。トニー・ブレア政権下の二〇〇五年の憲法改革法制定にもとづき、二〇〇九年から貴族院の最高裁判所権能は連合王国最高裁判所へ移行した。

いるという理由で入学を拒否したのです。一九八三年、**貴族院**はマンドラ夫妻の訴えを支持する判決を下《くだ》しました。

この判決でとくに画期的だったのは、共通した長い歴史、独自の文化的伝統、共通の地理的起源（あるいは少数の共通祖先の系統）、共通言語、共通の文学、共通の宗教があり、より大きなコミュニティのなかの少数派あるいは多数派であることから、シーク教徒を人種グループであるとみなしたことです。

また貴族院は、その人自身が、ある人種グループに属していると考えていて、そのグループから一員として受け入れられている場合、その人はその人種グループに属しているという見解もしめしました。

貴族院の判決は法的にも、その他の状況においても、現代的なレイシズムのはっきりした定義を提供しようとするときに生まれる多くの難題を浮《う》かびあがらせました。ひじょうに重要なことは、この判決では人種グループを定義するために、肌の色などの特徴よりも、おもに文化的なものをよりどころに用《もち》いたことです。また、そこには自発的な自己認識という概念もふくまれており、それによって大幅な自由裁量《さいりょう》が導入されました。

人種グループを独自文化で定義することのむずかしさの一つの鍵《かぎ》は、その定義ではエスニシティという現代の概念との区別ができなくなるところにあります。

それにしても、エスニシティもまた、問題をはらんだ概念です。エスニック（ethnic）とエスニシティ（ethnicity）は、ギリシア語のエトノス（ethnos）に由来します。エトノスは、ある共通の文化的特徴をもつ人びとやグループをさします。

現代的な用法ではエスニシティは、共通の起源という概念と、文化や経験を共有し、共通の関心があり、いくつかの共有される行為に参加する人びとの集団内で一貫性があり連帯が保たれていることが前提とされ、その共有の行為において共通の起源や文化が重要なものとみなされている必要があります。しかし、人類学者や社会学者、歴史家はすでに気づいているでしょうが、共通のエスニシティを定義するために、そのエスニシティ独自の文化的特性や共有されている行為を特定するのは至難《しなん》の業《わざ》です。

たとえば、共通言語がどれほど重要といえるでしょうか。共通の宗教をも

エスニシティ　その民族特有の性質。日本語ではしばしば「民族性」と訳される。小学館『ランダムハウス英和大辞典』第二版の《ethnicity》は、語釈としてまず「民族性」を、その次には「民族的忠誠心」「民族分離（主義）」を掲示している。同辞典によれば、《ethnicity》という単語は初期においては「異教」の意で用いられ、その語意での初出は一七七二年としている。

つことにくらべて、共通言語がどれほどの重みをもつのでしょうか。
また、どれを共通の宗教とみなすべきでしょうか？　基準によってはキリスト教やイスラム教の信仰で充分とするものがあるかもしれません。しかし、イラクやパキスタン、その他のイスラム教徒（ムスリム）の国では、イスラム教の**スンニ派とシーア派**で重大な境界線があります。

北部アイルランドでは、宗教はキリスト教で言語は英語という共通点があるものの、一七世紀の**クロムウェル**によるアイルランド征服とプロテスタント移民政策を一つのきっかけとして重大な政治的分断が生じ、それを下敷《したじ》きとしてプロテスタント教徒とカトリック教徒のあいだで分断があり、この二つの白人集団のあいだで政治的衝突《しょうとつ》と武力衝突がつづいています。

人種と同じく、エスニシティでとりわけ問題になるのは、《属《ぞく》する者》と《属さない者》のゾーン周辺の線引きです。そこには、アイデンティティを構築するうえでの主観的な要素や、特定グループがみずからのアイデンティティを認識するうえでのプロセスと同時に外部から付《ふ》される、同じか別かというラベルに対する反応もあります。たとえば、トルコのイスラム教国とし

スンニ派とシーア派　世界的にみて、イスラム教の圧倒的多数派で九割を占めるのがスンニ派。これに対して少数派なのがシーア派。しかし、世界的には少数派だが、シーア派の教義を国教とするイランでは多数派。ただし、シーア派のなかでも、いくつもの宗派がある。

クロムウェル　（一五九九〜一六五八）英国の軍人・政治家。ピューリタン（清教徒）革命の指導者として王党派軍を破り、一六四九年、国王チャールズ一世を処刑。同年にアイルランド征服。テムズ川河畔のウェストミンスター宮殿の正門前に、武装して剣と聖書を手にしたクロムウェル像があるが、英国でも数世紀へたいまなお、優れたリーダーか増長した独裁者かで歴史的評価が分かれている。

てのアイデンティティが、ヨーロッパの多くの人びとによって強調され、のちにブレグジットとよばれるようになった二〇一六年の国民投票時の運動に利用されたときが、まさにこれにあたるでしょう。

しかし、もう一つ、大きな問題があります。それは、社会科学者が民族的なアイデンティティを構築するうえでの《状況的《シチュエーショナル》》かつ《文脈上《コンテクスチュアル》》の性質とよんでいるものです。

たとえば、イギリスの新聞のためにインドまたはアメリカからリポートしているウェールズ出身の女性ジャーナリストは、インド人やアメリカ人から**〝イングリッシュ〟**と認識されることは受け入れるでしょうが、イギリス国内にあってはウェールズ人らしさを強調しようとするでしょう。また、インド、アフリカ、中東にあっては〝ヨーロッパ人〟というレッテルを喜んで受け入れるでしょうが、EUに属することには反対し、**イギリス人**としてのアイデンティティと国益《こくえき》に強い思い入れがあるでしょう。

ほかの文脈でいうなら〝西洋人《ウェスターナー》〟という、それ以外の人びとからのラベルを喜んで身につけるでしょうが、この漠然《ばくぜん》としたカテゴリーに付随《ふずい》するアイ

〝イングリッシュ〟／イギリス人
《English》は多くの場合、イギリス全土（のどこか）に住む人、いわゆる「英国人」一般をさすが、より狭い意味では、英国の一部である「イングランド」に住む人をさす（三一六ページの地図参照）。たとえば「ウェールズ」などイングランド以外の地域に住む「英国人」のなかには、イングランドに敵対意識や、敵対までいかなくても複雑な感情をいだいている人がいる。そういう人たちは〝イギリス人（英国人）〟という意味での《English》を、少なくとも英国内向けには自称として使うことは拒否し、かわりに自分は《British》であると主張する。

ウンマ　イスラム教の信仰の母体となる共同体のこと。「イスラム共同体」「ムスリム共同体」ともいうが、現代のアラビア語では「民族」「国家」といった意味でも用いられることがある。

デンティティには弱い当事者《とうじしゃ》感覚しかもてないかもしれません。

こんにちのイギリスでは、たとえば、グラスゴーに住んでいるムスリムに起源をもつ多くのパキスタン人は、自身のことを〝スコットランド人のムスリム〟とみなしており、イングランドに敵対意識を燃《も》やすスコットランド人魂《だましい》をもっています。そのほかの人びとは、たんに自分自身をムスリムとよび、帰属の原点は、グローバルなムスリム共同体である**ウンマ**であるという感覚が強いでしょう。しかし、ムスリムのなかには、みずからをイギリス人のムスリムあるいは、たんにイギリス人と考えている人もいます。

社会科学者は、いまや民族カテゴリーの安定は広い意味での政治的なプロセスの一つとみなしています。すなわち、民族的なアイデンティティは、つねに形成または再形成され、文脈（状況）によって変化しうるもので、政治的な分断を生みだそうとする動員をともなうことが多いのです。

私が引用した例では、エスニシティ、国籍（ナショナリティ）または国への帰属意識とのあいだに明確なちがいがつけられていないことにも注意が必要です。〝縄張《なわば》り意識〟あるいは地理的な境界線は、エスニシティの形成にあたって、さらに不確定で変動の余地がある要素です。

イギリスの人種、エスニシティ、および統計学的分類

そして、その方程式に〝人種〟を入れると、カテゴリーの複雑な寄せ集めとなります。その一例が二〇一一年国勢調査の改訂版にもとづきイギリス国家統計局によって発表された最新（二〇一九年）のガイドラインにしめされています（左ページ参照）。これらのカテゴリーは、二〇一一年国勢調査にある表現とまったく同一ではないですが、よく似ています。

これをみれば、公的なディスコースと政府がモニタリングしている分類には、このところ慢性的《まんせいてき》な混乱があることがみてとれるでしょう。

たとえば、黒人や白人など《人種的なカテゴリー》と、インド人やパキスタン人など《国民としてのアイデンティティ》が入り混じっています。

ここにはさらに、《人種》（黒人と白人）と、アジア人、カリブ系、アフリカ系などの《地理的な区分》とを合体させた〝混血（Mixed）〟という分類によって生じている問題などもあります。

White（白人）

White Irish（アイルランド系白人）

White Gipsy/Traveller（白人ジプシー〔ロマ※〕／漂泊民）

White other（その他白人）

Mixed（混血）

Mixed White/Asian（白人／アジア人の混血）

Mixed White/Black African（白人／アフリカ系黒人の混血）

Mixed White/Black Caribbean（白人／カリブ系黒人の混血）

Mixed other（その他の混血）

Asian（アジア人）

Bangladeshi（バングラデシュ人）

Chinese（中国人）

Indian（インド人）

Pakistani（パキスタン人）

Asian other（その他のアジア人）

Black（黒人）

Black African（アフリカ系黒人）

Black Caribbean（カリブ系黒人）

Black other（その他黒人）

Other（その他）

Arab（アラブ人）

Any other（その他）

※日本では現在「ジプシー」は「ロマ」と言いかえて用いられるが、原文の差別的ニュアンスをそのままにして、かつ言いかえを併記した。

アジア人のカテゴリーでは、自身の居場所《いばしょ》を認められた中国人という分類にともなうあいまいさも露呈《ろてい》しています。

イギリスのNHS（国民保健サービス）は、以前は人種カテゴリーの〝コーカサス人〟を使用していましたが、現在は削除されています。

そして、エスニック・マイノリティあるいは非白人種グループによる少なくとも半世紀におよぶ政治的な努力が、重要な痕跡《こんせき》を残してもいます。

一九六〇年代までは軽蔑的《けいべつてき》なラベルであった〝黒人（black）〟ということばは、アメリカ合衆国の公民権運動と**ブラック・パワー運動**によって新たなイメージが割り当てられ再評価されました。〝ブラック・イズ・ビューティフル〟というスローガンは、公民権を求める闘《たたか》いのなかで〝ニガー〟や〝有色人種《カラード》〟と罵《ののし》られてきた集団に自信を与えたのです。

一九七〇年代から八〇年代のイギリスでは、カリブ地域と南アジアにおもに由来する多様な集団を動員し統一する政治戦略の一環として、反レイシスト運動が行われました。これは比較的成功しましたが、このとき〝黒人（black）〟ということばが採用されました。

ブラック・パワー運動　「ブラック・パワー」は米国の学生非暴力調整委員会（SNCC）委員長ストークリー・カーマイケル（トリニダード生まれで、当時はハワード大学の学生＝一九七ページ以降も参照）によって一九六六年に提唱されたスローガン。徐々に一般大衆にも浸透。その後〝ブラック・イズ・ビューティフル〟というスローガンも加わり、黒人がみずからの尊厳に目覚め立ち上がる潮流を生み出し、その後の黒人解放運動に多大な影響を与えた。

黒人（black）ということばは、とりわけ〝有色人種（coloured）〟ということばの人種的な前提条件を際立《きわだ》たせました。すなわち、一九六〇年代でも一般的に使用されていた有色人種ということばは、白人は色がない、つまりみえない標準であって、インド亜《あ》大陸や西インド諸島出身の人びととは異なる人種であるという前提に立ったことばだったわけです。

いっぽう、二〇世紀後半にイギリスでみられたマイノリティ集団の教育的、経済的、政治的、文化的分断の強まりは、インド、パキスタン、バングラデシュ、アフリカ、カリブ、中国を起源とする集団の分離したカテゴリーをふくめる必要性を映《うつ》しだしてもいます。

人種なきレイシズム——人種的特徴を除去したハードで新たなレイシズム、最初の検討

これまでの、アメリカおよび西ヨーロッパ全体の反レイシストキャンペーンの成功は、いまや〝レイシスト〟というラベルに倫理上の不名誉がともなうことからも、うかがい知ることができるでしょう。それゆえに、一部ではありますが、みずからをレイシストと公言することをためらう市民や政治家

がいます。
　これまでの章でしめした〝人種〟の基本原則《ドクトリン》の発展に関する歴史的な調査にもとづいて、ハードで強力で古典的なレイシズムとして広く認められているバージョンを、著名《ちょめい》な反レイシストのイギリス人生物学者**スティーブン・ローズ**による表現を借りて、以下のようにあらわしてみることにします。

　　レイシズムとは、特定可能なヒト集団、グループ、人種が、別のヒト集団、グループ、人種より、生まれながらに優《すぐ》れているという主張全般を意味する。〝科学的レイシズム〟とは、あるグループや集団が、知性や〝文明〟またはその他の社会的に明確な考えかたに関して、ほかのグループや集団より生来優れているという説や主張を裏づけるために、言語や一部の科学技術を用《もち》いようとする試《こころ》みをさす。

　広く受け入れられているこのような定義がどれほど容易《たやす》く回避され、レイシズムという非難から逃《のが》れられるかは、次の**イーノック・パウエル**というイギリス人政治家に関するケース・スタディをみれば明らかです。

スティーブン・ローズ（一九三八〜）英国の公立通信制大学であるオープン大学の生物学教授および脳と行動研究グループのディレクター、ロンドン大学の解剖学および発達生物学科の客員教授。妻はフェミニストで社会学者のヒラリー・ローズ（一九三五〜）。

イーノック・パウエル　一〇五ページ注参照。

この政治家は、とくに人種差別を禁止することを目的とする一九六八年の人種関係法の可決に反対する国会での演説後、レイシストとして広く非難されました。これにつづいて、イーノック・パウエルはバーミンガムの地元の保守派グループに向けて、いまでは悪名高い〝血の川〟演説を行いました。

この演説がそうよばれたのは、パウエルが古典文学の知識を使って（彼はもともと古典文学の学者でした）〝有色人種の移民〟による長期的な影響を記述している『**アエネーイス**』から次のように引用（あるいは誤引用ともいわれています）したためです。

〝ローマ人のように、私には《たくさんの血で泡立《あわだ》つ**テヴェレ川**》が見えるように思えるのです〟

レイシズムのレトリックと否認――イーノック・パウエルのケース

一九六九年に、レイシストかどうか尋《たず》ねられたパウエルは、こう答えました。

〝レイシストというのが、別の人種に属しているという理由で、ある人間を

アエネーイス　古代ローマ時代の長編叙事詩。題名は登場する主人公の名「アエネーアース」にもとづく。アエネーアースはギリシア神話およびローマ神話に登場する半神半人の英雄。詩人ウェルギリウス（紀元前七〇～前一九）による傑作の一つで、ラテン文学の最高傑作とされる。

テヴェレ川　ブーツ型のイタリア半島の北部に発して南下しながらローマ市内を流れくだる、イタリアで三番めに長い川。

嫌《きら》う人という意味ならば、あるいは、ある人種が文明や文明人としての能力において別の人種より生得的《しょうとくてき》に〔生まれついて〕優れていると考える人という意味であるとしたら、答えは断じてノーです〟

レイシストではないというパウエルの否認《ひにん》は、どことなく不正直さがありますが、それでも前述したローズの広く認められているレイシズムの定義をパウエルが受けいれるのであれば、健全で信頼に足《た》る基盤があるともいえます。パウエルは、人間のグループのあいだに生まれながらの、あるいは生得の優性と劣性があるという主張をすべて捨てることによって、レイシズムの要《かなめ》とされてきた考えかたとただちに決別したのです。

興味深いことにパウエルは、レイシズムとはいわずに〝レイシャリズム〟といい、集団を生まれながらに結びつけているものとして人種の存在自体は是認《ぜにん》しているようでした。

多くの科学者や社会科学者は、生得的に結びつけられた集団として人種が存在することを受けいれる主義《ドクトリン》はすべて、その方法によってレイシストであると主張してきました。この基準にもとづくとパウエルは、多くの時事解説者がレイシズムの定義としてふくめる特徴の少なくとも一部を肯定《こうてい》しているようです。しかし、人種間に生来の優性と劣性があるという考えを否定することによって、また、ある人種が別の人種を侮蔑《ぶべつ》することに正当性はないと主張することによって、パウエルはレイシストという非難を退《しりぞ》けることができる、あるいは退けているようにもみえます。

ただし、これはただ一つの引用にもとづいてのことです。

したがって、パウエルがレイシストではないと否定していることについては、演説全体の文脈を確認し、彼の見解がしめされたほかの声明や、議会での議論のなかで交《か》わされたことばなどを考察する必要があります。

演説のなかで、パウエルは自身をイギリス国民の擁護者《ようごしゃ》とし、選挙区の一般の人びとがしめしていた真実の代弁者《だいべんしゃ》であると述べましたが、これはリベラルな政治家から無視されることになりました。それでも差別されている移民は犠牲者ではなく人種関係法によって差別から守られているのであって、本当の犠牲者は〝有色人種〟らの侵入を許した平凡で慎《つつし》み深《ぶか》く勤勉なイギリス人であるという考えを、この演説の聴衆や読者に植《う》えつけたのです。

かくしてイギリス国民は、病院の空《あ》きベッドや子どもの学校を見つけるのにも苦労するという犠牲者構造に気づいたわけです。

これは、ブレグジットキャンペーン時にはきわめて明らかな事実に思えました。パウエルは、白人イギリス人はいまや〝自国にいるのに、よそ者に(strangers in their own land)〟なっていると主張しました。この物々《ものもの》しいフレーズは、移民やその他の〝他者〟に対し、なんらかの排他的な政策を擁護《ようご》したがる人びとによって、その後、何度も使用されました。

演説のなかでパウエルは、名もなき有権者の逸話《いつわ》を用いました。第二次世界大戦で夫も息子たちも失《うしな》った戦争未亡人が、窮乏《きゅうぼう》に直面しているという話です。パウエルのレトリック戦略は注目に値《あたい》します。パウエルは、西インド諸島の人びとやインド人がナチスに対してイギリス軍とともに戦ったことについては一言《ひとこと》もふれずに、未亡人が窮乏にあえいでいるのは移民の家族に部屋を貸すことを拒否したせいだと述べたのです。

パウエルは、その後制定された**人種関係法では罰せられる行為**となるはずの未亡人の行動を、完全に合法的な差別の形態とみなしました。

人種関係法では罰せられる行為　前段の「移民の家族に部屋を貸すことを拒否した」ことをさしている。

生物学的な？　このカッコ内の疑問符つきのツッコミは原著者ラッタンシ教授によるもの。もちろんラッタンシ教授はパウエルのいう「特質」が「生物学的な」ものであると認めているわけではない。

言いかえれば、パウエルは〝有色の〟イギリス人に対する露骨《ろこつ》な人種差別を擁護しているわけで、これは、異なる人種が混じることは許しがたく実際に混じってはいけないというパウエルの全体的な見解と一致しています。

ほかの場所でパウエルは、差別をなくすための人種統合はほぼ不可能であろうとし、その理由を次のように述べました。

〝西インド諸島の人びとは、イギリスで生まれたとしてもイギリス人にはなれない。法律では、出生によってイギリスの市民になるが、実際は依然として西インド人あるいはアジア人である〟

（傍点は引用者である著者ラッタンシ教授による強調を反映したもの）

言いかえれば、アジア人と西インド人には（**生物学的な**《バイオロジカル》**？**）特質《エッセンス》があり、それによって永久にイギリスの白人集団とは一線を画《かく》しつづけることになるというわけです。

このように、多くの文脈上の要素を検討することでしか、パウエルのレイシズムの強《したた》かさは明らかにならないでしょう。そしてこれが、私が本書で、簡潔で隙《すき》がなく使いやすいレイシズムの定義を提供しようとする試みは、誤解をまねくばかりか、巧《たく》みに表現を変えてしめすレイシストの声明や考えの特徴を充分につかめなくなるという視点に立っている理由でもあります。

さらにいえば、レイシズムの定義には、個人またはグループによるレイシストの行動面での定義をふくめる必要がありますが、だとすると、意図《いと》と動《どう》機《き》という複雑な疑問が生じます。

またその後、一九七六年に可決された新たな人種関係法では、レイシズムに立ち向かう試みとして〝間接的レイシズム〟という考えが導入されました。

パウエルのケースはまた、単一の人種差別発言を検討するだけでその人物がレイシストかどうかの結論を出すべきではないという私の見解を裏づけているものだといえるでしょう。

単一の発言ではなく複数の発言を検討し、その人物がレイシストとしてのアイデンティティを強力に形成しているかどうか、それとも、たまたま前後の言いまわしによるものかどうか、これをはっきりさせるべきです。

パウエルのケースでは、彼のさまざまな発言や、露骨な人種差別を違法とする法律制定に反対する姿勢、さらに〝人種〟の混交に対する反対意見、そして〝血の川〟演説内で使われた黒人の若者に対する〝ピッカニニーズ〟という侮蔑的《ぶべつてき》な表現は、強力で根強いレイシストとしてのアイデンティティの証拠になるでしょう。

しかし、アジア人と西インド諸島の人びとがけっして薄《うす》まることのない人種的〝エッセンス〟を有するという概念が、それらの人びとも同じ人間だという感覚をいかに容易《たやす》く失《うしな》わせるかについては、あえて言い足しておくに値《あたい》します。

イギリス人のコメディアン、バーナード・マニングは、厩舎《きゅうしゃ》で生まれたからといって犬が馬にはなれないし、アジア人や黒人はイギリスで生まれたからといってイギリス人にはなれないと冗談《ジョーク》を言いました。犬と馬は別の種であるということからすると、アジア人と黒人は白人とは別の種であるということをほのめかしていることになり、マニングのジョークは生物学的な強いレイシズムに変容《へんよう》しやすいものです。

マニングの発言は、ヒトラーの腹心の一人だった**ゲッベルス**の次の主張を

ゲッベルス（一八九七〜一九四五）二〇世紀ドイツの政治家。ヒトラーが台頭する時期にナチスの宣伝部門を担当し、ナチスの党勢拡大に貢献。その後、ナチスの独裁政権時にも「国民啓発・宣伝大臣」を務めた。第二次世界大戦の敗戦直前にヒトラーから遺書により後継首相に任命されるも、ヒトラーの後を追い、六人の子どもたちを死なせたあと妻とともに自殺。

彷彿《ほうふつ》させて、ぞっとさせられます。〝家のなかにいるからといってノミがペットになれないのと同じく、ユダヤ人が私たちのまわりで暮らしているからといって、私たちに属《ぞく》している証明にはならない〟

〝人種〟と〝国民〟の類似性は、トランプの（多くの人が犬笛《いぬぶえ》形態のレイシズムだと主張してきた）〝アメリカをふたたび偉大《いだい》に（make America great again）〟というナショナリストとしての声明が、実際にスペルアウトされてはいないが懐古的《かいこてき》な〝アメリカをふたたび白く（make America *white* again）〟をほのめかしている例をみれば、とくによくわかるでしょう。

〝アメリカ・ファースト〟というフレーズは、初期の分離主義者のスローガンに由来《ゆらい》し、白人至上主義団体の**クー・クラックス・クラン**によって使われていたことばで、〝国民〟ということばがいかに容易《たやす》く〝白人性〟をしめす人種的な表現へとすりかわりうるかをしめすフレーズであり、全体的な文脈を見ずに、たんに個々の発言だけを取り出してレイシストとラベルづけすることのむずかしさを浮《う》き彫《ぼ》りにしています。

二〇一六年のイギリスが欧州連合を脱退すべきかどうかを決める英全土で

クー・クラックス・クラン　白人至上主義を標榜する暴力的秘密結社。略称ＫＫＫ。一九二〇年代には会員数百万を数え、現在も全米で数千人が「クラン」の名を冠した組織に所属しているという（詳細は『クー・クラックス・クラン――白人至上主義結社ＫＫＫの正体』平凡社新書を参照）。クー・クラックス・クランが結成されたのは、米国がシヴィルウォー（南北戦争）とよばれる内戦でゆれた直後の一八六五年。当時の米国南部を舞台にしたマーガレット・ミッチェルの長編小説『風と共に去りぬ』にはクー・クラックス・クランの白人が何度か登場するが、映画版ではぼやかされている。

のキャンペーン時に、イギリスの議員ジョー・コックスを殺害したトーマス・メアの場合は、これまでの章で考察したとおり、（事件の最中に叫んでいた）〝英国《ブリテン》ファースト〟以外の発言や、白人至上主義グループへの強い関心について調査してはじめて、メアがいかに強くレイシズムに傾倒《けいとう》していたかが明らかになりました。

たとえば、パキスタン系イギリス人など一部の非白人グループに対してはレイシストのようにふるまうものの、中国系イギリス人などその他のグループに対してはふるまいが異《こと》なる個人の例は無数にあります。**ヴィルヘルム・マル**は現代的なレイシストで、ユダヤ人は望《のぞ》ましくない人種であるとする**反セム主義**という説《ドクトリン》を主張した最初の一人として前述しましたが、実をいうとユダヤ人女性と結婚し、最終的にはユダヤ人国民からの許しを請《こ》うたのです。

〝人種化／レイシャライゼーション〟という概念の使用について

この種のむずかしい文脈では《人種化《レイシャライゼーション》》という概念が役に立ちます。

ヴィルヘルム・マル　第一章一一ページ参照。

反セム主義　一一ページ注参照。

この概念は、さまざまな、やや異《こと》なる形で利用されてきました。したがって、この概念を本書ではどのように用《もち》いているのか、はっきり述べておくことが重要になるでしょう。

通常この概念は、たとえば〝小児性愛はエスニック・マイノリティにあからさまに結びつけられることで**人種化**されてきた〟というようなトピックを言及する際に用いられてきました。エスニック・マイノリティは、パキスタン人コミュニティなど、一般的に〝人種〟グループとみなされているため、そこには彼らがおもな犯人であるというほのめかしがあるわけです。

私の用法では、その概念の感覚もふくまれ、もっと広い意味で用いています。本書で用いている人種化という概念では、意見や侮《ぶ》蔑《べつ》、さらに手のこんだ説《ドクトリン》が、私が〝強力な〟または〝ハードな〟（生物学的な）レイシズムとよぶものの要素を、さまざまな濃度で帯《お》びる傾向があることを認めています。

このいわゆる古典的なレイシズムは、**すでに引用したスティーブン・ローズの文**に凝縮《ぎょうしゅく》されているとおりです。

意見や発言が、集団間の生物学的または生理学的な強力な差異《さい》にどれほど

人種化　ある特定の集団をなにかしらの性質や特徴にもとづいて、それをさも人種的な要素であるかのように解釈し、差別的言動の根拠とするやり口やプロセスをさす。あるいは、その「根拠」が現実にはない想像上のものであったり、まったく根拠のない〝でっちあげ〟であったりすることもある。本文の例は小児性愛という多くの人に対して生理的嫌悪感を与えるものが集団的特徴であるかのようなきめつけときわだたせがある点できわめて悪質。

すでに引用したスティーブン・ローズの文　一二〇ページ参照。

醸成《Fermentation》この英単語の第一の語義としては「発酵あるいは発酵作用」、第二の語義としては「人心の動揺・騒ぎ・興奮」があるが、ここではFormation《編成》と字面が似て第一の語義に近い《醸成》をあててみた。

もとづいたものか、および、生得的な優位性という概念が明らかにあるいはひそかにふくまれる程度がどれほどかを調べることによって、たとえば、人種化やレイシズムの程度を判断することができます。このような意味で、本書での人種化という概念は、その多元性を許容《きょよう》しつつ、ありのままの〝レイシズム〟の概念に、かねて必要とされていた複雑さが加わっているのです。

人種化は、社会学者マイケル・オミとハワード・ワイナントのすぐれた著書『アメリカにおける人種**醸成**《じょうせい》（*Racial* **Fermentation** *in the United States*）』（最新版は二〇一四年に出版）で用《もち》いられた〝人種編成《レイシャル・フォーメーション》〟という概念とも類似しています。オミとワイナントの見解は私とほぼ同じで、

〝人種とは不安定で政治的な争《あらそ》いによってつねに変容《へんよう》しつづける「中心から逸《そ》れた（decentred）」社会的な複数の意味をもつ複合体《ふくごうたい》である〟

というものです。人種化の概念を私が提唱しているような方法で用いれば、人種に関する研究や政治的な議論を、非生産的な言い争いから切り離すことができます。そのような言い争いとは、たとえば、特定の個人や機関の意見

や主張、説《ドクトリン》がたんに〝レイシスト〟か〝非レイシスト〟かという論争です。人種化という概念を用いることで議論はより有効な分析へと発展するでしょうし、公的／私的な行為や発言、会話やジョーク、あるいは移民の法制化や職場での雇用に関する差別的な行動の正当化などのなかにあらわれる生物学的および文化的な区別、優性／劣性の表現のさまざまな混合の度合いの分析につながります。

そのようにして私たちは、より広い人種の枠組《わくぐ》みや人種化された構造や制度の一部として、**社会関係**や考えかたがいかに人種化されているのかを理解することができます。レイシズムと人種化はプロセスで、つねに〝進化〟しており、そのときどきの状況によっても、また、さまざまな時代や期間によっても変化や変容を受けやすいのです。

人種化のこの用法は、本書の結論の章で〝ナショナル・ポピュリズム〟を考察する際にひじょうに妥当《だとう》なものであることがわかっていただけるでしょう。実をいうと、制度上の慣習の奥底《おくそこ》にある人種化された言動や意図《いと》は、たいていは多様で複雑な概念が混じりあって構成されているというのが私の持

社会関係　社会学用語の一つ。広くは、社会を構成する人びとのあいだの「相互作用」と理解されているが、社会学ではさらに相互作用の持続性に注目して、ある作用が反復されることにより相互間に相手への「期待」や、相手の地位への「承認」あるいは「配慮」のようなものが固定化していく関係性のことをとくにいう場合が多い。

論です。通常は、生物学や文化が〝人種・国民・エスニシティの複合体〟のなかで、さまざまに組みあわさっています。

これは一つの枠組みであり、会話している個人や組織内の雇用者などはかならずしも充分に考えぬいて話しているとはかぎりませんし、文脈によっては明示的および暗示的、あるいはそのどちらかでしめされうるものです。

人種化の対象となる人びとは、劣っているとみなされることが多いですが、つねにそうというわけではありません。したがって、ユダヤ人や日本人に関してよく用いられる賢《かしこ》いという概念をふくめるのは、けっして珍《めずら》しいことではないのです。たとえば、**ハーバード**などのエリート高等教育機関では、不均衡な入学者数になるというおそれから、過去にユダヤ人に対して秘密裏《り》に入学者数が割り当てられていました。これは、ユダヤ人集団が優《すぐ》れた知性をもっているという推定にもとづいているので、まさしく人種差別でした。

ユダヤ人に対してハーバードは、社会学者ジェローム・カラベルの二〇〇六年の本『選ばれし者――ハーバード、エール、プリンストンの入退学秘史（*The Chosen: The Hidden History of Admission and, Exclusion at Harvard, Yale and*

ハーバード　米国最古の大学であるハーバード大学のこと。マサチューセッツ州ボストン近郊のケンブリッジ市にある私立の総合大学で、米国にある八つの私立大学の伝統校をいう「アイビー・リーグ」の一つ。設置はイギリス植民地時代の一六三六年。大学の基礎を築いた宣教師ジョン・ハーバードの名にちなんでいる。

Princeton)』に記述されているとおり、学術的ではない基準を用いてユダヤ人の入学者数を制限していました。

ある発言や行為が人種差別と思えるからといって、それらの発言や行為にかかわった人物やグループが意図的に人種差別を行おうとしたという証明にはなりません。また、レイシストと思われる発言や行為がみられたからといって、その人物やグループまたは機関がつねに今後そのような差別的な行為を行うとも、あるいは過去に行っていたともかぎりませんし、社会で人種化されたほかのグループを同じように扱《あつか》うともかぎりません。

この問題は、最近用いられている〝**暗黙**《あんもく》**の偏見**《へんけん》(implicit bias)〟という概念によってさらに複雑になっています。これについてはのちほど検討します。

これらの問題はいずれも、たんなる学術的な関心事でも、研究上の課題でもありません。これは刑事裁判での重要な問題になりうるのです。

一九九三年にロンドンで起こった黒人ティーンエイジャー、スティーブン・ローレンス殺害事件では、レイシストの犯人として白人の若者たちが起訴されました。この裁判は注目すべき事例で、問題の重要性と扱いにくさを

暗黙の偏見　だれもが知らず知らずのうちにしたり、心にいだいたりしている偏見のこと。これと似たようなことばで最近よく聞くものに「アンコンシャス・バイアス（無意識の偏見）」がある。

適切かつ悲劇的にあらわしています。

殺人への関与が疑われる白人の若者五人に対する証拠を集めるために、警察はひそかに容疑者らの自宅で画像を撮影しました。その動画には若者が人種差別的な卑猥《ひわい》なことばを叫び、ナイフを使ってなんらかのふるまいを真似《まね》ている様子が映っていました。

しかし、その画像は証拠として使用されませんでした。もし証拠として用いられたとしても、それらの若者がすでに公衆の面前でそうしていたように、ただ〝ふざけていた〟とか〝遊んでいた〟だけだと法廷で主張し、画像に映っていた行為はスティーブン・ローレンス殺害の意図や役割についてなにもしめしていないと言い張るのは簡単だったでしょう。

言語行為とほかの差別的なふるまいのあいだの関連性については問題が多く、文脈とほかのふるまいの側面や制度上の慣習などに注意しながら結論を下《くだ》すべきです。合理的な疑いを超えた決定的証拠かどうか判断するとき、常識的なレベルでもっともらしいように思えることが、かならずしも説得力をもつとはかぎりません。

人種化、権力、偏見

これまでの私の考察から、人種化は文化とイデオロギーのレベルでのみ通用するプロセスの一つという印象を与えてしまったかもしれません。しかし、私の見解はかなり異《こと》なります。

〝人種〟はつねに権力の構成要素です。また、権力は社会関係の一つです。したがって、人種化は制度や構造と密接にからみあっており、長い年月にわたって**社会構造**や制度に組みこまれてきました。個人の差別行為もありますが、多くの場合はしばしば無意識に、人種化された構造の排除をただ怠《おこた》ったせいで人種化された社会関係という構造が何世代もつづきます。こう考えるしか、人種化された不平等な構造がなぜこれほど長いあいだ保たれつづけたのか理解できません。これについては第五章で述べます。

とはいえ、私の見解を、多くの反レイシストらのあいだで一般的になっている公式《レイシズム＝〝権力＋偏見〟》を裏づけるものとして理解されては困《こま》ります。この公式は権力をもつ人だけがレイシストとしてみなされうることを暗示しています。

社会構造　九五ページ注参照。

そのほかにも、このテーマにはいくつか問題があります。権力に関していえば、権力を有しているといわれているのは正確にはどういう人なのでしょうか。また、権力をどのように定義すべきでしょうか。

ここで一つ問題なのは、権力の犠牲者は完全に権力をもたないものですが、多くの研究者が指摘しているとおり、奴隷《どれい》でさえ、主人の権力に対抗するさまざまな戦略をしめしている点です。権力が社会関係であるならば、いっぽうの当事者が相対的に権力を保持しているからといって、**もういっぽうの当事者は**、抵抗するための権力をかならずしも奪《うば》われているとはかぎらないのです。

もういっぽうの当事者は… この指摘をおしすすめると、権力者にとって、自分に抵抗する力を完全に奪われているという誤解をそのまま自覚してかえりみない者ほどコントロールしやすいということになる。

〝偏見＋権力〟という公式が直面する問題は、次の質問が投げられたときも明らかになります。白人社会で不利な立場に置かれた少数派は〝レイシスト〟になる可能性はないのか――。

実のところ、南アジア人やラテン系の人びとはイギリスやアメリカの社会の底辺を占《し》めていますが、アフリカ系の人びとに対して悪意に満ちた敵対的な態度をしめす人が多いのです。

貧しい白人　米国におけるいわゆる「トランプ現象」を支える（まだ「支えた」と過去形では語れないかもしれない）のは彼らだといわれる。

権力をもたない人びと（彼らはいかなる場合も公式で定義されていません）は、白人が多数派を占《し》める社会でレイシストになりえないという考えを否定する、まさにその定義によって、レイシズムの概念は一歩先へすすむ可能性がありますが、あとでみていくとおり、注意深い議論は必要です。

さらに、この視点では**貧しい白人**《プア・ホワイト》（poor white）はどのように特徴づけるべきでしょうか。白人性はアドバンテージをもたらしますが、ここでもふたたび文献等による注意深い分析が必要です。この問題は第五章で考察します。

〝偏見〟という概念は、レイシズムを型どおりに扱《あつか》うなかで用いられる場合に、とくに問題が多い概念です。心理学と社会心理学の学術的な分野に由来するこの偏見という概念は、〝偏見をもった人格〟の特性として、無知で不合理という強いイメージを有します。

しかし、黒人やその他のマイノリティ、あるいはさまざまなグループや個人に関する通念を、事実にもとづいて徐々《じょじょ》に弱めていくことによって無知を修正するには、そもそも偏見をもっている人が人種についての議論を受け入れなければ、反レイシスト戦略として効果が出ません。

ところが、理性的でない人は、当然のことながら、そのような議論を受け入れてはくれません。最近では心理学および社会心理学における〝偏見〟の概念については相当な社会的不安がしめされています。これについては『偏見の向こう側（*Beyond Prejudice*）』という本への複数の社会心理学者による寄稿文からも明らかです。

文化的なちがいと〝新たなレイシズム〟

〝人種〟のカテゴリーは、いまや国家内部の制度と人間関係のなかで複雑かつ多層的に機能しており、国際的には単数のレイシズムのみを語るのではなく複数形としての《レイシズムズ》をつねに考える必要があると多くの時事解説者が主張するようになりました。

このような状況のなか一九八〇年代以降、とくにイギリス、アメリカ、フランスで、初期のあからさまなレイシズムと隠れたレイシズムとのあいだの関係の変化について相当な議論がありました。

隠れたレイシズムとは、生物学上のちがいを脇《わき》に置いて、文化とエスニシ

Beyond Prejudice 二〇一二年にケンブリッジ大学出版局から刊行された。

ティのちがいに焦点をしぼることで明白なレイシズムの非難を回避しようとするものです。

すなわち、〝新たなレイシズム〟の発展を私たちは目《ま》の当たりにしているという確信が強まってきています。この〝新たなレイシズム〟には、〝文化的レイシズム〟〝ネオレイシズム〟〝文化的差異のレイシズム〟など、さまざまな名前がつけられてきました。

この〝新たなレイシズム〟については、今後さらに議論を深めていくべきです。そうすることで、人種化された言説《ディスコース》と人種化された慣習《かんしゅう》が発展してきた道すじが明らかになるからです。

人種、文化的なちがい、国民のアイデンティティー――レイシズムの形勢逆転

このままの状態でいくと、今世紀末には、**ニューコモンウェルス**の人口は四〇〇〇万人になるでしょう……いまや、その数は膨大《ぼうだい》で、この国は異《こと》なる文化をもつ人びとに押しつぶされてしまうかもしれないと、人びとが恐れをいだくのではないかと考えています。そして、ご存じ

ニューコモンウェルス　かつての大英帝国領で、英国から独立した旧植民地と、かつての宗主国(そうしゅこく)であった英国との現在のゆるやかな連合体を「コモンウェルス」という。そのうち先に英連邦に加盟していたカナダ、オーストラリア、ニュージーランドなどを「オールドコモンウェルス」といい、それらを除外したのがニューコモンウェルス。日本語では「新英連邦」とも訳される。

のとおりイギリス人は、民主主義のために尽《つ》くし、法のために世界中で貢献《こうけん》してきたことからして、その人柄《ひとがら》は明らかですが、押しつぶされるかもしれないという恐れがある場合、それに反応し、むしろ敵対する可能性もあります。

（保守党党首 **マーガレット・サッチャー**、一九七八年一月の**グラナダTV**の番組《ワールド・イン・アクション》より）

これは、新たなレイシズムとよばれているものの興味深く重要な例です。しかし、どのような面からこれが本当の、あるいは新たなレイシズムといえるのでしょうか？　この質問に答えるには、まず人種に関するディスコースの複雑な変化をいくつか解明しなければならないでしょう。それと同じ理由で、個人や個人の発言に対して単純に〝レイシスト〟や〝非レイシスト〟という明確なラベルを割り当てることは困難です。

ひょっとすると新たなレイシズムとして認識されてきたものは、人種的なちがいの目印《マーカー》として、生物学よりも文化に大きな重点を置いているというこ

マーガレット・サッチャー（一九二五～二〇一三）英国の政治家。英国初の女性首相。その意志の強さから「鉄の女」とよばれ、首相在任期間は一九七九年から九〇年までの長期にわたった。オックスフォード大学で化学を学んだ才女。理系の女性である点は、のちのドイツ首相アンゲラ・メルケル（ただしメルケルの専攻は物理学）の先をいっていた。国有企業民営化と規制緩和を主眼とする改革がその名を冠して「サッチャリズム」と称され、構造的不況に苦しむ「英国病」を克服した。

グラナダTV　スペインのグラナダとは関係なく、英国の北西イングランド地方のテレビ局名。

とを最初に述べておくべきかもしれません。

議論の余地はありますが、サッチャーの意見は以下の視点でいくとレイシストではないということになります。この意見には直接的な〝人種〟や肌の色、脳の大きさ、鼻の形など過去のレイシズムと強く関係しているなんらかの〝人種的〟マーカーへの言及がありません。

たしかに、この声明は生物学的な言及がまったくないため、（一九世紀から二〇世紀前半にみられた）強力なレイシズムまたは古典的なレイシズムと私が称しているものからは、かけはなれているようにみえます。また、古典的なレイシズムでは中心的な要素でその基盤とされた生物学的な特徴とともに使われた、人びとの《優性や劣性》に関する明らかな言及もありません。

その代わり、とくにこれは新しいとされていることですが、《文化的なちがい》に重きが置かれ、《国民の特徴》や《生活スタイル》が飲みこまれ、取り残される危険があるのではないかという一般市民の純粋な恐怖を暗《あん》にかきたてています。しかし、イギリス国民の文化と、非白人が居住している国ぐにから来たアウトサイダーの特徴とのあいだに、強力な対照性《コントラスト》があることに注目すべきでしょう。

イギリスの政治的な文化における〝ニューコモンウェルス〟は、オーストラリア、ニュージーランド、カナダという大半が白人のオールドコモンウェルスと対比され、つねに色分けされた形で機能してきました。

さらに、サッチャーは独自の一つの文化形成として、イギリスの国民《ネイション》を選び出しました。このことばの〝人種的〟な重要性は決定的です。

これまでみてきたとおり、歴史的に国民と人種という概念は一八世紀以降つねに一つにまとめられてきました。〝国民〟という概念はいつも、文化や領土、生物学的な原初人種的《プロト・レイシャル》な要素と組みあわされました。アングロサクソン、ゲルマン、ゴール、スラブその他の人種的な異なる文化の概念は、イギリス、ドイツ、フランス、ロシア独自の国民の特徴という概念に強い影響を与えたのです。

そして、《色》と《文化》は、サッチャーのことばとの関連を通じて、強くからみあっています。

ニューコモンウェルスの肌の色が濃《こ》い人びとは、民主主義的な価値観と法の支配に寄与していないという強いほのめかしがあります。さらに彼らは、世界の歴史や世界的な文化への貢献《こうけん》を果たしていない者として描写《びょうしゃ》されています。このようにして、生物学と肌の色にもとづいて国民と結びつけられる文化的な優性／劣性の**コノテーション**は、民主主義や法による支配その他のグローバルな文明への貢献が、イギリスすなわち概《がい》して白人（ニューコモンウェルスではない人）によって達成されたと表現することで強く保持されました。

もちろん、白人と非白人の区別や、その区別にともなう民主主義やその他の特徴は、英帝国主義の歴史を強力に圧縮して**選択的に描《えが》く**ことで達成されます。その描かれた絵からはカリブ海諸国やアフリカ、インド亜大陸での土地と資源《しげん》（リソース）の残忍《ざんにん》な略奪《りゃくだつ》、奴隷、搾取《さくしゅ》、非白人現地人の無数の虐殺《ぎゃくさつ》は消し去られています。

さらに、非白人植民地（とアメリカ）で独立状態が与えられたのは、暴力的な闘《たたか》いのあと、急いで民主主義体制を導入したのちに帝国が退場してからであったという事実も無視されました。南ローデシア（ジンバブエ）や**アパ**

コノテーション　共示的意味、二次的意味、暗示的意味、評価的意味などと訳される。コノテーションと対になるデノテーション（外示的意味、一次的意味、明示的意味）としばしば比較して用いられる。簡単にいうと、そのものズバリの意味をいうのがデノテーションで、いっぽう、そのことばの裏に隠されていて共通認識として伝わる本音や真意をいうのがコノテーションである。

選択的に描く　自国のよいところだけを切り取って描けば「美化」になり、また全体をうすめたり、あつかいを小さくしたりすれば、歴史の「矮小化（わいしょうか）」につながる。

アパルトヘイト　南アフリカ共和国で行われた人種隔離政策。一九九四年に国内の全人種によ

ルトヘイト下の南アフリカなど、当時の**白人のマイノリティ政府**によって民主主義が抑圧《よくあつ》されていることも無視されました。サッチャーがアパルトヘイト時代の**南アフリカに対する制裁的課税に反対**していたことはよく知られています。

サッチャーの主張は、もしかするとレイシズムを隠すために周到《しゅうとう》かつ意《い》図的《とてき》にぼやかされたものかもしれません。そうだとしても、どれほど意図的なものだったのかは簡単には解読できず、この種の疑問はレイシズムの議論を混乱させます。前述の声明では明確な〝人種〟への言及をどうにか避《さ》けていますが、サッチャーの人種という概念への執着《しゅうちゃく》は、**フォークランド諸島**をめぐるアルゼンチンとの戦争を支持して一九八二年に発表したスローガンに公然としめされています。このあとタイムズ紙でも、ただちに同じ趣旨の文が掲載されました。

> フォークランド諸島の人びとは、ブリテン島の人びとのように、島国民族である。彼らの生活様式はイギリス式で、彼らの忠誠はイギリ

る初めての総選挙が行われるまで撤廃されなかった。

白人のマイノリティ政府　南アフリカ共和国の場合、国民の八割近くがアフリカ系黒人で、ヨーロッパ系の白人は一割ほどと少数だが、後者が富と権力を独占する形で支配していた。一九九四年、はじめての全人種参加による総選挙でマンデラ政権が発足するまで、少数派の白人政権支配は実に三四〇年以上にわたった。

南アフリカに対する制裁的課税に反対　当時のサッチャー政権はアパルトヘイトを支持する南アフリカ政策をとっていた。そのため、四年ごとに開催されるオリンピックの英連邦版で「コモンウェルス・ゲームズ」と称される総合競技会の一九八六年の大会において、英国の南ア

フリカ政策に抗議し、三二か国が大会をボイコットした。

フォークランド諸島　南大西洋南西部、南米大陸およびマゼラン海峡の東方にある二〇〇あまりの島じまで、現在は英国領。領有権を主張するアルゼンチンとのあいだで一九八二年にフォークランド紛争が起こった。フォークランドは英語名で、アルゼンチンでは同諸島をスペイン語で「マルビナス諸島」といい、フォークランド紛争ともいわず「マルビナス戦争」という。

ス国女王に対するものである。

（マーガレット・サッチャー、庶民院、一九八二年四月三日）

我々は島国民族であり、攻撃の的になっているのは、我々の島の一つ、島の民が暮らしている島なのだ。

（タイムズ紙、社説、一九八二年四月五日）

これらの発言は、近年でも人種、国民、そして文化（〝生活スタイル〟）が効果的に結びつけられることがあるとしめしている典型例です。

このような背景でみられるとおり、独立した単一の発言だけに注目し、それが人種差別か否《いな》かを判定することで、人種という疑念が現在機能している方法を理解することはできません。

人種は公的／私的な文化に埋《う》めこまれた無数の当たり前のものとして存在するという前提条件とともに、さまざまな形態で機能します。それらの文化のなかでは、国民、エスニシティ、生活スタイル、その他の概念に、ときおり強力で、ときおりさほど強力ではない人種的なコノテーションがともないます。実際のレイシズムの発言は、サッチャーの発言と同様に、複雑でつねに議論の余地を残した判定が重要になるのです。

　サッチャーのことばはおそらく、レイシストの心にはたらきかける〝犬《いぬ》笛《ぶえ》〟の一形態とみなされうるでしょう。**犬笛政治**については、ヘイニー・ロペスが著書『犬笛政治（*Dog Whistle Politics*）』で次のように定義しています。

〝注意深く巧《たく》みに操作された、非白人に対する敵意に訴《うった》える暗号化された人種差別的な表現で……（中略）……表面的には、これらの挑発的なことばは人種とは無関係のものにみえるが、非白人を威嚇《いかく》することへのメッセージを強力に伝えている。〟

〝人種〟はいかにして〝文化〟を利用するか

　生物学（または人種）のさまざまな側面と国民または（文化）のあいだで重心をシフトさせる便利な方法は、一九八〇年代当時はもっとあからさまでした。当時イギリス人は移民について議論する際に、〝系統（stock）〟という概

犬笛政治　犬をよぶために使用される、人間には聞こえない高周波の笛に由来。特定グループに政治的メッセージを伝えるための暗示的用語の使用をさす。一般の人がそこにこめられた真意を理解できないまま、実際の対象グループにことばの表面的なメッセージとは異なる暗示やより明確な示唆が伝わることになる。

念を用いていました。このことばは、アジア人、アフリカ人やカリブ海諸国の人びとは文化的に異《こと》なるということだけでなく、アングロサクソン系統とみなされる純粋なイギリス人とは異なるということを暗《あん》に伝えています。

　これはまた、ユダヤ人とアイルランド起源の人びとの除外は別にして、意《い》図《と》したものではないものの、結果的に**一〇六六年のノルマン人による征服**とブリテン島への移住という大きな影響を無視することになりました。しかもこの移住にしても、数多くあったブリテンの島じまへの人びとの移動の一つにすぎません。

　〝アングロサクソン〟という語は、いまだにイギリスの人びとと制度を記述するとき、略された**記述子**《きじゅつし》（descriptor）の一つとして機能し、《だれがこの国家に正当に属しているか／いないか》を語る際の強力な生物学的底流《ていりゅう》を形づくっているのです。

　この記述子が機能した最近の例はいくつも転《ころ》がっていますが、ここでは二、三例を挙げるにとどめておきます。

　二〇一七年にイギリス王室のハリー王子（Prince Harry）と〝混血人種〟の

一〇六六年のノルマン人による征服　「ノルマン・コンクエスト」「ノルマン征服」ともいわれる、西暦一〇六六年のノルマンディ公ギヨーム二世（ギヨームはフランス語のいいかた。英語ではウィリアム一世）によるイングランド王国の征服をさす。ノルマン朝を開いて現在の英国王室の開祖となった。

アングロサクソン　五世紀ごろからドイツ北西部からイギリス（ブリテン島）に移住したゲルマン民族の総称。より広い意味では英語を母国語とする白人の総称。

記述子　文書中の重要な語句。キーワード。現代ではコンピュータ用語としても使用される。

アメリカ人メーガン・マークル（母はアフリカ系アメリカ人）との婚約が発表されたとき、当時のイギリス独立党党首の配偶者《はいぐうしゃ》が、黒人は醜《みにく》い、ハリー王子のフィアンセは王家を〝汚す〟、おそらく彼女の〝脳はちっぽけ〟などと述べたと報じられました。主要な新聞はこのようなハードなレイシズムについては比較的用心深く、メーガン・マークルはハリー王子がよくデートをしていた〝一般的な社交界のブロンド〟ではないと控《ひか》えめに表現するにとどめました。

二〇一九年五月六日に二人のあいだに赤ん坊が生まれたとき、BBCラジオの司会者ダニー・ベーカーは、チンパンジーの赤ちゃんを連れたカップルの写真に〝ロイヤル・ベビー退院〟というタイトルをつけてツイッターに投稿し解雇《かいこ》されましたが、ベーカーは〝深刻な判断の誤《あやま》り〟ではあったものの、ツイートの写真は特権に対する抗議であって、レイシストになるつもりではなかったと主張しました。ロンドン警視庁はベーカーのツイートは〝犯罪の基準〟には達していないという理由でベーカーの起訴を取り下げました。

アメリカでは、バラク・オバマ大統領とファースト・レディであるミシェル・オバマが日常的に類人猿《るいじんえん》と比較されました。これは、前述した生物学的な人間性喪失《そうしつ》に関するひじょうに古い常套《じょうとう》手段の復活です。

オバマ夫妻がホワイトハウスを去ったあとも、レイシストの愚弄《ぐろう》はつづきました。これまでにもっともよく知られているものが、オバマ大統領の元《もと》上級顧問《こもん》バレリー・ジャレットが母親になったとき、**シットコム**女優のロザンヌ・バーが投稿したツイートです。バーは〝**vj**〟というイニシャルを使って、〝ムスリムの同胞《どうほう》と猿の惑星に赤ちゃん誕生（Muslim brotherhood & planet of the apes had a baby）〟とツイートしました。**ABC**ネットワークはただちにバーの人気番組を打ち切りました。バーはのちに、そのツイートを睡眠薬《すいみんやく》のせいにして〝悪趣味《あくしゅみ》なジョークだった〟と述べ、そのツイートの本質的なレイシズム性を否定しました。

新たなレイシズムが〝ちっぽけな脳〟や〝猿〟などのハードな生物学的概念と共存し、容易《たやす》く溶《と》けこむことからして、私たちは〝古くて生物学的な〟特徴にもとづくレイシズムと〝新しくて文化的な〟特徴にもとづくレイシズムのあいだの境界線を過大評価しないように警戒すべきです。

シットコム　連続ものだが一話完結のラジオやテレビの番組。シチュエーション・コメディの略。

vj　バレリー・ジャレットを意味する。

ABC　正式には《American Broadcasting Company》。アメリカのテレビの民間放送ネットワークで、アメリカ四大テレビネットワークの一つ。

そのほかの明らかな例としては、黒人のフットボール選手に対して猿の歌を歌ったり、バナナの皮を投げつけたりするという行為があります。

レイシストと非レイシストのアイデンティティにある二面性と矛盾

レイシスト的なコメントをした個人がレイシストという批判をかわすために、アルコールや薬の影響をよくもちだす点は興味深いものがあります。ロザンヌ・バーは〝猿の惑星〟ツイートを睡眠薬のせいにしました。俳優のメル・ギブソンは、二〇〇六年に飲酒運転の容疑で逮捕《たいほ》されたとき、〝世界中の戦争はすべてユダヤ人のせいだ〟と叫びました。ギブソンは〝(酒のせいで)酔《よ》っぱらい、(ぶしつけな扱《あつか》いを受けて)怒《いか》り、神経衰弱になった〟と訴《うった》えることで汚名を雪《そそ》ごうとしました。

二〇一一年、ファッションデザイナーのジョン・ガリアーノはパリのマレ地区のバーで、近くにすわっていたカップルを侮辱《ぶじょく》しました。このカップルによると、ガリアーノは彼らに向かって〝くそ醜《みにく》いユダヤのメス犬〟〝アジアのくそったれども〟と叫んだというのです。カップルはガリアーノが四五分間に反ユダヤ的な侮辱のことばを三〇回も口にしたと報告し、別の女性は同じバーで同様の屈辱的なことばを受けたと述べました。ガリアーノは〝アルコールと睡眠薬とバリウムという〈三重の常用癖《へき》〉のせいで、そのような侮辱行為を覚えていない〟と弁明しました。ガリアーノは罰金を科されるとともに訴訟費用を支払うよう命じられ、さらにファッション・ブランド、クリスチャン・ディオールのクリエイティブ・ディレクターの職を解雇《かいこ》されました。ガリアーノは、仕事と〝パニック発作《ほっさ》〟のためにアルコールと処方薬に頼《たよ》るようになったと述べました。

アルコールは抑制《よくせい》を解《と》くことでよく知られていますが、このように感情を爆発させるものは実際なんなのでしょうか？　これらの人びとが、その人格として、リベラルで寛容《かんよう》な薄皮《うすかわ》の下に本当はレイシストの顔を隠《かく》しているのかどうかを、どうすればわかるのでしょう。

私が思うに、アイデンティティというのは矛盾に満ちていて二面性があると理解すべきです。

西欧のリベラルな民主主義の〝良識《コモンセンス》〟には、矛盾した感情と価値観がふくまれています。

いっぽうは、平等の価値の維持（そもそも奴隷制に加担《かたん》してきたことや奴隷による反抗が重要な役割を果たしたことは巧妙に回避したまま、自分たちが奴隷制度を廃止したという歴史的な記憶によって強化されたもの）と、望《のぞ》ましい〝多様性〟（これは有色人種の移民と〝多文化主義〟の貧弱な試《こころ》みの結果として起こった最近のリベラルな〝付加物〟）、さらに多数のエスニシティによって提供される豊かな文化の混合をめざして政府が啓発《けいはつ》している肯定的な姿勢があります。

しかし、もういっぽうでは、前述したとおり、古くさいナショナリズムが存在し、それは人種化された枠組みに、いとも容易《たやす》く、すりかわります。

したがって、平等な権利や平等な市民権という枠組《わくぐ》みと人種化された枠組みが共存しており、そのなかでエスニック・マイノリティはメディアでネガティブに描写され、毎日のように、つねに存在する人種差別的な表現（たとえばアジア人〔正確には南アジア人〕を〝パキ〟とよぶことなど）にさらされていますし、またインターネット時代にあっては、**とくにソーシャル・メディアを通じてホロコースト否認者《ひにんしゃ》の宣伝**が行われています。


とくにソーシャル・メディアを通じてホロコースト否認者の宣伝 二〇二〇年一月に行われた強制収容所解放七五周年の記念式典で、ホロコースト生存者の一人が「最近のソーシャル・メディアにおけるヘイト言説は、まるでナチスの宣伝省のようだ」と発言した。こうした状況をうけて同年一〇月、ソーシャル・メディアの最大手である米フェイスブックは、第二次世界大戦中のホロコーストを否定したり矮小化（わいしょうか）したりする投稿を禁止し削除する決定をしたと発表した。

また〝良識《コモンセンス》〟は広く行きわたっていますが、エスニック・マイノリティは**福祉援助という形で国家の資源《リソース》の公平な取《と》り分《ぶん》よりも多くのものを手に入れている**とか、そのせいで多数派白人だけに正当に帰属《きぞく》しているはずのものを使い果たしてしまうといった誤《あやま》った見かたもあります。これは〝エスニック・マイノリティが自分たちの仕事を奪《うば》う〟という相反する見解と共存しています（この場合、エスニック・マイノリティは社会福祉制度の負担になりません）。

また、いわゆる〝**ポリティカル・コレクトネス**〟に対する一斉《いっせい》攻撃も行われてきました。ポリティカル・コレクトネスとは、国としてもっと包括的《ほうかつてき》な視点を取り入れようという試《こころ》みで、〝イイド〟や〝パキ〟などの人種差別的な蔑称《べっしょう》を非難してきました。その後、反対に〝ポリティカル・コレクトネス〟への攻撃があり、レイシズムは〝言論の自由〟の問題に狡猾《こうかつ》にすりかえられました。

南アジア人を〝パキ〟、ユダヤ人を〝イイド〟とよぶ侮辱《ぶじょく》への非難は、政治的に動機づけられた、〝言論の自由〟に反する不当な規制であるという主張がなされ、反撃されています。これは**リベラリズム**を逆手に取ってコモン

福祉援助という形で…多くのものを手に入れている　少数の貧困層が生活補助など公的な福祉援助を受けるいっぽうで、多数派は税金を支払うばかりで損をしているという見かたは、日本においてもしばしば「自己責任」や「自助」といったキーワードとセットで耳にする。

ポリティカル・コレクトネス　人種や民族、宗教、性別などにもとづいた差別や偏見を防ぐため、政治的に公正で中立とされる表現を使うこと。「ポリコレ」「PC」とも略称される。

リベラリズム　三二八ページ注「リベラリズムへの価値観の急速な変化」参照。

センスを抑《おさ》えこもうとする試《こころ》みであり、日常的なレイシズムです。〝酔っぱらっていた〟とか〝薬を飲んでいた〟という弁明に対する私の見解は、西欧国家のなかの個人は、さまざまな程度で、さまざまな要素をとりいれながら、平等主義と人種化されたナラティブ（物語）の両方を吸収しているというものです。

ある種の状況では、どちらかいっぽうの見解が突出して目立ちます。ふだんは比較的リベラルで平等主義的な見解をもつ人が、アルコール摂取によって抑制が解かれたときに、人種差別的な見かたをしめすことが多いのです。

エスニック・マイノリティに対する姿勢は、しばしば矛盾していて二面性があります。そう考えるしか、メル・ギブソンやジョン・ガリアーノのような感情の爆発を理解する方法はありません。

二面性というのは、レイシストとして単純に片づけられそうな人の視点に立った単純なレイシズムと同じくらい、よくみられる特徴です。アフリカ系アメリカ人に対する白人の二面性の問題は、社会心理学者**ポール・ワクテル**の優《すぐ》れた考察『アメリカのマインドにある人種（*Race in the Mind of America*）』

ポール・ワクテル　ニューヨーク市立大学特任教授。主著《*The Poverty of Affluence*》（豊かさの貧困）。

の主要なテーマです。イギリスでは、マグネ・フレムメンとマイケル・サヴェッジによる、レイシズムに関する既存研究の徹底的な再分析によって同様の結論が導かれています。これは、第六章で考察します。

ただ〝自然な〟ものとしてのレイシズムと自民族中心主義

ここで、エスニック・マイノリティを永久に国民と人種の外側の立場に置くことを可能にする、ほかのことば巧み《レトリカル》な戦略を指摘しておくのもよいでしょう。一つは、自身に属するものを好むのはただ〝自然な〟感情であるとする見解です。

フランス国民戦線（現・国民連合）の元党首**ジャン＝マリー・ル・ペン**は、〝私は近所の人びとより姪《めい》を、姪より実の娘《むすめ》を好む……それはみな同じだろう〟と述べました。この主張はその後、暗示的にも明示的にも、自分自身が属する〈国民〉〈宗教〉〈人種〉へと発展します。その主張は、良識《コモンセンス》や人類（human nature）特有の性質と同じものとしてしめされます。そのようにしてレイシズムは、生物学的概念と文化的概念が溶《と》けあった〝自然のもの〟にさ

ジャン＝マリー・ル・ペン（一九二八〜）フランスの政治家。フランスの政党である国民戦線（現・国民連合）の創始者にして初代党首。娘のマリーヌ・ル・ペンが後継の同党党首となり、孫娘（マリーヌの姉の子）マリオン・マレシャル＝ル・ペンも同党所属の国民議会議員をつとめた。

れうるのです。この種のレトリックは、〈国民〉を〈家族〉に擬《なぞら》えることによって〈国民〉の意味を変容させもしますし、もちろん生物学的概念も文化的概念も変容させることができます。

この種の排他的《はいたてき》な〈国民〉概念をつくりあげ、それによって特定の移民をつねに〈国民〉または〈人種〉の外側に置くもう一つの方法は、自国の〈領土〉を守ろうとするのは人間の自然な性質でしかないという見解をくりかえすことです。そのようにして〈領土〉〈国民〉〈人種〉は自然なものにされます。イーノック・パウエルは一九六九年に、これを次のように相変わらず巧《たく》みにいいあらわしています。

〝アイデンティティを保持し、領土を守るという本能は、人間に深く強く埋《う》めこまれているものの一つである〟

〝ナショナル・ポピュリスト〟と彼らの擁護者らのディスコース内で、この主張がふたたびあらわれたことについては第七章でみていきます。

さしあたり、このような主張には三つの帰結点があることに注意しておかねばなりません。

第一に、いかなる種類のグループであれ、そのアイデンティティに由来する主張は、エスニックグループと国民はヒトが本能で守ろうとする〝自然な〟単位であるという概念と結びついています。第二に、その主張は、その国の国民と民族が外国人に対していだく憎《にく》しみと敵意が、たんに〝自然な〟ものであるということを暗《あん》にしめしています。第三に、その主張は、移民またはエスニックグループは、彼らが〝自然に〟属することのできる国や周辺国にのみ移動すべきであるということをほのめかしています。

事実上この主張は、黒人とアジア人移民の〝自然な〟故国は、イギリスやフランス、オランダなど白人の国家ではありえないということをしめしています。この理論の行きつく先は、黒人とアジア人が白人の国家に移住するならば、その国の非白人移民と白人の土着集団の両方にとって不適切であるという結論になります。これは〝自然〟とは正反対ということです。

このようにして、生物学がふたたび文化的な表舞台に再登場し、白人と黒人とアジア人の集団が友好的に暮らせると考えるのは〝自然に〟反するという明らかに人種差別的な主張を支えているのです。

この種の主張は、家族や国民の内部分断を無視した選択的で単純すぎる物語《ナラティブ》にもとづいており、これによって生物学的な一単位としての〈家族〉は、〈国民〉〈人種〉〈白人性〉の代用として機能することが可能になります。

〝文化的レイシズム〟は人種差別か？

生物学にかかわるような言及がまったくなく、純粋に文化的または宗教的な主張が行われた場合、ことば巧《たく》みに表現を変えてレイシストの意味を拡張するようなことなしに、その主張を〝人種差別〟とよぶことはできるでしょうか。

原則として、服装の様式、言語、慣習、宗教などの基準のみに依存してグループを特定し分類するという形態は、〝人種〟から喚起《かんき》されるなんらかのイメージというよりも、少し例を挙げるなら、むしろ《**エスニシズム**（ethnicism）》あるいは《自民族中心主義《エスノセントリズム》（ethnocentrism）》という概念のなかに組み入れられるのがより適切かもしれません。また、その基準に、ある国家の

エスニシズム　民族性を重視する考えかた。しばしば「民族分離主義（racial separatism）」の意味合いでも使われる。

グループに属するかどうか、および〝外国人〟と非国民への敵対心という要素をふくめるなら、この形態は《外国人恐怖症《ゼノフォビア》（xenophobia）》に近いといえるかもしれません。

しかし実際には文化的な境界が引かれることが多く、その境界が多かれ少なかれ不変であることを暗示することで、その分類は自然なものとされます。

そのようにして、ユダヤ人は貪欲《どんよく》で、アフリカ人とアフリカ系アメリカ人は強引で、アフリカ系カリブ人は犯罪行為に走りやすく、〝東洋人〟はずるがしこい、といった推定が、きわめて長い年月にわたって、それらのグループにつねについてまわる特徴になりました。そのような表現はその後、文化と生物学とのあいだのいかなる厳密な差異をもぼやけさせるステレオタイプとなり、常識的なボキャブラリーの一部として用いられるようになります。

かくして、金銭的な貪欲さがほぼ不変の特徴であるという概念が橋渡しになり、ユダヤ人は〝人種〟かつ宗教グループであるという概念に陥《おちい》りやすくなるのです、そして、たとえ例外があっても、それはただ〝ルールがあることを証明するのみ〟で、その見解は経験にもとづく反証例《はんしょうれい》を挙《あ》げられても固持されます。

社会的特性が自然なものとされていく方法についての私の主張は、《**本質主義**（essentialism）》という概念をふたたび語ることで、より専門的な社会科学用語に落としこむことができるかもしれません。

すなわち、文化的特徴と生物学的な分類を、ほぼ継《つ》ぎ目のない枠組みのなかで同時に機能させられるのは、歴史的な時間と場所という表面的なちがいの裏にある不変の〝エッセンス〟という概念なのです。

この感覚でいくと、現代の人種という概念はつねになにかしら生物学的なものがベースになっていたという事実にもかかわらず、〝文化的レイシズム〟について議論することも、厳密にいうと可能です。

多くの人がそうしているとおり、ある意見をレイシストとして記述するなら、その意見のなかで鼻の形、肌の色、遺伝などの生物学的特徴が明らかに言及されていなければならないという主張は、厳密にいうと正しいでしょう。

しかし、一般化やステレオタイプその他の文化的エッセンシャリズム（とくにエスニック・グループのなかでは彼らの思考や行動のありかたが不変のエッセンス

本質主義　ものごとの核心にある性質や特徴などを不変のものとする考えが「本質主義」。これに対して、そのような一見変わらなさそうなものも時代や社会の変化にともなって変わりうるとする考えを「構築主義」あるいは「構成主義」という。この対立概念にもとづく一例として、生物学的な男女の性差である、より固定的な「セックス」と、社会的な性差である「ジェンダー」があげられる。ただし、生物にはある条件下で雌雄が変わるものもあるので、そもそも生物学的な性差も不変のものでないという考えもできないこともない。

によるとみなされます）を語るときに、一般的で公《おおやけ》の文化に浸透《しんとう》している、より広く蓄積《ちくせき》された概念を基盤にしたり、それに頼《たよ》ったりするのは少々的外《まとはず》れです。したがって、特定の意見にふくまれるレイシストの要素は、公的あるいは私的な言説《ディスコース》の全体的な文脈を理解することでしか判断できません。

そして、その言説のなかで、エスニシティ、国民意識の同一化（アイデンティフィケーション）、および人種は、明確な区分のない、ぼんやりと重なりあった形で共存しています。このような分析はとくに、最近ますますイスラム恐怖症（イスラモフォビア）とよばれることが多くなったイスラム教とイスラム教徒（ムスリム）に対する敵意がレイシストであるかどうかについての議論の際に重要になります。

〝イスラモフォビア〟と文化的レイシズム

すでにしめしてきたとおり、人種の分類には当初から、文化的要素と生物学的要素の両方がふくまれていました。しかし、文化とその用語にふくまれる慣習や信条、ふるまいは、歴史的・地理的な背景によって大きく異なります。したがって、レイシズムをプロセスという、つねに進行中の一つの作用とみなす人種化（racialization）という概念が有用です。

　この概念では、異《こと》なる時代や場所によって、同じグループに対して異なる要素を用いることができます。さらに文化的レイシズムは生物学的マーカーへの言及を徹底的に避けようとしていますが、直接的ではなくとも、暗示やほのめかしによって生物学的マーカーをふくんでいるように見せることが可能です。つまり、文化的レイシズムとは〝人種〟をふくめずに人種化することです。サッチャーの〝ニューコモンウェルスの移民〟という表現はその一例です。

　文化的レイシズムこそが、私たちをイスラムおよびムスリムに対する敵意に向かわせるものであり、その一つが現在は〝イスラモフォビア〟という総称語でグループ分けされているものです。

　とくにイギリスを本拠とする**ラニミード・トラスト**による一九九七年の報告ののちに、イスラモフォビアというこの用語がより広く用《もち》いられるようになりました。いまでは、クリュッグ（B. Klug）が二〇一二年に《エスニシ

ラニミード・トラスト　反レイシズムの立場から積極的に提言をしている英国のシンクタンク（総合研究所）。

ティ》というジャーナルで述べているとおり、この概念はすでに〝成長しきって〟います。

しかし、宗教を根拠とする差別や敵意は、レイシズムの一形態とみなせるのでしょうか？

この問題は広く議論されてきました。その一つ、ラニミード報告は混乱が生じていて助けにならないでしょう。たとえば、この報告ではイスラモフォビアの具体例を提供していますが、身体的な攻撃を受けた南アジア人がたまたまムスリムだった場合と、ヘッドスカーフ（ヒジャブ）や顔のベール（ニカブ）をつけた女性などのように、明らかにムスリムと認識される特徴のせいで特異的にターゲットにされたアジア人とが、はっきり区別されていないのです。このような混乱によって、ラニミード報告はムスリムに対する敵意と差別の程度を強調しすぎるとの主張にますます拍車《はくしゃ》がかかりました。また、その報告の結果は、イスラモフォビアよりもっと広範《こうはん》なレイシズムの問題をしめしているという批判を可能にしました。

つまり、ここで議論すべき問題は、イスラムやムスリムに対する敵意ではない、というような主張が行われたのです。
ハリディ（F. Halliday）は、広く考察されている評論のなかで、イスラム（イスラム教）への憎しみは歴史的なもので、人としてのムスリム（イスラム教徒）への敵意にくらべると、いまやあまり重要な現象ではないと主張しました。しかし、ハリディの主張に対する決定的な反応として、イスラム教とその宗教を実践しているムスリムとは分かちがたいという指摘がすみやかになされました。

たしかに、この二つは分離できません。現在のイスラモフォビアは、十《じゅう》字軍《じぐん》（the Crusades）による聖戦やその後起こった一四九二年のスペインでのイスラム権力敗退など初期の近代ヨーロッパの軍事衝突《しょうとつ》が歴史的なルーツだと主張する人もいます。

〝聖戦《クルセード》（crusade）〟ということばは、二〇〇一年九月一一日にアメリカの**ツインタワー**が攻撃されたあと、**ジョージ・ブッシュ大統領**が〝対テロ戦争〟を開始したときにも使用されました。このことばを使うことによって大統領は自説に信頼性を付加したのです。しかし、歴史的および地理的な特徴を控《ひか》

ツインタワー　米国ニューヨークのマンハッタン島にあった二棟の高層ビルの通称で、正式にはワールド・トレード・センタービル（世界貿易センタービル）といった。一一〇階建てだった。

ジョージ・ブッシュ大統領　同名の父親も米国大統領。区別のため「ブッシュ・ジュニア」とも。イラク戦争を主導した。

えめに表現して、**広い意味での歴史的な一般化**を行うのはまちがいです。

さらに重要なことは、サイードが一九七八年に〝文化的虚像《カルチュラル・イマジナリー》（cultural imaginary）〟として特定した「**オリエンタリズム**」と、とくに一九世紀以降の西洋の帝国主義列強《れっきょう》によるイスラム教徒（ムスリム）の土地の支配です。

この一連のプロセスのなかで〝オリエント〟は均質化され、その〝エッセンス〟は不変とみなされました。一九九七年にアメリカの政治学者**サミュエル・P・ハンチントン**が普及させ幅広い影響をもたらした「文明の衝突（***The Clash of Civilizations***）」というテーマは、サイードが強調した永遠につづく〝西欧対イスラム〟（とその他の文化）という頑《かたく》なな枠組みをそのまま提示しています。

同様の人種化されたテーマとしては、イスラム教徒がヨーロッパを乗っ取る計画があると主張する陰謀説《いんぼうせつ》があります。この乗っ取りは、ヨーロッパ内のイスラム教徒の人口増加や、モスク建設の拡大、それらにともなう制度としてのシャリーア法《ほう》（イスラム法）の拡《ひろ》がり、およびキリスト教徒のイスラム教への転換を根拠によってすすめられているというのです。

広い意味での歴史的な一般化
現代の米国と中世の地中海世界では歴史的にも（＝時代が）、地理的にも（＝地域が）かけはなれすぎている。

オリエンタリズム　五七ページ注「エドワード・W・サイード」参照。

サミュエル・P・ハンチントン（一九二七～二〇〇八）米国の国際政治学者。ハーバード大学教授。

The Clash of Civilizations
冷戦後の世界が文明間の対立が軸になると述べた論考。このタイトルで書籍が刊行され、ベストセラーとなった。正式なタイトルは《*The Clash of Civilizations and the Remaking of World Order*》（文明化の衝突と世界秩序の再創造）。『文明の衝突』という邦題で日本で

これらの説は、ユダヤ教とキリスト教で単一に均質化されたヨーロッパが、（イスラム教徒の多様なエスニシティと国籍を無視して）均質化されたイスラム教とイスラム教徒集団の脅威《きょうい》にさらされているということを事実と仮定しており、また、宗教上の衝突という概念のレーダーをくぐりぬけ、ヨーロッパの〝白人性〟を当然の前提としていて、さらに人種化を促進しています。

このような流れによって〝イスラムへの恐怖〟が理《り》にかなったもののようになります。それはたとえば、フランス議会の議員と政府大臣による憎悪《ぞうお》のこもった発言や、週刊新聞**シャルリー・エブド**（この新聞社に対しては勤務しているジャーナリストへの悪名高く許容しがたい致死的襲撃という形で反発が起こりました）で絶え間なく掲載される風刺《ふうし》漫画によってフランスで醸造《じょうぞう》されてきました。

さらに、イスラム教とイスラム教徒に対する恐怖心は、イスラム教徒が多数派を占《し》める国の多くで高度に制度化された女性蔑視《べっし》の教理によって拍車《はくしゃ》がかかります。そして〝イスラム〟は〝文明世界〟の範囲内でかろうじて許容されている後進的な反現代文化として、ひとかたまりに均質化されます。そ

は九八年に集英社から刊行。

シャルリー・エブド　「エブド」はフランス語の「週刊」を意味する「エブドマデール」の短縮形。「シャルリー」とは当初、スヌーピーで知られる漫画『ピーナッツ』の登場人物チャーリー・ブラウンにちなんでつけられた。一九八二年にいったん活動停止したが、九二年に新体制で再開。二〇〇六年、デンマークの日刊紙に掲載されたムハンマドの風刺画を転載し、イスラム諸国から激しい非難を受け、二〇一一年に火炎瓶が投げこまれ事務所が全焼する事件が起きた。二〇一五年一月には自動小銃をもった男らが事務所に乱入・襲撃し、編集長、風刺漫画家、コラムニスト、警察官ら計一二人が死亡する事件が起きた。

の過程では、エジプト、トルコ、モロッコ、チュニジアなどイスラム教徒が多数派の国ぐにの多くでみられる、歴史的に明らかに宗教的ではない政治形態やプロセスも、また、それらの国を出身とする第二世代、第三世代の移民に明らかにみられる**世《せ》俗《ぞく》の尊重**も、あっさりと無視されてしまうのです。

　これらの概念と攻撃が複雑にからみあって、〝イスラモフォビア〟とレッテルを貼《は》られる人びとの考えは、決定的に固定されたものになります。

　これに加えて、フランスのイスラム教徒は、しばしば**〝ヘイト〟クライム**（憎《ぞう》悪《お》犯罪）の標的にされるという事実があります。二〇一八年六月、ベールをかぶった女性とイスラム教の導師《イマーム》を殺害し、**ハラール**の肉を販売している食料品店や、モスク、イスラム教徒のコミュニティセンターを破壊するという右翼の策略が、フランス当局によって食い止められました。

　この議論はいまや広がりすぎて文献も多量にありすぎるため、本書では掘《ほ》り下げて検討することはできません。したがって、本書の内容にもっとも密接に結びついている問題に立ちもどるのが適切でしょう。

　すなわち、イスラムおよびイスラム教徒への敵意は、レイシズムの一形態

世俗の尊重　宗教的な戒律やしきたりにしばられない考えかたを「世俗主義」という。

〝ヘイト〟クライム　特定の宗教や民族、さらには性的指向などに対するマイナスの感情から生まれる、それらに属するとされる個人や集団への暴力や嫌がらせのこと。著者ラッタンシ教授が〈hate〉部分を引用符で強調した意味を深読みすると、〈憎悪〉と〈犯罪〉が連鎖したまま〝同居〟したかのようなこのイディオム（熟語）が多用され定着している現実に、あえて〈憎悪〉にのみ引用符をつけることで分離を試みているようにもみえる。なお、刑法上の犯罪が裁

かれるのは当然のことながら、たとえば「ヘイト言説」の表明行為を国家権力が法的に規制すべきか否かなどについて、日本ではさまざまな立場から慎重論がある。

ハラール　「ハラル」とも。アラビア語「許されている」の意。イスラム教の戒律によって食べることが許されたものを「ハラールフード」という。

とみなすことができるのでしょうか？
レイシズムにはつねに文化的特性と生物学的特性が混じっているという正しい理解をしていれば、宗教はまさに文化的な現象であることから《反イスラム教（anti-Islam）》と《反イスラム教徒（anti-Muslim）》という感情は文化的要素を満たしているようにみえます。

　また、私は、ユダヤ教とキリスト教はヨーロッパという概念のなかに、なんらかの〝白人性〟の概念を、どういうわけか、こっそり受容していることも示唆《しさ》してきました。しかし、イスラム教徒には黒人も白人もアジア人もアラブ人もいます。イスラム教徒は広範《こうはん》かつ多様な国籍やエスニシティによって構成されていますが、とくにシーア派とスンニ派で宗派間の対立があり、イスラム教自体のなかで分裂しています。

　要するに、イスラム教徒は一つの〝人種〟とはみなせないのです。

　しかし、だからといって、イスラム教徒が人種化されるさまざまな方法が認識できないといっているわけではありません。とくに、イスラム教を信仰している者を同定するために用いることのできる独特の視覚的な目印《マーカー》があるという概念により、イスラム教徒は人種化されうるでしょう。とりわけ非白人としてイスラム教徒の実体といつも結びつけられる、男性の顎《あご》ひげや女性のヘッドスカーフとベールは、人種化のマーカーになります。

預言者《よげんしゃ》ムハンマドは風刺画で、典型的なアラブセム系の鉤鼻《かぎばな》と褐色の肌をした人物としていつも描写《びょうしゃ》されます。これと組みあわせて、ヨーロッパとアメリカの多くの人びとから、イスラム教徒は本質的かつ文化的に同化不能であるとつねにくりかえし主張され、そのうちにイスラム教とイスラム教徒はエッセンシャライズされ自然にそなわった性質とされるのです。

イスラム教徒のコミュニティは西洋の価値観と生活様式にうまく〝溶《と》けこんでいない〟という日常的な訴《うった》えは、しだいにイスラム教徒は永久に西洋の〝部外者《アウトサイダーズ》〟であるという考えに変化していきます。

イスラム教徒のより若い世代での世俗化と〝西洋化〟に関する大きな変化は、ふたたび、あっさりと切り捨てられます。複数の研究、たとえばシャン(K. Sian)、サイイッド（S. Sayyid)、カー（J. Carr）による研究では、多くのケースで職を求めているイスラム教徒は、外見と服装、宗教上の習慣が障《しょう》壁《へき》になると聞かされていました。イスラム教徒が二つの同一の履歴書《りれきしょ》のいっぽうにはイスラム系の名前を、もういっぽうにはキリスト教徒らしい名前を記し提出して行われた調査研究では、キリスト教徒らしい名前を使用したときのほうが面接の連絡を受ける機会が劇的に増えました。

二〇〇六年一〇月一六日のガーディアン紙の記事によると、イギリス政府はイスラム教徒の学生をスパイするために大学に人材を補充し、過激な兆候をしめすアジア人の外見をした学生を見張らせました。

イスラム教徒は〝人種〟ではないものの、イギリスやほかのヨーロッパおよびアメリカでは明らかに人種化されているという主張には根拠があるのです。

もう一つだけ例を挙げてみましょう。

イギリスの住宅供給における人種的な偏見についてガーディアン紙が行った調査（二〇一八年一二月四日発表）によると、貸し部屋を探《さが》しているイスラム系の名前の人は、〝デイヴィッド〟と称している人より肯定的な返事をもらう数が有意《ゆうい》に少なかったといいます。

イギリスのマスメディアでも、とくにタブロイド紙にみられるステレオタイプ化は、人種化のすべての形態において、重要な役割を果たしています。

モーリー（P. Morey）とイェーキン（A. Yaqin）など多くの研究者による調査では、イスラム教徒の描写がいかに幅《はば》の狭《せま》いステレオタイプに収《おさ》まっているかをしめしています。イスラム教徒のステレオタイプに共通する一つの特徴は、〝良いイスラム教徒〟と〝悪いイスラム教徒〟に二分されていて中間のカテゴリーがないことです。

では、穏健で良心的だが祈りのためにモスクに行くことを徹底しているイスラム教徒や、ヘッドスカーフをつけている穏健なイスラム教徒の女性をどのように特徴づけるべきでしょうか。

たとえば、暴力にきわめて強く反対しているとしても、中東での西洋の政策に批判的なイスラム教徒は〝良い〟イスラム教徒でしょうか、それとも〝悪い〟イスラム教徒でしょうか？

〝イスラミスト〟という非常に大きな網《あみ》を広げれば、ほとんどのイスラム教徒がそのなかにとりこまれてしまい、すべての重大な考えかたを放棄しない

イスラミスト　直訳すれば「イスラム主義者」となるが、一般的には「保守的なイスラム教徒」や「イスラム研究に精通した学者」といったニュアンスから「イスラム原理主義者」の意味合いまでをもふくむ。

かぎり逃《のが》れられないというジレンマに陥《おちい》ります。そして、その重大な考えは非イスラムの大多数によっても共有されています。

それは、イラクとアフガニスタンへの西欧の侵攻は破滅的で、たとえば**サダム・フセイン**と**アルカイダ**はつながっているなどの偽《いつわ》りの口実のもとで実施されたイラク侵攻は反則ではないか、というような見解です。

ひょっとすると、この議論でもっとも重要なポイントが、これまでに検討してきたものからは抜け落ちていたかもしれません。

デイヴィッド・タイラーは自著『イスラモフォビアの政治（*The Politics of Islamophobia*）』で、〝ムスリム〟として議論されている集団はすでに〝パキ〟や〝アラブ〟として人種化されてきたと、力強く明らかな主張を行っています。

これにしたがえば、ムスリムは人種か否《いな》かという問題提起は、ややポイントがずれています。〝ムスリム〟が〝人種〟の枠《わく》に出現したのは、この集団がすでに人種化の枠組みに姿をあらわしたあとだったというわけです。しかし、別の見かたをすれば、ムスリムの人種化は彼ら自身がイスラムのアイデ

サダム・フセイン（一九三七〜二〇〇六）イラクの軍人・政治家。一九七九年にイラクの大統領に就任。九〇年、隣国クウェートに侵攻して翌年の湾岸戦争をまねき敗れるも、二〇〇三年のイラク戦争で政権が崩壊するまで独裁をしいた。同年末に出身地のティクリート近郊で米軍に身柄を拘束され、旧政権幹部を裁く特別法廷で死刑宣告、絞首刑となった。

アルカイダ　イスラム過激派のオサマ・ビン・ラディンによる国際テロ組織。「アルカイダ」は拠点の意味。

ンティティの側面を主張しはじめる前だったともいえますし、一九七九年のイラン革命と**サルマン・ラシュディ**の『悪魔の詩（*The Satanic Verses*）』（新泉社）をめぐる事件の直後に起こった現象ともいえます。

ムスリムとしてムスリムを人種化するというのは、単純にもう一つの人種化の層をすでに人種化された集団に追加するだけのことです。

しいていえば、ムスリムは二重に人種化されているのです。最初は〝パキ〟であったり、〝アジア人〟〝アラブ人〟〝モロッコ人〟〝トルコ人〟その他の表現であらわされるものとして（アラブ人に使われる〝ゴートファッカー〟はそのうちの一つです）、その次には、ひげや頭蓋冠《とうがいかん》、ヒジャブやブルカの着用、文化的および生物学的な用語でその人物が有する非白人の異教徒性、もともとは属していない白人の《ユダヤ教－キリスト教徒国》で暮らしていること、存在の脅威を有しているものとして人種化されます。

ドイツのナショナルチームを二〇一八年に引退したサッカー選手**メスト・エジル**は、トルコ系ドイツ人として、次のように述べました。

〝勝ったときはドイツ人だが、負けると移民とよばれる〟

サルマン・ラシュディ（一九四七〜）インド系の英国の作家。インド西部のムンバイ（かつてのボンベイ）に生まれ、英国で教育を受け、英国に帰化。一九八八年の『悪魔の詩』でホメイニ師（一九七九年のイラン革命後の最高指導者）から死刑宣告を下された。その余波は日本にもおよび、『悪魔の詩』の翻訳をした日本人が殺害される事件も発生した。

メスト・エジル（一九八八〜）サッカー選手。ポジションはミッドフィルダー。トルコ系移民の子としてドイツ西部のゲルゼンキルヒェンで生まれる。二〇〇六年にプロデビュー。一〇年にスペインのレアル・マドリード、一三年にはイングランドのアーセナルに移籍。ドイツ代表デビューは〇九年。一四年のW杯ブラジル大会ではチームの司令塔として活躍し、優勝に貢献した。

〝移民〟はもちろん、もう一つの人種化された呼《よ》び名であり、個人や集団を永久にその国民の外側にはじき出すために利用されることばとして南アジアやソマリア、アラブ系の人びとに無差別に適用されます。

これらの二重および三重の人種化はまた、ほかの形態の人種化と同様、男女差も付加されます。これは、イギリスでは**タブロイド紙**やその他のマスメディアによって強調されてきたプロセスで、パキスタン人やその他のムスリムを起源とする男性グループが若い白人の少女をセックスやセックスの取引のために訓練してきたという報道がありました。その多くの訓練は白人男性によって実施されたという事実がけっして言及されないまま、それによってアジア人男性がそのようなふるまいをしやすい傾向があるのは宗教かなにかのせいだろうという主張が行われます。

多くの研究者が指摘しているとおり、これらのアジア人男性の関与は、彼らの宗教にはほとんど関係がなく、白人であれ、ムスリムであれ、若い女性が引き寄せられやすい、タクシーやテイクアウトの飲食店の夜間業務にそれらの男性が従事していたことが大きく関係しています。

タブロイド紙　スタンダード判、あるいはブランケット判とよばれる一般的なサイズの新聞の半分ほどの大きさの新聞。大衆向けの平易な文章でゴシップや事件をセンセーショナルにとりあげる傾向がある。

人種化のこれらすべてのプロセスを考慮《こうりょ》に入れた場合、〝イスラモフォビア〟は強い人種差別的な言外の意味《コノテーション》を有《ゆう》するラベリングの一形態をしめしており、イギリスだけでなくほかのヨーロッパやアメリカの人種差別的な政治の一部として検討する必要があることは、ほぼまちがいないでしょう。

〝新たな反セム主義〟

ひょっとすると、ほかの人びとの歴史以上にユダヤ人の歴史は、長期にわたる根深い敵意と迫害《はくがい》、そして大量虐殺という特徴があるといえるかもしれません。

ユダヤ人の初期の迫害の多くは、キリスト教徒によるものでした。ごく初期にはユダヤ人はキリストの殺人者と罵《ののし》られました。一二世紀以降は、悪名高い〝血の中傷〟（ユダヤ人が過越《すぎこし》の祭《まつり》のお祝いで食べる無発酵《むはっこう》のパンである**マツォー**に、キリスト教徒の、とくに子どもの血を使っていると信じられていたこと）など敵意に満ちた反ユダヤ主義が顕著《けんちょ》になりました。

ヨーロッパでのムスリム勢力に対する**十字軍遠征**は、一〇九六年に起こっ

マツォー　酵母が入っていない生地を焼いたクラッカー状のパン。「マッツァー」ともいう。

十字軍遠征　聖地回復の十字軍運動の高まりとともに、ユダヤ人への暴力行為がヨーロッパの各地で行われた。一〇九六年の夏には、ライン川周辺のヴォルムスやマインツでユダヤ人への暴行・殺害・略奪が行われた。十字軍運動の初期においてまず犠牲になったのは、遠くのイスラム教徒ではなく、身近な隣人のユダヤ人だった。この迫害を契機に多くのユダヤ人が宗教に寛容な東欧のポーランドへ逃げこんだ。法律でユダヤ人の権利と安全を保障したポーランドは、中世から第二次世界大戦の時代までヨーロッパ最大のユダヤ人在留国となった。

たユダヤ人大虐殺につながりました。

一四九二年、ようやく十字軍遠征が成功したあとスペインから追放されたのはムスリムだけでなく、前述したとおりユダヤ人も同じでした。

金の亡者《もうじゃ》というユダヤ人のイメージはこの追放の前にも後にもありますが、これはユダヤ人が大半の職業に就《つ》くことを禁じられた結果、選べる職業が金融業と高利貸《こうりが》しなどに限定されたためでした。豪華な生活様式を切望した聖職者と君主は高利貸しから金を借りるなどして、多くのユダヤ人を裕福にしただけでなく、教会と王族に負債《ふさい》を負《お》わせました。王族は支払いができないのか、したくないのか、しばしば暴力的な迫害を扇動《せんどう》し、ユダヤ人の富《とみ》を略奪《りゃくだつ》しました。

もしかすると一九世紀は〝人種〟という概念が一般に広がったため、ユダヤ人を人種の分類の一つと考えたのは無理のないことだったのかもしれません。前述のとおり、一八七〇年代にドイツ人の**ヴィルヘルム・マル**が最初にユダヤ人を〝人種〟とみなす科学的根拠を主張したとされています。

二〇世紀前半のナチズムの台頭とともに、この偽《にせ》科学的な概念は、ほかの

一四九二年…　著者ラッタンシ教授は、イベリア半島のレコンキスタを十字軍の延長戦とみている。三〇ページ注「ムスリムとユダヤ教徒がスペインから追放された年」も参照。

ヴィルヘルム・マル　一一ページ参照。

要素と相《あい》まってユダヤ人を苦しめる最大の悲劇をまねき、六〇〇万人がホロコーストで非常に冷酷《れいこく》な方法で命を奪《うば》われました。

第二次世界大戦の結果、ナチス・ドイツが徹底的に打ち負かされ、国際連合が編成されました。これまでの章でふれたとおり、国連の文化機関であるユネスコは〝人種に関する声明〟を発表し、〝人種〟という概念には科学的根拠はなく、したがってユダヤ人迫害をふくむ〝人種〟にもとづく差別のあらゆる根拠はないと宣言しました。

ユネスコの声明は、とくに社会科学での改革につながり、社会科学ではすべてのレイシズムは不当で不合理な敵意と〝偏見〟に由来するとみなされました。一九五四年に発表された**ゴードン・オールポート**の『偏見の心理（*The Nature of Prejudice*）』は、レイシズムについてのこの種の視点をしめすためによく引用される古典的な著作です。

その後、自身の権力の維持にこれまでどおり関心がある人びとの抵抗がなかったわけではありませんが、かなり多くの国ぐにで、とりわけイギリスでしばしば〝人種関係〟法とよばれるものが立法化されました。それによって、

ゴードン・オールポート（一八九七〜一九六七）米国インディアナ州出身の心理学者。人間のパーソナリティについての研究とともに社会心理学なかでも宗教心理学で業績を残した。

国際ホロコースト追悼同盟　スウェーデン首相（当時）ヨーラン・ペーションの提唱により一九九八年にホロコーストに関する教育・研究・追悼のための組織として設立。略称ＩＨＲＡ。「国際ホロコースト記憶アライアンス」などともよばれる。事務局はドイツ・ベルリン。議長国は参加三四か国のもちまわり。なお、日本は参加していない。

のちにエスニシティ、国籍、そして場合によっては宗教をふくめた概念へと拡大された〝人種〟を根拠とする差別は違法になりました。しかし、**国際ホロコースト追悼《ついとう》同盟**（ＩＨＲＡ：International Holocaust Remembrance Alliance）が反セム主義について〝有効な定義〟とよばれるものをようやく発表したのは二〇一六年五月のことでした。ＩＨＲＡの提言は、ヨーロッパでユダヤ人に対する反セム主義的な暴言や暴力が増加していること、およびホロコーストが起こったことを否定する人びとが増加していることへの対応でした。それゆえ、ＩＨＲＡは〝ホロコーストの否定と歪曲《わいきょく》についての有効な定義〟も採用しています。ＩＨＲＡの〝有効な定義〟では、反セム主義を次のようなことばで定義しています。

〝反セム主義は、ユダヤ人に対する敵意として表現されうるユダヤ人に対する特定の認識である。反セム主義のことばによる、身体的な表現は、ユダヤ人またはユダヤ人ではない個人、その個人の特性、ユダヤコミュニティの制度、宗教施設へ向けられる〟

ＩＨＲＡはこの表現を、法的拘束力《こうそくりょく》がないながらも〝有効な定義〟とみなしています。この有効な定義の起案者は、言いまわしがややあいまいで漠《ばく》然《ぜん》としていることを認めており、〝具体的にしめすために〟多くの〝例〟をつけたしています。一一個の例が提供されており、そのうち少なくとも六例はイスラエルの状態に関連があります。

これは意外なことではないでしょう。というのは、多くの個々のユダヤ人やユダヤ人の組織は、イスラエルという国家への批判が、ユダヤ人への批判と厳密に区別されておらず、そこにずれがあるとよく感じているからです。

言いかえれば、イスラエル国家に反対する多くの発言や行為のなかで、イスラエル国家の行動に対する批判と反セム主義が混同されているのです。

本質的にはイギリスと、ある程度はアメリカでも、これは〝新たな反セム主義〟であるといわれています。それはつまり、イスラエルという国とイスラエル内外のユダヤ人とを区別せずに行うイスラエル国家への批判です。

イギリスの左翼は、反セム主義のこの状態の主犯として、しばしば槍玉《やりだま》にあげられています。フランスの新たな反セム主義の概念は、同様の歴史を共有していますが、独自の系譜もあります。これについては本章の最後のほうで考察します。

一九九〇年代のイスラエルとパレスチナ人とのあいだの**オスロ和平協定**が失敗したあと、パレスチナ人による**インティファーダ**、つまり蜂起《ほうき》が起こり、イスラエル国家が占領をつづけ、（ヨルダン川）西岸《せいがん》の被占領地域におけるユダヤ人入植の奨励《しょうれい》と保護を行っていること、およびパレスチナ人居住者に対する扱《あつか》いについて激しい議論が生じました。

国際法では、この入植はもともとパレスチナ人の管理下にあった領域の併《へい》合《ごう》をともなう違法なものです。その後とくに多数のパレスチナ人がイスラエル軍によって射殺されたこともあり、イスラエル国家の行為が国際的な精査《せいさ》を受けていることは驚くにあたらないでしょう。

そのいっぽうでパレスチナ人、とくに武装組織**ハマス**とその支持者は、ハマス管理下の領域であるガザからイスラエルとの境界を越えてミサイルを発射するという罪を犯《おか》しました。

ユダヤ人家系のイスラエル人がみなイスラエル国家の行為を支持しているわけではないですし、イスラエルに居住していない多くのユダヤ人もその行

オスロ和平協定　正式には「暫定自治政府原則の宣言」。その交渉がノルウェーの首都オスロで行われたことから「オスロ合意」ともいう。イスラエルとパレスチナ解放機構（PLO）のあいだで合意した協定で、これによりヨルダン川西岸およびガザ地区でパレスチナ人による暫定自治が実現に向かうはずだったが、その後の歴史はそれを許していない。

インティファーダ　アラビア語のもともとの語義は「頭を上げる」「恐怖などを振り払う」。

ハマス　イスラエルの打倒とパレスチナにおけるイスラム国家の樹立をめざすイスラム原理主義組織。ヨルダン川西岸とガザ地区を拠点としている。

為を支持してはいません。イスラエル国家の行為への批判がすべてのユダヤ人に対する批判（反セム主義の一形態）にすり替わっていないとしても、イスラエルとユダヤ人のあいだに厳密な区別が必要なのは明らかです。そういうわけで、有効な定義の例には、反セム主義の具体例が挙《あ》げられています。

たとえば、イスラエル以外の国に住むユダヤ人を〝［自国よりも］イスラエルへの忠誠心のほうが強い、または世界中のユダヤ人が求める優先事項のほうに忠実〟と非難すること、あるいは、

〝イスラエルの存在はレイシストの企《くわだ》てだというような主張を行い、ユダヤ人の自決権を否定すること〟

〝ほかの民主主義国家で期待されない、または要求されない行為を必須《ひっす》とすることで、ダブルスタンダードを適用すること〟

〝イスラエルの政策とナチスの政策の比較をしめすこと〟

〝イスラエル国家の行為の責任をユダヤ人全体の責任とみなすこと〟などです。イギリスをふくむ少なくとも三一の国がこの定義とすべての例を採用しました。

イギリスでは少なくとも一三〇の地方議会と検察庁、司法組織がこれらの定義と例を完全に採用しています。二〇一八年、イギリスの労働党が（有効な定義ではなく）挙げられている例の一部を変えようとしたとき、党内外で論争が巻きおこりました。この変更は、それらの定義とすべての例を採用するとイスラエルに対する合法的な批判ができなくなるかもしれないという可能性をなくすためだったといわれています。長々とつづいた議論のあと、労働党は現在すべての例と有効な定義を受け入れました。

多くの時事解説者は、労働党が例を変えようとした試みは、〝反セム主義〟の一例だと主張しました。その議論中もその前も労働党の多くのメンバーがいかなる基準に照らしても、反セム主義的な発言を行っていたことに疑いはありません。一つは**ヒルシュ**（D. Hirsch）**によるもの**、もう一つは**ファインとスペンサー**（R. Fine and P. Spencer）**の著作**である少なくとも二つの充分に検討された書籍で、左翼党内に反セム主義の要素があることが説得力のある例でしめされ、反セム主義がジャーナリストの調査によっても明らかになりました。この論争はつづいており、現在はそれに加えて、イスラエルは南ア

ヒルシュによるもの…ファインとスペンサーの著作　ともに巻末参考文献三三八ページ参照。

フリカのすべての非白人を弾圧した悪名高い南アフリカ国家に似た〝アパルトヘイト〟国家であるという訴《うった》えも多くあります。

本書のかぎられたスペースでは、このきわめて複雑な問題を考察することは不可能ですが、最近の議論でみられる、イスラエル側とパレスチナ側についての特徴を二つ挙げておきます。

前イスラエル首相**エフード・バラク**は二〇一七年六月にドイツのテレビ番組のインタビューで、イスラエルとパレスチナの共存をめざす二国家解決が実行されないかぎり、気づいたらイスラエルは〝アパルトヘイトへの滑《すべ》り落ちそうな傾斜〟に立っていて、また気づいたらイスラエルのみで〝八〇〇万人のイスラエル人と五〇〇万人のパレスチナ人、合わせて約一三〇〇万人が生活している地中海沿岸からヨルダン川までの全地域を管理する〟ことになると述べました。

また二〇一八年七月には、ユダヤ人が唯一の**民族自決権**をもつとして、アラビア語を公用語から格下げし、アラブ人を二級市民のように扱《あつか》う法律がイスラエル国会で可決され制定されたあと、世界に名高いイスラエルの音楽家

エフード・バラク（一九四二〜）イスラエルの政治家・軍人。国防軍参謀総長から国会議員となり、一九九九年に首相。二〇〇〇年にクリントン米国大統領の仲介でパレスチナ自治政府のアラファト議長と会談した。和平積極派。

民族自決権　すべての人民が外部からの介入を受けずに政治的地位を自由に決定できる権利のこと。人民による自決の権利とも。現代的には、すでに存在する国家内で少数の民族集団が分離独立する権利が民族自決権にあたるかが議論の的になっている。

で指揮者の**ダニエル・バレンボイム**は、その法律は〝人種差別〟でイスラエル人であることが恥《は》ずかしいと述べました。さらにバレンボイムは〝(この法律は)明らかにアパルトヘイトの一形態だ〟とも述べました。

もちろん、これはこの問題についての決定的な見かたではありません。しかし、彼ほどの名声がありユダヤ人の自決権に貢献《こうけん》した人物がこのような見解を述べているからには、そろそろイスラエル国家が設《もう》けられた経過について検討する頃《ころ》合《あ》いなのでしょう。

いっぽう、現パレスチナ大統領**マフムード・アッバース**の反セム主義的な発言に注目することも同じくらい重要です。アッバースは二〇一八年五月に、ホロコーストの根本的な原因はナチスのユダヤ人に対する虐殺も辞さない敵意ではなく、ユダヤ人自身の行動によるもので、とくに〝社会的なふるまい〟つまり〝銀行や利益に関連した社会的な機能〟によるところが大きいと強調しました。

これは長年のステレオタイプのくりかえしで、単純に古い反セム主義です。けれども、新たな反セム主義が古くからあるユダヤ人に対する偏見や敵意

ダニエル・バレンボイム（一九四二〜）現代の代表的な指揮者・ピアニスト。南米アルゼンチンの首都ブエノスアイレス生まれのウクライナ系ユダヤ人。七歳でピアニストとしてデビュー。一九五二年、イスラエルへ移住。

マフムード・アッバース（一九三五〜）パレスチナの政治家で、第二代大統領。パレスチナ解放機構（PLO）執行委員会議長。パレスチナで出生。少年時代にイスラエル建国にともない難民となり、シリアに移住。その後シリア、エジプトで教育を受ける。ダマスカス大学法学部を卒業し、ソ連（当時）の大学院でユダヤ史を専攻し、同国で博士号取得。イスラエルの公用語であるヘブライ語にも堪能な「知イスラエル派」でハマスから非難を受けたこともある。

によって、しばしば強化されることもしめしています。

さらに注目すべきことには、イスラエルのアパルトヘイトの危険性について警告したのと**同じエフード・バラクが**二〇〇二年五月のインタビューで（二〇〇二年五月二三日、ガーディアン紙によって報じられました）次のように述べています。いわく——

〝アラブ人は、ユダヤ－キリスト教文化が存在するという嘘《うそ》をつかねばならない問題に悩《なや》まされない〟ので、人種、地理、宗教および文化を巧妙《こうみょう》に組みあわせて、広く浸透《しんとう》している常識としてのレイシズムをとりこむだけでなく、とくに平和への道をふさぐ巨大なハードルを据《す》えて、パレスチナとイスラエル間の関係を混乱させ毒《どく》してもいる——。

これらの要因の多くが影響をおよぼし、フランスで新たな反セム主義とされる出来事が起こりましたが、その背景は異《こと》なります。

イギリスと、ある程度はアメリカでも、新たな反セム主義ではないかという疑いは、おもに左翼に向けられてきました。極右政党は現在、反セム主義

同じエフード・バラクが…　バラクは一八四ページの注でもふれたとおり、「和平積極派」である。ところが、たとえ同一人物であっても、発言時の状況や背景、さらには報じられかたや文脈の切りとられかたしだいでニュアンスがかなりことなることが、ここで引用された発言からよくわかる。

と距離を置こうとして、ユダヤ人よりイスラム教徒への嫌悪《けんお》に注意を向けているのです。

フランスでは、一般的にマイノルテ・ビシブレ、つまり一般的にヴィジブル・マイノリティ（可視的少数派）とみなされている、北と西アフリカを起源とするイスラム教徒が新たな反セム主義の主犯といわれています。この新たな反セム主義ということばは、長きにわたる〝古い〟カトリック教の反セム主義と区別するために用《もち》いられています。

この人種化された枠組《わくぐ》みのなかには集団の大多数を占《し》める白人は入りませんが、もちろん、これは〝白人の視点《ホワイト・ゲイズ》〟がフランスの**普遍《ふへん》主義**に内在する標準であるからです。したがって、〝目に見えない〟ことを当たり前とする〝普遍主義者〟の存在によって、だれを自国文化からはみ出た部外者として、しっかり見えているのに場ちがいな存在とみなすべきかが決められます。

フランスの左翼政党は、イギリスやアメリカの左翼政党とはちがって、ユダヤ人やその他の知識人から、新たな反セム主義を軽視していると非難されています。

普遍主義　四六ページ注「普遍主義／個別主義」参照。

この新たな反セム主義は、フランスの一般大衆のディスコースのなかで、敵意に満ちた攻撃の標的になってきたフランスのすべてのイスラム教徒の悪魔化（悪者にすること）を防ぐために別の標的をつくるという誤った試みの一つとみなされています。

問題が頂点に達したのは、二〇一七年から二〇一八年にかけてでした。当時、ユダヤ人の年配の女性二人がイスラム教徒の男性らによって殺害されたのです。二〇一八年三月二八日、大規模なデモ行進がユダヤ人組織によって実施され、多数のイスラム教徒がそれに参加しました。その後まもなく元大統領をふくむ著名なフランス人二五〇名が公開状に署名しました。

その公開状はフランスのイスラム教徒にフランス共和国への支持を公的に宣言するように求めるものでしたが、コーランのいくつかのパラグラフを削《さく》除《じょ》することも主張しており、そのことで反セム主義を非難しているイスラム教徒の指導者《イマーム》らの怒りを生み、その公開状にはイスラモフォビアと特定できる部分があるとみなされました。

アングロサクソン系アメリカ人による新たな反セム主義とは異なり、フランスの反セム主義は〝植民地時代後《ポストコロニアル》の反セム主義〟とよばれることもあります。

植民地時代、フランスの植民地当局は、**アルジェリア**のユダヤ人に完全なフランスの公民権を与えていましたが、アラブ系イスラム教徒（ムスリム）には与えておらず、アルジェリア独立後、ユダヤ人はフランスに完全な国民として入国できましたが、イスラム教徒（ムスリム）は国民の資格を申請しなければなりませんでした。

さらにフランスでは、たとえば、パリのそれぞれの建物に貼《は》られた黒いプレートに、一人のユダヤ人の子どもが**ヴィシー政府**によって国外退去させられ、その後おそらく死に至《いた》ったことが記されたりして、ホロコーストが一般的によく記憶されているのに対し、奴隷制の罪は軽く扱《あつか》われていることについて、フランス人イスラム教徒（ムスリム）のなかに強い遺恨《いこん》があることは有名です。フランスには、大きなホロコースト博物館や研究センターがあるのに、フランスが奴隷取引に果たした役割についての歴史を記録した博物館は、フランス本土から約七〇〇〇キロ離れた**フランス領グアドループ**にある

アルジェリア　一六世紀以来オスマン帝国の属領だったが、一八三四年にフランスに併合。独立したのは一九六二年。

ヴィシー政府　第二次世界大戦中、一九四〇から四四年にかけてのフランスの政権で、パリからフランス中部の温泉保養地でもあるヴィシーに首都を移転したことによるよびかた。対独和平派のペタン元帥が主席となった。連合国側からはナチスドイツの傀儡(かいらい)政権といわれた。

フランス領グアドループ　フランス本土から大西洋をはさんで反対側のカリブ海に浮かぶ「小アンティル諸島」にふくまれる島じまで、フランスの海外県になっている。

のみです。

しかし、フランスの新たな反セム主義は、極右による〝**黄色いベスト**（ジレ・ジョーヌ）〟**運動**参加ともからんでいます。この運動は当初、燃料価格引き上げに対する抗議としてはじまったのですが、生活水準の低下とエリート意識に対する広い敵意へと姿を変えていきました。

新たな反セム主義を考察するにあたって〝古い〟ということばは、従来の反セム主義をしめすと覚えておくことが重要です。

一つの顕著《けんちょ》な例としては、ハンガリー生まれのユダヤ人財政家で慈善家の**ジョージ・ソロス**が挙げられます。ソロスは右翼から、西側に対する陰謀に資金を提供していると非難されました。

二〇一九年五月一二日のイギリス、ガーディアン紙の記事によると、イギリスの政治家ナイジェル・ファラージは、ソロスがヨーロッパの人種構造を根本的に再構築しヨーロッパ大陸のキリスト教文化を終結させようとしていると主張し、ソロスは〝西側諸国全体にとって最大の脅威である〟と述べました。

〝黄色いベスト〟運動　「黄色いジャケット運動」とも。参加者が光を反射する素材がついたベストを身につけて一連の運動が行われることから、こうよばれている。フランスで二〇一八年から断続的につづき、当局との衝突で死者も出ている。

ジョージ・ソロス（一九三〇〜）　世界屈指の投資家で、「国境なき政治家」を自称し、慈善活動家、政治活動家としても知られる。「ヘッジファンドの帝王」「イングランド銀行をつぶした男」などの異名も。また、ホロコーストを経験し、その波瀾の人生や投資哲学をもとにした多くの名言をのこすことで、思想家的な一面もある。一九九七年のアジア通貨危機において暗躍したといわれている。ハンガリーの首都ブタペスト生まれ。

ハンガリーの首相**ヴィクトル・オルバーン**は、ソロスに対し一貫して反セム主義的敵意をしめしており、そのせいでソロスはもともとブダペストを拠点にしていた中央ヨーロッパ大学をウィーンに移転せざるをえなくなりました。将来ブダペストに残るのは、大学のほんの一部だけになります。

古く、古典的な反セム主義の表現が残存し、むしろ顕著になってきたのは、ヨーロッパで右翼政党によるナショナル・ポピュリズムの高まりが目についてきたのと同時期でした。この現象については第七章で考察します。

ヴィクトル・オルバーン　三〇五ページ注参照。

Chapter

5

構造的レイシズムとカラーブラインドの白人性

構造的・制度的レイシズム

社会学的な視点からすると、北米とヨーロッパにおける白人が多数派を占《し》める社会で現在みられる人種化された不平等は、制度的《システミック》で構造的《ストラクチュラル》な用語でさぐっていくべきです。

すなわち、非白人あるいは、白人のエスニック・マイノリティをふくむ〝エスニック・マイノリティ〟とみなされる集団に対する個人の〝偏見《へんけん》〟は、人種的な不平等がどのようにして長年にわたって維持されていくかを解《と》く重要な鍵《かぎ》ですが、**社会構造**はつねに行為者や行為、動機、さらに意識的ないし無意識的な習慣が混じりあっているものなので、**社会関係**と制度がどのよう

社会構造　九五ページ注参照。

社会関係　一三二ページ注参照。

にして存在するかについても理解する必要があります。社会関係や制度は、行為や文化、習慣の組みあわせを下支《したざさ》えする作用があり、時とともに人種化された不平等を増殖《ぞうしょく》させることがあるからです。

つまり、人種化された不平等の構造は、けっして不変のものではありません。そのことを理解しておくのが重要です。

以前は従属的《じゅうぞくてき》な人種化されたマイノリティ出身の個人だった、たとえばアメリカの黒人が、いまや事業者や弁護士、医師、教師、大学の教職員、大学レベルの研究者などで構成される実質的な中産階級《ミドル・クラス》になることがあるように、社会経済的なヒエラルキーの階層をのぼっていくことは可能ですし、実際にのぼっていった人もいます。また、アメリカやイギリスいずれの国でも、たとえば時間の経過とともに〝レイシスト〟や〝人種的な偏見に満ちた人〟として明白に同定《どうてい》される人はどんどん減《へ》ってきています。

第二次世界大戦後イギリスにいわゆる〝有色《カラード》の移民〟が到着してから長い時間がたち、人種的な偏見をもたれたと訴《うった》える人びとの数も減少してきています。たとえば、強い人種的な敵意があった時代として特徴づけられる一九五〇年代から六〇年代にかけてとはちがって、イギリスの**NatCenソーシャルリサーチ**と**ラニミード・トラスト**の二〇一七年の共同研究によると、自分自身について、ほかの〝人種〟の人びとに対して〝ひじょうに〟または〝やや〟偏見があると記述した人は二六パーセントだったことが明らかになっています。しかし、この数字は二〇〇一年に行った同様の調査のときからは増加しています。敵意の増加は、**9・11**の攻撃以降イスラム教徒（ムスリム）に対し寛容になれない人が増加していることによって説明できるだろうといわれてきました。とはいえ、一九八七年に世論調査を受けた人びとのうち、ほかの〝人種〟に対して〝ひじょうに〟または〝やや〟偏見があると答えた人が三八パーセントであったことに留意しておく必要があります。

この種の調査の結果は、慎重に解釈する必要があります。なぜなら、直接的ないし間接的な差別を違法とする**人種関係法**が制定された結果として、回答者は〝人種的偏見〟は冷《ひ》ややかな目でみられるものだという認識が強くなったからです。

構造的／組織的なレイシズムは、のちに〝制度化されたレイシズム〟とよ

NatCenソーシャルリサーチ　英国の民間のシンクタンクで英国最大級の調査機関。

ラニミード・トラスト　一六三ページ参照。

9・11　二〇〇一年九月一一日に米国で起きた同時多発テロ事件のこと。

人種関係法　一〇六ページ参照。

ばれるようになったものと完全に切り離して扱《あつか》うことはできません。社会は、学校や刑務所、裁判所、病院、警察など複数の組織で成り立っています。組織的／構造的レイシズムは通常、組織や個人をふくむ一連の相互関係を特徴づける一つの概念となっています。したがって、構造的／組織的レイシズムの研究は、その相互関係がいかにして、人種化された集団が占《し》める従属的な地位あるいは優越的な地位を生むのかに焦点をしぼっています。

もちろん、白人は人種化されたグループの一端《いったん》としてふくまれており、概《がい》して人種化された社会であるアメリカとイギリスで優位な地位を占めています。ただし〝白人性《ホワイトネス》（whiteness）〟と白人《ホワイト》（white）とは区別しておくべきで、構造的なレイシズムの文脈でも、白人も人種化されていると認識すべきかどうかという考察でも、その区別は必要です。

〝白人性〟に焦点をしぼるのは、すべての白人がレイシストであるとの不合理な主張を生まないためです。

この不合理な主張は、制度化されたレイシズムについて悩《なや》ましい議論をはらむ問題でもあります。前述したとおり私からいわせると、いかなる信頼できる方法であれ、レイシストと非レイシストの区別は容易《たやす》いという見解は撥《は》ねつけておくべきです。そのような行為は問題を生み、誤解をまねきやすく、非生産的なものになる可能性が高いでしょう。

とはいえ、極右とネオナチの活動家が公言しているレイシズムは、表面どおりの意味で受けとる必要があります。

私がこれまでに主張してきたとおり、人種化されたアイデンティティは二面性があり矛盾に満ちています。レイシズムという診断は、医学で行われているような診療とは似ても似つかないものです。白人は人種化されていますが、それは人種化というプロセスと構造が存在する社会に生きているからであって、かならずしも個々の人物がレイシストだからというわけではありません。

制度化されたレイシズム

制度化されたレイシズムという概念は、アメリカでは一九六〇年代までさかのぼります。ストークリー・カーマイケルとチャールズ・V・ハミルトン

ブラック・パワー　「ブラック・パワー運動」については一二八ページ注参照。

は、長らくつづいた黒人への不平等に対する痛烈な非難をこめた著書『**ブラック・パワー**（*Black Power*）』（一九六七年）でこの概念を用《もち》いました。

　カーマイケルとハミルトンは、個人的な動機や一般的な白人のふるまいがレイシズムかどうかにかかわらず、社会構造や組織的なパターンによってすべての白人が利益を得ているとし、そのプロセスを浮《う》き彫《ぼ》りにしようとしています。この社会構造によって、黒人が持続的に不利益をこうむるいっぽうで、白人は住宅、健康と寿命、居住区、設備、安全性、教育施設、学力、雇用率、収入と富《とみ》などの面で、はるかに高い生活水準を維持できるようになっています。著者らはこのプロセスが個人にはまったく関係がなく、意図的でもないという点を明確にしています。

　ハミルトンらは次のように述べています。

〝制度化されたレイシズムは、活発に広く行きわたっている反黒人的態度と習慣に依存している。白人は黒人より《優《すぐ》れている》という優越的なグループという地位の感覚がはびこり……これはレイシストの態度であり、個人レベルであれ、組織レベルであれ、密《ひそ》かであれ、あからさまであれ、社会に浸《しん》透《とう》している〟

制度化されたレイシズムは、黒人と白人がまともな生活水準をめぐって競争している競技場が、水平ではないという事実に光をあてるために用《もち》いられました。その競技場は機会と行きつく先《アウトカム》の両面で構造的に、黒人にとって不利な方向へ傾《かたむ》いているのです。

黒人の生活が悪循環にのみこまれているとの見解の一部は、アメリカの黒人居住地区での暴動に関するカーナー委員会の一九六八年の報告で裏づけられました。しかし、この概念はアメリカではなくイギリスで**より肥沃《ひよく》な土壌《どじょう》**を見つけました。南ロンドンで起きた黒人ティーンエイジャーのスティーブン・ローレンス殺害事件についての**ウィリアム・マクファーソン**による調査と、その後の警察の調査によって、殺人犯を見つけるための警察の捜査に不《ふ》手際《てぎわ》があり、そこに少なくとも一部責任があるという主張がなされ、制度化されたレイシズムに大衆の注目が集まりました。

マクファーソンの一九九九年の報告で、制度化されたレイシズムは次のように定義されました。

より肥沃な土壌　その概念がイギリスでより拡がりをみせていることをいっている。

ウィリアム・マクファーソン　一九ページ参照。

カリム・ムルジ　イギリスの国立大学ユニバーシティ・ウェスト・ロンドンの大学院大学教授。公共政策や人種差別・民族問題に関する研究を行っている。

〝人びとに適切かつ専門的なサービスを提供する組織内での、肌《はだ》の色や文化、民族の起源にもとづく、そのサービスの集合的な不履行《ふりこう》のこと。これはエスニック・マイノリティの人びとを不利な立場に置く無意識の偏見や無知や不注意と、レイシストによるステレオタイプ化を介《かい》した差別に等しいプロセスや態度、ふるまいのなかにみられたり検出《けんしゅつ》されたりすることがある〟

　これはカーマイケルとハミルトンのもともとの定義からさほどかけはなれてはいませんし、**カリム・ムルジ**が指摘したとおり、政治活動家によって使われたのちに注目すべき変換を遂《と》げて社会学に入りこみ、その後パブリックな政治的議論のメインストリームに溶《と》けこみました。

　もちろん、この概念に弱点がないわけではありません。警察などの組織が〝制度化されたレイシスト〟であると烙印《らくいん》を押されたことが大衆に認識されると（警察はマクファーソン・レポートに対して反論しましたが）その組織に属している人がみな〝レイシスト〟という汚名《おめい》を着せられることになると主張するのは、むずかしいことではないでしょう。

　また、警察と若い黒人やアジア人男性とのあいだの衝突《しょうとつ》は、差別化だけでは定義されません。それは、男らしさの競《きそ》いあいになるのです。人種化は、〝交差性《こうさせい》（**インターセクショナリティ**）〟の考察でみていくとおり、ほかの形態のアイデンティティと織《お》りまぜられています。

こういった理由で、人種化という概念を用《もち》いることについて書いた評論で私は、制度化された人種化という概念のほうがより適切であると提案しています。その評論において〝人種〟は制度的な慣習のなかで働く要因であるだけでなく、階級や**ジェンダー**も関係し、また警察であれ、BBCであれ、大組織では意識的か無意識かにかかわらず、さまざまな度合《どあい》でレイシズムに染《そ》まっている部署をふくむ可能性が高いことをしめしています（BBCの前会長グレッグ・ダイクは、BBCを〝恐ろしいほどの白（hideously white）〟と表現したものの、制度化されたレイシストとよぶにはいたりませんでした。それでも当時はそう解釈されることが多かったわけです）。

ムルジと**スティーブ・ガーナー教授**は、警察などの全体的な制度に烙印《らくいん》を押す固定された柔軟性に欠ける《制度化されたレイシズム》よりも、むしろ《制度化された人種化》のほうが、制度を分析するには有効な概念であると

インターセクショナリティ　この「交差性」の考えかたが第六章の主要テーマとなる（二六〇ページ以降参照）。

ジェンダー　五一ページ注参照。

スティーブ・ガーナー教授　英国ウェールズ地方にあるカーディフ大学の社会科学部に在籍。

人種プロファイリング　おもに米国内で行われる、アフリカ系アメリカ人およびその他の有色民族を調査対象にした警察組織による意図的捜査のこと。

いう私の提案に同意しています。

さらに、マクファーソンやその他の人びとは、無意識の偏見という問題に光をあてて、繊細《せんさい》で徹底した反レイシスト教育プログラムが必要であると強調しています。ところが、制度化されたレイシズムという批判は、警察内の人種差別的なステレオタイプ化やレイシスト文化（アメリカにおける、いわゆる**人種《レイシャル》プロファイリング**や人種による選別）の一掃《いっそう》ではなく、官僚主導の民族差別監視《かんし》制度や、より多くのエスニック・マイノリティの採用という結果に終わりがちです。

マクファーソン後の出来事として、二〇一九年、ロンドン警視庁の元警察官で全英黒人警察協会元会長のリロイ・ローガンは、そのレポートから二〇年経《へ》てもなおロンドン警視庁は、とくに黒人警察官と黒人の一般市民に対する対応方法において、組織的に人種差別を行っていると主張しました。

二〇一五年、ロンドン警視庁警視総監バーナード・ホーガン＝ハウは、ロンドン警視庁がいまだに組織的なレイシストであるとみなされることへの言《い》い訳《わけ》になると認めたうえで〝裁判官から医師、ジャーナリスト、エディター、政府まで〝エスニック・マイノリティの数が少ない点から判断して、〝(イギリスの)社会全体が制度化されたレイシストである〟と主張しました。

いっぽうアメリカは一九六八年のカーナー委員会によるレポートで〝我々の国家は一つは黒人の、一つは白人の、分裂した不平等な二つの社会に向かっている〟との懸念《けねん》がしめされて以来、多くの面でさほど変わってはいません。その後のいくつかの研究のうち、とりわけハッカー(A. Hacker)、マッシーとデントン(D. Massey and N. Denton)による研究、およびブラウンら(M. Brown, et al.)による研究では、制度化されたレイシズムが、黒人やヒスパニック系の人びとの生活をいかに損《そこ》ないつづけているかがしめされました。

住宅不足(長年の差別と白人の郊外移転による産物)と人材不足の学校は、低い学力、低い大学入学率、見通し不良の雇用環境につながります。それらすべてが白人の雇《やと》い主《ぬし》からの根強い敵意によってさらに悪化します。

結果として、高い失業率、薬物の使用、犯罪、安全でない居住環境というサイクルができあがります。偏見をもった警察と法廷、不充分な法的リソースに比例し、逮捕《たいほ》、処罰が増え、刑期が長くなります。

こうして黒人の子どもはシステマティックに向上心をむしばまれる環境で育ち、甚《はなは》だしい学業不振《ふしん》に陥《おちい》ります。その結果、黒人コミュニティは何世代にもわたってアメリカの底辺に据《す》え置《お》かれつづけるのです。

最近の研究の結果から、前述の過去の研究でしめされた、比較的安定した資産と収入の格差が追認《ついにん》されました。住宅を所有している世帯の割合は、黒人世帯では四一パーセント、ヒスパニック系世帯では四五パーセントと半数未満だったのに対し、白人世帯では七一パーセントでした。

黒人男性の所得の**中央値**は、白人男性の所得の中央値より三二パーセント低く、白人とヒスパニック系男性のあいだの所得格差は、一九七〇年は二九パーセントでしたが、二〇一〇年には四二パーセントに増加しました。

二〇一三年、白人世帯の資産の中央値は一四万一九〇〇ドルでした。白人が所有している資産一ドルあたり、アフリカ系アメリカ人世帯の資産の中央値は**八セント未満**で、ヒスパニック系世帯の中央値は**一〇セント未満**でした。

その他の研究、たとえば**ピュー・リサーチ・センター**による政府データの分析では、白人世帯の資産の中央値は黒人世帯の二〇倍で、ヒスパニック系

中央値　「メジアン」ともいう。所得格差などの統計では少数の高額所得者が平均値を上げ、実態をとらえづらくするため、個々のデータを順に並べたときの中央値をみる。

八セント未満／一〇セント未満　白人の資産一ドルに対して、それぞれ〇・〇八ドル／〇・一ドルになるので、その格差は圧倒的としかいいようがない。

ピュー・リサーチ・センター　米国のシントンDCに拠点を置く調査系シンクタンク。「ピュー研究所」とも。

世帯の一八倍であることがしめされました。

サブプライム住宅ローンの販売に端《たん》を発《はっ》した二〇〇七から〇八年に始まった住宅ローン危機は、黒人とヒスパニック系の家族により大きな影響をおよぼしました。これは、彼らばかりが偏《かたよ》って**捕食性**《ほしょくせい》の住宅ローン金融業者の標的にされ、それにつづいて**信用収縮**が起こったせいです。

住宅所有はアメリカの（そしてイギリスの）家族が財産を蓄《たくわ》えるためのもっとも重要な手段です。サブプライム住宅ローン危機に巻きこまれた家族の抵《てい》当流《とうなが》れ率《りつ》が、白人では五パーセントであったのに、アフリカ系アメリカ人ではその二倍近くで、ヒスパニック系家族では一一・九パーセントでした。

住宅価格の下落によって、有色人種世帯の三一パーセントが、持ち家の価値より高い借金をかかえることになりました。

アメリカ人コミュニティの財産の喪失《そうしつ》は広い格差をしめしました。白人世帯をふくむ全世帯の平均損失は、二〇〇五年から〇九年で二八・五パーセントでしたが、アジア系アメリカ人は財産の五四パーセントを失《うしな》い、黒人は四七・六パーセントを失いました。

サブプライム住宅ローン　米国で二〇〇七年末ごろから〇九年ごろにかけて、住宅購入用の「サブプライム・ローン」とよばれる貸付がこげつき、不良債権化した。貸付側にとって安心な優良顧客を「プライム層」というのに対し、より信用力の低い客層を「サブプライム層」といったのがローン名の由来。

捕食性　本来は動物の食性に関する言いかたで、肉食のなかでも鋭いツメやキバで捕まえて食べるタイプ。ビジネスの分野では「利益にどん欲で、がめつい」という意味で使われる。

信用収縮　銀行などの金融機関の融資が極度に縮小する現象。「クレジット・クランチ」とも。これにともなって銀行などによって民間企業への「貸し渋り」「貸しはがし」といった対応が行われ、日本でも問題となった。

バンク・オブ・アメリカ　米国の大手銀行。通称「バンカメリカ」「バンカメ」。その名前から政府の中央銀行と思われがちだが、民間の銀行である。

二〇一一年、**バンク・オブ・アメリカ**は、住宅金融専門会社のカントリーワイド・ファイナンシャルが黒人とヒスパニック系の住宅購入者を差別したとする連邦政府の請求を解決するため、三億三五〇〇万ドルの支払いに同意したものの、申し立ては否認しつづけています。

二〇一七年、アフリカ系アメリカ人労働者の失業率は最高値、七・五パーセントを記録しました。いっぽうで、ヒスパニック系労働者の数値は四・九パーセントでした。白人労働者の失業率はもっとも低く、三・五パーセントでした。

とりわけ印象的な統計の数値としては、アメリカの黒人集団の投獄率《とうごくりつ》に関するものです。二〇一四年に投獄されたのべ六八〇万人のうち、アフリカ系アメリカ人が占《し》める割合は三四パーセント、二三〇万人でした。

二〇一五年、アフリカ系アメリカ人とヒスパニック系アメリカ人の人口は両方合わせてアメリカの人口の三二パーセントにすぎませんが、投獄されたアメリカ人の五六パーセントを占《し》めました。

アフリカ系アメリカ人は、白人の五倍以上の率で投獄されているのです。

もしアフリカ系アメリカ人とヒスパニックの投獄率が白人と同じであれば、アメリカの受刑者は四〇パーセント近く減少するでしょう。

また、ある研究によると、アフリカ系アメリカ人と白人はほぼ同じ率でドラッグを使用していることがしめされています（むしろ研究によってはドラッグ使用はアフリカ系アメリカ人のほうが少ないことがしめされています）が、アフリカ系アメリカ人が禁錮《きんこ》刑《けい》になる率は白人のほぼ六倍です。

これは、アメリカの警察による取り締まり時に、いわゆる〝**人種プロファイリング**〟が行われていることが大きな理由です。これによってアフリカ系アメリカ人は、とくに軽微《けいび》な交通違反でより厳《きび》しく取り締まりを受け、職務質問に苦しめられています。じじつ、〝運転中の黒人〟じたいが一つの罪《つみ》という皮肉《ひにく》なコメントさえ生まれています。

薬物乱用の容疑で収監された黒人男性の率は、州によって、白人男性の率の二〇倍から五〇倍と幅《はば》があります。

また、犯罪歴があることによるその後の悪影響については、アフリカ系アメリカ人の求職者のほうが白人よりも二倍大きくなっています。

人種プロファイリング　二〇一ページ注参照。

この多くは**ミシェル・アレグザンダー**の著書『新ジム・クロウ（*The New Jim Crow*）』で解説されています。この著作では、刑事司法制度のすべての段階でアフリカ系アメリカ人が不利な立場に置かれることを克明《こくめい》かつ詳細にしめしています。

さらに、有罪宣告はひじょうに不利な影響をおよぼします。それは仕事だけでなく住宅や教育、公益《こうえき》にもおよび、多くの州では有罪となった重罪犯罪者は投票が許《ゆる》されないため、投票権でも激《はげ》しく不利な立場に置かれることになります。

アレグザンダーは分析の結果、一九八〇年代の**レーガン**時代のいわゆる〝**薬物戦争**（War on Drugs）〟の拡大がとくに長引く影響をおよぼしたと結論しています。アフリカ系アメリカ人の刑務所人口は、一九八〇年代の三〇万人から、現在では二〇〇万人を超えています。アレグザンダーの主張によると、これはあるがままに〝集団投獄〟であると受け止めるべきで、一九六〇年代以降にアフリカ系アメリカ人が**公民権運動**で得た利益に対する反発の結果とみなすことができます。刑事司法制度が、たんに個々の偏見よりも、む

ミシェル・アレグザンダー（一九六七～）米国の人権派弁護士、オハイオ州立大学教授。二〇一〇年刊の《*The New Jim Crow: Mass Incarceration in the Age of Colorblindness*》（新ジム・クロウ――カラーブラインドネス時代の大量投獄）では悪名高き黒人隔離制度である「ジム・クロウ」が依然として残っている実態を告発。

レーガン（一九一一～二〇〇四）映画俳優からカリフォルニア州知事をへて米国大統領になった。

薬物戦争　違法な薬物の取引を減らす名目で行われた、米国政府による国外への軍事支援という名の軍事介入のこと。《War on Drugs》ということばは一九七一年にリチャード・ニクソン米大統領がはじめて用いたとされる。米国内では薬物

取り締まり強化の一環で黒人の逮捕が行われた。

公民権運動　一〇二ページ注参照。

ジェームス・フォアマン・ジュニア（一九六七〜）弁護士・イエール大学法学部教授。著書や新聞記事で、黒人の大量拘置や司法制度の問題に加え、刑務所内の環境衛生の向上と職業訓練の必要性を訴えている。

しろ構造的なレイシズムのもとで、制度化した複合体の一部として稼働《かどう》している事実は、**ジェームス・フォアマン・ジュニア**が提供した文書によって明らかにされています。黒人の市長や裁判官、警察官など多数のアフリカ系アメリカ人が法の執行プロセスに関与していますが、暴力が生まれる環境で生きていた貧しい黒人に影響をおよぼした連邦政府の〝薬物戦争〟に、それらすべての人が巻きこまれたわけです。

もちろん、レイシズムは一定の役割を果たしています。

たとえば、次の格差は、レイシズムが刑事司法制度のなかで黒人にどのような影響をおよぼすかを示唆《しさ》しています。

黒人の被告は、白人の被告よりも死刑執行を宣告される割合が高く、また、被害者が黒人であったときは、被害者が白人であったときよりも被告に下《くだ》される処罰が軽い――。

帝国主義後のパニック――二一世紀のイギリスでの民族分離と〝人種暴動〟

イギリスの人種関係法は、欧州連合（ＥＵ）のその他の国でモデルとして

トレヴァー・フィリップス（一九五三〜）英領ギアナ（ガイアナ）から移住した両親のあいだに一〇人きょうだいの末っ子としてロンドンで生まれ、理工系名門大学であるインペリアル・カレッジ・ロンドンを卒業し、作家活動や放送局キャスターをへて、二〇〇三年に労働党政府の人種平等委員会の責任者に就任。

北部イングランド　北部イングランドには、後述のブラッドフォードやバーンリーなど繊維産業で栄えた工業都市が点在する。そこは第二次世界大戦後、繊維産業に従事する労働力として南アジア人からの移民を受け入れた地域でもある。

とりあげられることがよくありました。それにもかかわらず、間接的な差別は非合法であるという部分が追加された重要な一九七六年の法が施行《しこう》されてから三〇年近くたったころ、人種平等委員会の委員長であった**トレヴァー・フィリップス**が、イギリスは〝夢遊病者《むゆうびょうしゃ》〟のように無自覚に〝分離〟に向かっていると警告しました。

リベラルで寛容《かんよう》で公平な国家というセルフイメージがあり、多文化主義を公的に採用したイギリスが、なぜ、多くの人に〝アメリカ型の悪夢《あくむ》（US-type nightmare）〟と評されるものになりかかっているのでしょうか。

かつては織物《おりもの》工場の町や都市だった**北部イングランド**で起こった、アジア系イギリス人の若者を中心とする二〇〇一年の暴動に関する公式調査は、白人コミュニティとアジア人コミュニティが、居住地、学校教育、友人関係と雇用のパターンでますます分離していることをしめしています。

さらに、北部の町での暴動に関するレポートでは、暴動に関連した領域はイギリスでもっとも貧しい地域の二〇パーセントにあたり、暴動にかかわった南アジア人と白人の居住していた特異的な都市区域の一部は、国全体からみてもっとも貧しい一パーセントにあたる地域であったことが指摘されています。

二〇一一年にはロンドンの**トテナム**エリアで警察による黒人男性射殺事件が起こったあと、さらなる〝人種暴動〟がありました。これにかかわったのは黒人の若者だけではなかったものの、大半は黒人でした。同じエリアのブラックウォーター・ファームで三〇年前にも暴動がありました。それは、自宅に警察の強制捜査が入った際にアフリカ・カリブ系イギリス人女性が死亡したあとのことでした。

トテナム　「トッテナム」とも。ロンドン市内の北寄りに位置する。ロンドン市内でも貧困度が高いエリアとして知られている。

イギリスの人種差別と民族の不平等

イギリスは、第二次世界大戦後の余波のなかで、急速にすすんだ深刻な労働力不足にあえいでいました。とくに高度な技術を必要としない未熟練労働力が不足していました。

たとえば、織物や自動車などの製造業や輸送機関、新たにつくられた国民保健サービス（ＮＨＳ）での職は、イギリスの元植民地からの移民で満たされました。すなわち、インドやパキスタンとその後パキスタンから分離独立したバングラデシュに再分割されたインド亜《あ》大陸、およびカリブ諸島、とくにジャマイカやバルバドス出身の人びとです。**交通当局**とNHSはとくに率《そっ》先《せん》して、たとえばバスの車掌《しゃしょう》や看護師を採用しました。

雇用主や家主《やぬし》によるあからさまな人種差別は、さまざまな研究報告で広く確認されています。

一つには、そのせいでロンドンやバーミンガム、マンチェスター、およびイングランド北部の多数の都市の貧困地域に黒人とアジア人コミュニティがとり残されることになりました。歴代の政府は、経済的には〝有色の（カラード）〟労働者に依存しているにもかかわらず、その新たに到着した移民たちをいつまでも不安視し、たとえば〝有色人種お断《ことわ》り。犬もお断り〟という露骨《ろこつ》な文言が家の窓にあけすけに表示されるような差別を長いあいだ防止しようとしませんでした。ときにはその文言に〝アイルランド人お断り〟ということばが追加されることもありました。

戦後を特徴づけるそのような移民と差別のパターンによって、意外なこと

交通当局　日本でも分割民営化前の「国鉄」時代があったが、サッチャー登場前の、労働党が強かった一九八〇年代前半の英国ではバス網の大半が国営だった。

ではありませんが、イギリスでますます増加する〝有色の〟マイノリティは、白人とは明確に異《こと》なる不利な立場に置かれました。

二〇一八年一〇月現在の最新の研究では、アジア人と白人、または黒人と白人のあいだの〝混血《ミックス》〟に分類される人びとをふくむエスニック・マイノリティと白人とのあいだで、とくに次のような格差が明らかになりました。

- 黒人とアジア人とエスニック・マイノリティ（BAME）の人びとの失業率は八パーセントで、白人の失業率の二倍
- パキスタンとバングラデシュ出身の人びとは、未熟練で低賃金の職業に制限される割合が高い（これはイギリスの雇用構造に最初に組みこまれたときの制度的な再現パターンの一つ）
- BAME世帯《せたい》は、劣悪《れつあく》な住居に住んでいる率が高く、収入の多くを住宅に費《つい》やす傾向にある（全世帯のうち黒人は自宅を所有する率がもっとも低く、バングラデシュ出身の人びとは過密状態に苦しむ率がもっとも高い）
- エスニック・マイノリティ出身の人びとの約四〇パーセントが低収入

BAME　「ベイム」と読み、黒人（**B**lack）、アジア人（**A**sian）、少数民族（**M**inority **E**thnic）の頭文字を略した総称。

の家庭で暮《く》らしており、その割合は白人の二倍。エスニック・マイノリティのなかでは幅広《はばひろ》いばらつきがある（パキスタン系の六〇パーセントとバングラデシュ系の七〇パーセントが低収入家庭で暮らしている。それに対して、白人は二〇パーセント、カリブ系黒人とインド人は三〇パーセント）

- 黒人男性が警察から職務質問を受ける割合は白人にくらべて六倍高い
- 黒人女性は不安やうつを経験する率がもっとも高く、いっぽう黒人男性は精神疾患にかかる率がもっとも高い
- カリブ系黒人の生徒が学校教育から締《し》め出される率は、白人の生徒より三倍高い
- BAMEに属している人びとは最近、大学などの高等教育への入学者が増加し、五分の一をわずかに上まわる割合で高等教育を受けているが、一流とされる**ラッセルグループ**の大学で学ぶ割合はもっとも低く、比較的低い学位を得る割合が高く、卒業から六か月後に雇用されている率が低い
- アジア人の学生、とくにインド系と中国系の学生のなかには、白人よ

ラッセルグループ　「英国のアイビーリーグ」ともよばれることもある、英国の名門大学の集まりで、研究に重きをおく二四の大学で構成されている。政府へさまざまな働きかけをする圧力団体という側面もある。低金利で融資を受けられるなど財政面で優遇を受けている。

り良好な業績をあげてきた者もいる。またインド系の人びとは、すべてのエスニック・マイノリティグループのなかでもっとも高い技術を要する職や専門職に就《つ》く率が高いが、公的および私的セクターのいずれでも上級職に就いている人は少ない（ＢＭＪ誌で発表された二〇一八年の調査研究では、黒人とアジア人の医師は白人の同僚よりも平均収入額が低く、ＮＨＳに属するエスニック・マイノリティの専門医は、白人とくらべて収入が少ないことがしめされた）

ＢＭＪ　ブリティッシュ・メディカル・ジャーナル（二一ページ注参照）。

ここに記載した不平等は、構造的で組織的かつ制度的という特徴があります。それらは、のちの状態（アウトカム）に関連しますが、意識的かつ故意《こい》の差別の産物であるという確認はされていません。

とはいえ、アウトカムは、その人が組み入れられた背景としての社会経済的な状況はもちろんのこと、個人または集団による露骨《ろこつ》な差別行為にも左右されます。

差別行為の存在は〝自分たちと似た人びと〟を当然のように贔屓《ひいき》すること

と共存しており、それはもちろん労働市場では労働者階級出身の白人に対する差別にもなります。しかし、研究者のあいだでは一部のエスニック・マイノリティグループは一九八〇年代以降に相対的な地位を改善してきたという意見の一致がみられる状況もあります。これまでにみてきたとおり、それらの人びとはおもに、インド人とアフリカ系アジア人（大半は東と中央アフリカ出身のインド人）と中国系の人たちです。

民族分離は、アメリカほどではないにせよ、概《がい》して**ブラッドフォードやバーンリー**、**オールダム**など北部の都市の一部でみられます。二〇〇一年に、若い南アジア人と白人の若者、警察が衝突《しょうとつ》したオールダムでは、白人と非白人コミュニティは**大きく〝並行《へいこう》した〟生活**を営《いとな》んでおり、分離した居住区域や学校があり、コミュニティをまたいで行《おこな》われる社会活動はほとんどありません。

これは一部には〝白人の脱出（ホワイト・フライト）〟という現象によることが文献でしめされてきました。それは南アジア人が住宅を借りたり購入したりして、ある地域に移住しはじめると、まもなく白人居住者がその地域か

ブラッドフォードやバーンリー、オールダム　いずれも、かつて繊維産業によって栄えた地域で、なかでも中核的な都市であるブラッドフォードは、第二次世界大戦後、繊維産業に従事するため移住してきた南アジア人が多く居住している。

大きく〝並行した〟生活　パラレル（平行／並行）で、けっしてまじわることがない別々のコミュニティが並存していることをいっている。

ら出ていく現象です。もちろん別の理由として、エスニック・マイノリティ自身がみずから属《ぞく》しているコミュニティがある地域に住宅を買ったり借りたりして定住しはじめ、礼拝《れいはい》の場所や食習慣の一部である食品を販売している店など、コミュニティの支援や施設を利用するようになるということもあります。

しかし、さまざまな研究で、エスニック・マイノリティはむしろ民族が混《ま》じりあった地域に住もうとしており、白人居住者が出ていってしまうことを残念に思っていることがしめされています。これは、最初の移民の二世、三世の子孫にとくによくあてはまります。したがって、〝白人性〟の意味をさらに深く掘《ほ》り下げてさぐっていく必要があるでしょう。

見ているが見えていない——白人性の事実

二〇一五年二月二五日の午後、BBCは人気のレギュラーラジオ番組《**シンキング・アラウド**》を放送しました。この番組の司会は、引退した著名な社会学者で時事解説者でもあるローリー・テイラー教授です。番組では南ア

シンキング・アラウド　社会科学分野の最新研究にスポットを合わせたラジオ番組で、司会役のローリー・テイラーはヨーク大学で社会学の教授をしていた。《Thinking Allowed》はあえて訳せば「許容される考え」あるいは「広い心で考える」。「声にだして考える／ひとりごとをいう」というイディオムである《think aloud》にかけているのかもしれない。

フリカのケープ・タウンへの旅をとりあげ、テイラーは次のような出来事を語りました。

テイラーはその町の中産階級が多い郊外を訪《おとず》れ、なんの問題もなく歩いて目的地へ向かいました。その翌日、テイラーは同じ通りを歩いていましたが、このときは別の男性の連《つ》れがいました。すると、ふいに、通りが複数の犬による攻撃的な吠《ほ》え声《ごえ》で満ちあふれたので、テイラーは連れの男性のほうを向いて、犬に吠えられるとは思わなかったという趣旨《しゅし》のことばを伝えました。前日その通りを歩いたときは一匹の犬も吠えなかったからです。

連れの黒人男性はテイラーに、この周辺では黒人に対して攻撃的なふるまいをするよう犬を訓練しているのだと述べました。テイラーはひどく驚《おどろ》きました。テイラー教授は、みずからの白人性が特権をもたらし、公的な白人であることにより、とくに人種化が激《はげ》しい南アフリカのような社会ではつねに黒人とは異《こと》なる扱《あつか》いを受けるという事実に、社会学の研究の照準《しょうじゅん》を合わせたことがなかったからです。これは白人であること（being white）と自分を〝白人としてみること（seeing white）〟とのパラドックスですが、どの点から考えても、白人は〝見えない（in-visible）〟存在であり、より適切にはフランケンバーグ（R. Frankenberg）やガーナー（S. Garner）その他の社会学者が示《し》唆《さ》しているとおり〝マークされていない（un-marked）〟存在です。

西欧の社会では白人は、白人であることを当然として、その特殊性は一般化される傾向にあります。それは**デフォルト**のポジションであり、その視点から当たり前に世界を見ているのですが、同時に、自身のいる通りや公園、ショッピングモールといった空間や地点の前景《ぜんけい》から〝姿を消す〟ことも可能になります。いっぽう非白人は、白人が多数派の社会では別の経験をします。その存在は白人（と警察やショッピングモールなどの区域の警備チームなど、ある種の職業に就《つ》いている黒人）の視界に入るやいなや注目を集めます。

白人が多数派の社会では、すべての空間が、非白人にくらべて白人に利益になるように人種化されています。これこそが、非白人がレイシズムについて訴《うった》えると白人が非白人の経験を割り引いて考慮《こうりょ》することが多い一つの理由です。

白人は〝マイクロアグレッション（微細《びさい》攻撃）〟といわれるようになった日

デフォルト　英語《default》は本来は債務不履行、すなわち返すべき借金などが返せない状態になることをいうが、コンピュータ用語の〝初期設定〟の意味合いから、しばしば、日本語でも「もともとの状態」「当たり前のこと」「既定路線」といったニュアンスで用いられるようになった。

常のレイシズム（ひじょうによくみられる経験の一つがデパートでいつも警備員にあとをつけられること、もう一つが自分の存在によって白人が不快感をいだいていると気づくこと）を経験していません。警察につねに職務質問をされるという屈辱《くつじょく》も味わっていませんし、レイシストに暴言を吐《は》かれたり、職場で差別されているということを、はっきり、あるいは、ぼんやりと知ったりするようなこともありません。白人と同じ仕事をしているのに賃金が低かったり、昇進の機会を妨《さまた》げられたりすることもありません。

人種差別についての訴えに対する標準的な反応は、疑《うたが》いと〝人種を切り札にする〟という非難です。さらには、人種化など存在していなかったのに人種のことをもちだしたと非難されます。そのようにして、その非白人は逆の形態のレイシズム、〝逆《ぎゃく》人種差別（reverse racism）〟と非難されるのです。

近年、白人レイシズムの感情に訴える政策について関心と研究がさかんになってきています。それはアメリカだけではありません。イギリスでは**レニ・エド＝ロッジ**（Reni Eddo-Lodge）が著書『私が白人と人種の話をするの

レニ・エド＝ロッジ（一九八九～）
黒人のイギリス人作家、ジャーナリスト。

をやめたわけ（*Why I'm No Longer Talking to White People About Race*）』のなかでレイシズムに関する話題をもちだしたときに、白人の友人や知り合い、その他の白人がしめす不快感と自己弁護の姿勢、そして怒りについて考察しています。エド＝ロッジはとくに、白人がいかに〝無意識に〟白人優位の構造の強化に加担《かたん》しているかをまったく理解していないことについて述べています。

アメリカというコンテクストでも同様の主張が黒人と白人の著者によって**複数の書籍**で展開されています。たとえば『白の脆弱性《ぜいじゃくせい》（***White Fragility***）』『沈黙《ちんもく》のレイシズム（***Silent Racism***）』『レイシズムという感情的な政策（***The Emotional Politics of Racism***）』などです。

『怒《いか》りと人種政策（*Anger and Racial Politics*）』のなかで著者のアントワン・J・バンクスは、黒人に関する**ジム・クロウ**型の不快感と反感は、アメリカの白人がいだいているおもな感情である怒りに置き換えられてきたと主張しました。

シーダ・スコチポル（Theda Skocpol）とヴァネッサ・ウィリアムスン（Vanessa Williamson）は、自身の研究の対象である**ティーパーティ運動**支持

複数の書籍　いずれも未邦訳。三冊とも女性が著者。

White Fragility　ロビン・ディアンゲロ（Robin DiAngelo：シアトルのワシントン大学で博士号取得）著。

Silent Racism　バーバラ・トレパニア（Barbara Trepagnier：テキサス州立大学サンマルコス校の社会学教授）著。

The Emotional Politics of Racism　ポーラ・イオアニデ（Paula Ioanide：ニューヨーク州にあるイサカ・カレッジの教授）著。

ジム・クロウ　米国における黒人隔離制度のこと。この「ジム・クロウ」という呼称が黒人差別の代名詞になったのは、一九世紀半ばに有名人になったトマ

者、とくにオバマ大統領の医療保険制度改革（オバマケア）に対抗する人びとについて考察するとき、同様の主張を行っています。

この種のすべての研究から、ひじょうに重要な問題がいくつか浮《う》かびあがってきます。

白人は、レイシズムは過去の遺物《いぶつ》という感覚をいだく傾向があり、有色のエスニック・マイノリティがレイシズムの問題をもちだすと、それまでは存在しなかった場所に人種化がもちこまれたように思い、その結果、人種やレイシズムについての議論のあいだ、白人は弁解《べんかい》じみた態度や怒《いか》りをともなう反応をしめします。白人の側にある彼ら自身の個人的偏見の有無の問題だけでなく、レイシズムが制度的かつ構造的にエスニック・マイノリティにどれほど不利益をおよぼすかの問題であるという理解が不足しているのです。

そして、そこには、白人優位社会でエスニック・マイノリティを悩《なや》ませる差別に気づかず鈍感《どんかん》にさせる、白人性の当たり前の視点と経験が存在しています。

アメリカの白人作家**ティム・ワイズ**はさまざまな著作のなかで、白人の特

ス・D・ライスによるミンストレル・ショーとよばれる寸劇だったという（岩波新書『新版アメリカ黒人の歴史』一四七ページ）。

ティーパーティー運動　「茶会運動」ともいう。米国で二〇〇九年から広がった保守派のポピュリスト運動で、オバマ政権の経済政策や医療保険制度改革（オバマケア）に反対を表明する抗議活動を展開。

ティム・ワイズ（一九六六～）邦訳書として『オバマを拒絶するアメリカ——レイシズム2・0にひそむ白人の差別意識』『アメリカ人種問題のジレンマ——オバマのカラー・ブラインド戦略のゆくえ』がともに明石書店から刊行されている。

権問題に取り組んでおり、白人がしばしばその特権状態に気づいていないという事実や、ワイズ自身やその他の人びとの経験から集めた広範《こうはん》なエビデンスを積み上げています。ワイズの著作は複数あり、さらに読みすすめられるよう「さらに読みたい読者に」（巻末三四二ページ参照）で詳細を挙《あ》げているので、読んでみられることをおすすめします。

同様に、**ジョージ・リプシッツ**（George Lipsitz）の著書『白人性への独占的な投資（*The Possessive Investment in Whiteness*）』やその他の研究によって、アメリカの白人にもたらされるアドバンテージは、ただ、みずからの白人性という事実に由来《ゆらい》して生じており、住宅、教育、健康、雇用において何世代にもわたる不均衡な利益を導《みちび》き、引き継《つ》がれることがしめされています。

ジョージ・リプシッツ（一九四七〜）
カリフォルニア大学サンタバーバラ校（UCSB）教授。専門はエスニック・マイノリティ研究。

ゲイツ事件

ここでは言及に値《あたい》する、多少なりともグローバルな注目を集めた例を挙《あ》げておきます。

二〇〇九年七月、ハーバード大学のアフロ・アメリカン研究で有名な**ヘン**

リー・ルイス・ゲイツ・ジュニア教授が、中産階級の白人が多数を占《し》める郊外の自宅に入ろうとしていたときに逮捕《たいほ》されました。ゲイツは中国の旅から帰宅したところで、家の鍵《かぎ》をすぐに見つけられませんでした。白人の警官ジェームズ・クローリー巡査部長は、不法侵入の容疑でゲイツに手錠をかけて逮捕しましたが、逮捕時ゲイツはすでに家に入って電話で話をしているところでした。状況を警官に説明し、さらに写真や住所が記載された運転免許証やハーバード大学に所属していることをしめすＩＤなどの身分証明書を提《てい》示《じ》したにもかかわらず、警官はゲイツのことばを信用しませんでした。

ここで当然、疑問がわいてくるでしょう。

もし、郊外の裕福な住宅に暮らしていることをしめす身分証明書を差《さ》し出したのが白人の教授であったならば、その人物はゲイツ教授が受けたようなつらい試練を経験していたでしょうか――。

その可能性はかなり低いように思われます。**チャールズ・オグルトゥリー**（Charles Ogletree）は著書『推定有罪（*The Presumption of Guilt*）』で、ゲイツ教授に対する扱《あつか》いは、アフリカ系アメリカ人が法の要求している**推定無罪**では

ヘンリー・ルイス・ゲイツ・ジュニア教授（一九五〇〜）米国ウェストバージニア州生まれ。ケンブリッジ大学で黒人初の博士号を取得。ハーバード大学のデュボイス研究所所長。主著『シグニファイング・モンキー』。

チャールズ・オグルトゥリー（一九五二〜）ハーバードロースクール教授。

推定無罪　「無罪の推定」とも。罪をおかしたと疑われて捜査対象になった被疑者や刑事裁判を受ける被告人を、裁判で有罪が確定するまで「罪をおかしていない者」として扱う原則。

なく、ほぼいつも有罪と推定されるという長年培《つちか》われてきた様式《パターン》に沿《そ》ったものであることをしめしました。オグルトゥリーは、警察から無罪ではなく有罪と推定されているかのような同様の扱いを受けたことのある、ハーバードのアフリカ系アメリカ人の大学職員や学生の経験をほかにも複数報告しています。

　すでにおわかりのように、これは醜悪《しゅうあく》な氷山《ひょうざん》の一角《いっかく》にすぎません。アフリカ系アメリカ人とヒスパニック系アメリカ人は、アメリカの司法制度のなかで苛酷《かこく》な差別を経験しているのです。

　白人性という標準から非白人がいかに逸脱《いつだつ》しているか、そして、有色人種、非白人はいかに集合的な負の人種化を受けているかについて、もう一つ注目すべき例を挙げておきましょう。

　二〇〇五年七月、**ロンドンの爆破事件**の捜査中にイギリスの警官に射殺されたジャン・シャルル・ド・メネゼスの事件です。ド・メネゼスは、うす茶色の肌に褐色の短い縮《ちぢ》れ毛をしたブラジル人電気技術者でした。警察が本当

ロンドンの爆破事件　ロンドン同時爆破テロのこと。二〇〇五年七月七日の午前八時五〇分ごろ、ロンドンの地下鉄の三か所がほぼ同時に爆破され、その約一時間後にバスが爆破された。五六名が死亡。

イエメン　アラビア半島の南端にある共和制国家。長引く紛争によって治安とともに衛生環境も悪化している。

ブラック・ライブズ・マター運動　二七ページ参照。

に捜《さが》していたのは、フセイン・オスマンという**イエメン**を起源とするイギリス人男性でした。

これこそ、すべての非白人は潜在的《せんざいてき》なテロリストと推定されているという例でしょう。ド・メネゼスがブロンドで青い目をしていたら、ほぼまちがいなく警察の捜査レーダーに入りさえしなかったはずです。ガーナー教授は次のように述べています。

〝これは、白人か白人でないかが、生死を分ける問題になりうること、また、その方程式の答えを決めるのは、たいていの場合、白人の側であることをしめしている〟

先に述べたように、アメリカで近年起きた白人警察官による、一人の少年をふくむ黒人男性数名への発砲から、警察の人種差別に反対する暴動やキャンペーン運動、とくに**ブラック・ライブズ・マター**（ＢＬＭ）**運動**が広がりました。黒人ティーンネイジャー、トレイヴォン・マーティンを射殺した自警団の調整役ジョージ・ジマーマンが無罪放免《ほうめん》となった事件のあと、二人の

ファーガソン　ミズーリ州セントルイス郡の市。二〇一四年八月九日、非武装の一八歳の男性マイケル・ブラウンが警官に射殺される事件が起きたことで、人口二万人のこの地方都市が世界に知られることになった。

アフリカ系アメリカ人、**ファーガソン**のマイケル・ブラウンと、エリック・ガーナーが死亡しました。エリック・ガーナーはニューヨーク市警察の警官に首もとを押さえつけられ、映像のなかで〝息ができない〟とくりかえしました。これらはブラック・ライブズ・マター運動の高まりに重要な役割を果たしました。

アメリカでの著《いちじる》しい黒人と白人の持続的な分断や、いまだつづくアフリカ系アメリカ人の不利な地位から、現在の〝白人性〟の研究が出現することになりました。これはイギリスでの研究にも影響をおよぼしています。

この研究が生まれたのは、自分たちの社会は〝エスニック・マイノリティ問題〟（以前この社会は〝ユダヤ人問題〟に取り組んでいました）をかかえているという多数派集団の考えとは異《こと》なり、大きな問題を構成する立場にあるのは白人のほうであり、深い分析を必要とする制度に組みこまれているのは〝白人性〟という文化であるという認識が高まっているせいです。

とはいえ、この見解が、白人が多数派を占める社会にいる白人に広く行きわたっていないとしても、驚くにはあたらないでしょう。

白人性の研究がさかんになっているもう一つの理由は、遅《おそ》くとも二〇五〇年までに、〝白人〟はアメリカの少数派になる可能性が高いことがわかったからです（アメリカの国勢調査局の二〇一五年のデータでは、その年は二〇四四年とされています）。

言いかえると、アメリカの白人性に危機がおとずれる可能性が高いのです。しかし、このような予測の際、正確にはどのような人を〝白人〟として数えるのでしょうか。

〝白人〟はアメリカでは、けっして明白なカテゴリーではありません。第一に、ラテンアメリカに起源をもつ多くの人は、国勢調査やほかの目的では白人として認識されています。このヒスパニック系白人**識別子**《しきべつし》集団が拡大しており、予測に疑《うたが》いを投げかけています。

第二に、国勢調査局の見積もりでは、〝人種がミックスされた〟人びとはエスニック・マイノリティとして計上されていますが、これによって、将来白人として数えられる人の割合が過小評価されているかもしれません。すでに片方の親が白人であるアメリカ人の多くは、白人か、部分的な白人として

識別子　ある特定のものを複数あるなかから区別するための要素のこと。

自己認識していますし、ヒスパニック系のアメリカ人は一つ以上の〝人種〟を選択することができます。

第三に、アジア人とヒスパニック系の四分の一が、自分とは異《こと》なる〝人種〟の人と結婚しており、アメリカ生まれのアジア人ではこの率は倍近くになります。したがって現在〝ミックスした人種〟のアメリカ人集団は約七パーセントですが、この率はまちがいなく高くなります。

問題は、彼らの子どもや孫が白人と結婚した場合です。祖父母や曾《そう》祖父母が〝混血《ミックス》した人種〟として数えられ認識されるとしても、どこかのポイントでそうした人びとは白人としてカウントされはじめるのでしょうか？〝白人〟についての**ワンドロップ・ルール**があてはめられたら、どうなるのでしょうか（次のセクションで黒人集団を認識するためにそのルールを利用することについて考察します）。

ここで白人性の研究の高まりにつづいてあらわれた、いくつかのほかの問題に光をあてておくのもいいでしょう。初期の複数の研究、たとえばアメリカのルース・フランケンバーグ（Ruth Frankenberg）やイギリスのアン・フェ

ワンドロップ・ルール　一六ページ注参照。

ニックス（Ann Phoenix）は、多くの白人が当然と感じている白人性は、多《マルチ》人種《レイシャル》な都市部へ旅をしたときにはじめて、ひどく動揺することを実証しました。

言いかえれば、白人性というのは相対的なもので、それが標準であるという認識は、非白人に出会い、彼らも同じ市民の立場であるという認識がされるまでのことなのです。

別の注目すべき特徴は、あるエリアのエスニック・マイノリティの数が少ないという理由で、〝ここでは人種問題はない〟とみなす白人の反応です。それはつまり、非白人がその場に登場したときにのみ人種が問題になるということを暗《あん》にしめしています。

これはもちろん、たとえば〝ホワイト・フライト〟で白人が多い社会に移住し、白人居住区を形成し再生するという点で、人種はどちらの側にとっても一つの問題であるという姿勢と矛盾《むじゅん》しています。

イギリス、レスターシャーの白人が多く居住している半郊外での研究から得たこの種の姿勢を要約して引用してみましょう。この場所は最近、南アジア系のイギリス人家族が移住してくるようになっています。

アジア人の近隣住人についてたずねられたとき、一人の居住者がこう述べました。〝申し分ないですよ。姿を見ないで済むかぎりは……〟

しかし、ほかの居住者は、アジア人は自分たちの殻《から》に閉じこもり、村の活動に馴染《なじ》もうとせず、自分たちの大きな家に大勢で集まる傾向があると不満を述べました。

これによってアジア人は板挟《いたばさ》みになります。自分たちだけで殻に閉じこもると一部の人に嫌《いや》がられるが、村の生活の外側にいることで別の人びとには称賛《しょうさん》されるのですから……。


アメリカの社会学的研究の結果から、肌のトーンが明るいアフリカ系アメリカ人とメキシコ系アメリカ人は、肌のトーンが暗いアフリカ系アメリカ人とメキシコ系アメリカ人にくらべて収入が多く、より長い年数の教育を終え、より統合された居住区に住んでいて、よりよいメンタルヘルスの状態にあることが明らかになりました。この結果は『人種、ジェンダーおよび肌のトーンの政治学（*Race, Gender and the Politics of Skin Tone*）』の著者マーガレット・ハンター（Margaret Hunter）が指摘しているとおりです。

南アフリカやアメリカ、イギリス、その他ブラジルからフィリピン、ナイジェリア、ガーナ、ケニア、カリブ海諸島の多くの社会で肌のトーンを明るくするクリームが広く使用されていることを理解する際に、イギリス人やスペイン人、ポルトガル人による白人の植民地主義の役割を過小評価することはできません。それらすべての植民地では富《とみ》と権力と美しさは、白人のエリートである白人男性植民者と現地女性という人種の異《こと》なる結婚や不義密通《ふぎみっつう》によって生まれた肌の色が明るい子どもが享受《きょうじゅ》しました。

肌のトーンを明るくする製品、とくに漂白剤《ひょうはくざい》がふくまれるものは毒性が強い可能性があるため、ナイジェリアやケニア、ガーナ、南アフリカではそのような製品を禁止しようという試《こころ》みがありました。

これらの問題のいくつかはエヴェリン・グレン（Evelyn Glenn）の『**シェイズ・オブ・ディファレンス**（*Shades of Difference*）』という評論のなかでも考察されています。たとえば世界保健機構（WHO）は二〇一一年、日常的

シェイズ・オブ・ディファレンス　段階的な色調や濃淡のことを「階調（かいちょう）」あるいは「グラデーション」といい、英語では《shades of gray》ともいう。「差異の階調」と直訳できることのタイトルから、アフリカ系米国人においても肌の色が多様であることをいっている。ちなみに印刷物の校正紙の欄外には左のような濃淡の色見本があるが、これが《shades of gray》。

に肌を明るくする製品を使うナイジェリア人女性は七七パーセントにのぼると見積もりました。さらにナイジェリアの男性までもが、魅力を増すためにそれらの製品を自分で使っていました。

インド亜《あ》大陸での**より明るい肌への過度の選好**は、他地域と同じく男性より女性に影響をおよぼし、古代に確立された**カースト制**をふくめた複雑な起源もあって決定的な根拠はないのですが、イギリス白人の植民地主義の影響がひじょうに重大な役割を果たしていることはまちがいないでしょう。

また、インド人男性も肌のトーンを明るくするクリームを使っていることは注目に値《あたい》します。人気の映画女優が登場する広告や映画、テレビなどの文化が重要な役割を果たしており、さまざまな製品が連続ドラマや広告に登場していますので、インドでは明るい色の肌がますます増えるでしょう。そして、もちろん肌のトーンを明るくする製品の直接的な広告も多数あります。

それ以外のアジア、中国や日本でも、ひじょうに長いあいだ、肌のトーンの明るい女性が好まれてきたようです。

これらの一部は、それらの社会がおもに農民で占《し》められていた時代に起因《きいん》

より明るい肌への過度の選好　このあと本文でもふれられているとおり、これは日本でも同様。昔から「色の白いは七難（しちなん）かくす」ということわざがあり、「おしろい」という伝統文化があり、また美白効果をうたった化粧品が現代でも大人気だ。

カースト制　五九ページ注「四つのカースト」参照。

すると思われます。肌のトーンが白いほどその女性は戸外《こがい》で働く必要がないことをしめしており、したがって肌の色は特権と融合《ゆうごう》し、それがその後〝美しさ〟に変換されました。

ほぼ同じ理由で、ビクトリア朝時代の中産階級および上流階級の白人女性は、日焼けしないように太陽光を避《さ》けたり、日傘《ひがさ》を使用したりしました。

白人性（と黒人性）は歴史的につくられたものであり、とくにアメリカでの〝白人性〟と〝黒人性〟の形成については、いくつかの重要な手がかりを理解する必要があります。

とはいえ、それらの一部はイギリスにもあてはまります。

アメリカでは、明るい肌の〝黒人〟女性は収入がより多いだけでなく、司法制度においてもより寛大《かんだい》に扱《あつか》われるということが、社会学的研究によって実証されました。一九六〇年代から七〇年代の政治活動と公民権闘争から、**〝ブラック・イズ・ビューティフル〟**というスローガンが用《もち》いられるようになりました。このスローガンは、白人の美しさや魅力、なにより〝アメリカ

ブラック・イズ・ビューティフル
一一八ページ注「ブラック・パワー運動」参照。

人らしさ〟という支配的な観念がアフリカ系アメリカ人におよぼす有害な影響に対抗するためのものでした。

黒い肌という特徴は、多くの黒人芸能人にも影響をおよぼしました。歌手の**ニーナ・シモン**は注目すべき例です。肌の色を明るくする手術および整形手術によって、**黒い肌からほぼ白になったマイケル・ジャクソンの変化**は、アメリカで多くの論争を巻きおこしました。

これらはひじょうによく知られた実例のほんの一部ですが、アメリカの黒人集団の大半とカリブ系アメリカ人は〝カラーリズム（colourism）〟とよくよばれる肌色の濃淡による差別と共存または戦わねばならないのです。

アメリカの黒人と白人——白人性と黒人性の社会的な形成

アメリカの建国は、人種的な白人性と国民と市民権の合体をしめす、なにより明らかな例を提供しています。

一七九〇年、議会制定法によって〝すべての自由な白人は市民権を有する〟と定められました。カトリック教徒とユダヤ教徒が同じ権利を与えられ

ニーナ・シモン（一九三三〜二〇〇三）米国の歌手で、市民運動家としても活躍。伝記映画でシモン役を演じた女性が化粧で肌の色を濃くして批判された。

黒い肌からほぼ白になったマイケル・ジャクソンの変化　マイケル・ジャクソンの白い肌は「尋常性白斑（じんじょうせいはくはん）」という肌色がぬけて白くなる病気のせいだとされている。

るべきかどうかについていくらか議論があった（けっきょく与えられました）いっぽうで、非白人や女性の除外はあまりに〝自然な〟ことで議題にのぼりさえしなかったのです。

しかし重要なことに、人種分類のむずかしさは黒人と白人の定義が漠然《ばくぜん》としたままであることも意味しました。

〝白人〟という用語は、ヨーロッパ人の探検家や商人、移民の呼称《こしょう》として使われはじめました。彼らは北アメリカの先住民らの土地をとりあげ、その後、アフリカ人を奴隷《どれい》として自分たちの資産にしました。最初から白人性と資産《しさん》の所有は合体しており、その後、法的な表現が与えられました。つまり、法的に黒人奴隷は資産として計上され、また大統領を選ぶ**選挙人団**《せんきょにんだん》（Electoral College）を構成するために、**奴隷一人が白人の五分の三にあたる**として州の人口に加えられましたが、もちろん投票は許されませんでした。

とはいえ、〝白人〟と〝黒人〟の明らかなカテゴリーが、それ自身の矛盾《むじゅん》を生みはじめたのは、それほど昔のことではないのです。

アメリカで〝本当の〟白人はどういう人かについて、いまだ残っている懸《け》

選挙人団　米国大統領選の選挙人集会で大統領および副大統領を選出する役割をになうのが《elector》、いわゆる「選挙人」で、その集まりが選挙人団。総数は五三八。

奴隷一人が白人の五分の三にあたる　一〇二ページ注参照。

念《ねん》が生まれたのは、最初の移民とは別の白人が大挙《たいきょ》して移住してきたときでした。異なる白人種という概念は、前述のとおり、ヨーロッパではすでに一般的でしたが、アメリカでは一九世紀になって、これについての市民レベルでの議論が急速に高まりました。

一八四〇年代の飢饉《ききん》から逃《のが》れてアメリカに移民してきた一五〇万人近くの**アイルランド人**は、まもなく自分たちが人種差別を受ける側であることを知りました。アメリカにすでに移住していた人びとは、アングロサクソン人の白人性がケルト人のそれより優《すぐ》れているとみなしていたのです。

アイルランド人の新参者《しんざんもの》に付帯《ふたい》された表現、たとえば〝低俗〟〝野蛮〟〝下品〟〝怠け者〟〝荒くれ者〟などが、それをあらわしています。この非人間化された罵倒《ばとう》のことばは、黒人やネイティブアメリカンに向けられたものとよく似ていました。風刺《ふうし》画家は、アイルランドの植民地化がすすんだときにイングランドでよく見られたイメージを使って、アイルランド人を猿のように描写しました（図6および図7を参照）。

しかし、アイルランド人は、黒人や中国人労働者よりも多く雇《やと》われました。

アイルランド人　英国「本土」ともいうべきグレートブリテン島の西にあるアイルランド島で形づくられた民族で、ヨーロッパの先住民であるケルト系民族を起源にもつ。アイルランドが英国との連合王国を形成していた一九世紀に起こった「ジャガイモ飢饉」によって移民が急増し、米国や英国本土、英連邦の国ぐにへと移住した。現在は、世界でアイルランド系とみなされる人びとは八〇〇〇万人におよぶ。アイルランド系米国人としてもっとも有名なのはジョン・F・ケネディ米国大統領だろうが、彼を輩出するほどアイルランド系米国人の民族集団は米国内で政治的に〝出世〟したともいえる。あるいは、ワスプとよばれる米国のエスタブリッシュメントと〝同化〟ないし近づいたといえるかもしれない。

図6　1880年代の反アイルランドの風刺画　World History Archive/Alamy Stock Photo

TWO FORCES.

図7　アメリカでの黒人とアイルランド人の同等性をしめす風刺画

アイルランド人のほうが猿に近い顔に描かれています。

さらに、一部には黒人を攻撃することによって、彼ら自身の白人性を向上させはじめました。アイルランド人は黒人の選挙権と解放に反対するいっぽうで恐るべき集票組織を確立し、一八九〇年代になるころには北部の大都市で民主党組織を支配するまでになりました。

アイルランド人は時間をかけて〝ケルト-アングロ-サクソン〟人種として、白人種を定義しなおし、アイルランド人をそこにふくめるよう促《うなが》しました。また、**新しく改善されたアメリカの白人種の構成員**として、イングランド、スコットランド系アイルランド人、フランス人、ウェールズ人、ドイツ人、およびアイルランド人を先祖とする人びとのあいだのより幅広《はばひろ》い統一を促進しました。

それにつづいて、こんどはイタリア人移民——とある程度のユダヤ人——が、白人と黒人のあいだの不確定な人種的地位にいることに気づきました。〝イタ公《こう》（dago）〟はイタリア人を言いあらわす人種差別的表現で、生来の感情的な性格、大げさなふるまい、〝ひねくれた〟思考習慣をほのめかしていました。

新しく改善されたアメリカの白人種の構成員　米国への移民は一九世紀にはドイツやアイルランド、北欧からの流入が多かったが、一九世紀末から二〇世紀に入るころはイタリアやポーランドなどからの流入者が急増した。西欧・北欧からの「旧移民」への待遇が〝改善〟されたいっぽうで、南欧・東欧からの「新移民」には移民制限などの法的措置がとられ、両者のあいだに分断線がひかれた。

コーカサス人　八七ページ注参照。

それでも〝**コーカサス人**〟という人種カテゴリーの傘《かさ》の下で、アイルランド人、イタリア人、ポーランド人、ドイツ人などその他すべてのヨーロッパを起源とする集団は、アメリカの〝白人〟種の完全なメンバーとして徐々《じょじょ》に認められていきました。

一八四〇年代から一九四〇年代までのアメリカの白人性の歴史は、肌の色と人種的な分類がかなり流動的で不安定であることをしめしており、人種という概念によってほのめかされていた厳格《げんかく》で明らかな生物学的差異《さい》があるという理解とは大きく食いちがっています。

さらに、〝有色人種《カラード》〟のカテゴリーがすべての非白人を言いあらわすようになるにつれて、白人性がアメリカやその他の場所でますます人種的な標準になっていきました。そして、人種の序列のなかで白人の支配は隠《かく》されて見えないものになっていったのです。

しかし黒人性は、白人性に負けずおとらず社会的に構造化されつづけたので、おおいに議論をよびやすい人種的な表現になりました。アメリカではワンドロップ・ルールが支配的になりました。アフリカ人を祖先とする人が一人でも混じれば黒人に分類するというこの概念は、アメリカ独自のものとして出現しましたが、実際のところ、同様の分類がイギリスやその他の国で受け入れられてきました。

とくに注目すべきは、ワンドロップ（の黒人の血）が人種の生物学的視点を正当化し、いまだに実際に黒人を分類するのに使われているものの、彼らの多くが白人として通るし、それで通しているという点です。少なくともアメリカの黒人（と自認している）集団の四分の三は、何人《なんにん》かのヨーロッパ人つまり白人の先祖が混じっていると推定されています。約四分の一はアメリカ・インディアンを先祖にもちます。白人（と自認している人）のうち黒人の先祖がいる割合はかなり幅広くばらついており、一パーセントから二〇パーセントと推定されています。多くの〝混血《ミキシング》〟が公的に記録されていないことを考慮《こうりょ》すると、すべての数値が過小評価されている可能性が高いわけです。

一八六五年に、奴隷制度の継続それ自体が一つの争点だった**南北戦争**が終わると、奴隷制を廃止するアメリカ合衆国憲法修正第一三条が議会で可決されました。ルイジアナ州、サウスカロライナ州、ミシシッピ州、アーカン

南北戦争　一八六一〜六五年に米国を二分して行われた戦争。奴隷問題をめぐる南北両陣営の対立が深まるなかで合衆国脱退を宣言した南部連合の南軍と、合衆国を維持しようとするリンカーン大統領側の北軍が戦った。英語では「内乱」を意味する《Civil War》が用いられている。六〇万人以上の犠牲者を出しつつも、戦後、連邦国家として生まれ変わり歩みだしたことから、「第二次アメリカ独立革命」といわれることもある。

ソー州などの州では、黒人と白人の結婚を禁止する異人種間結婚禁止法が法令集から削除《さくじょ》されました。

しかし、この状況は長くはつづきませんでした。

黒人に対する長くつづいた憎悪《ぞうお》と、平等をのぞむ黒人らの念願に対してのしずまることのない敵対心は、〝異人種間の〟性的な接触が制御《せいぎょ》不能な状態に陥《おちい》るのではないかという白人の恐れや、いまや公的に読みかたを学ぶ権利を得た黒人と経済競争を戦えるかという不安をまねきました。そのため、南部のいくつかの州は、黒人が工業的な労働や熟練労働に就《つ》くことを禁じ、労働分野を限定して小作《こさく》をさせる、いわゆる〝**黒人取締法**《ブラック・コード》（Black Codes）〟を採用しました。

これは重要な問題で、人種化された不平等がいかにしてアメリカ社会の制度化した構造に埋《う》めこまれているかを実証しています。そして、それが〝構造的レイシズム〟や〝制度的レイシズム〟という概念を用《もち》いることの妥当性《だとうせい》をしめす一つの理由でもあります。

また、雇用での不平等は白人に固有の利益を提供しますが、その利益は互《たが》

黒人取締法　南北戦争後の一八六〇年代から七〇年代にかけて米国の南部諸州で制定された州法で、黒人を強制的に就業させ、また黒人のさまざまな権利を制限したもの。その結果、ルイジアナ州やサウスカロライナ州などでは実質的に奴隷制度が存続されることとなった。

いに重なりあったさまざまな差別によってさらに増強される点でも重要です。たとえば、南北戦争前は北部の州でさえ、黒人はホテルや娯楽《ごらく》施設から締《し》め出され、熟練手工芸や専門大学へ進学する道を閉ざされ、列車や教会で分離されていたことは記憶しておくべきことでしょう。黒人たちは税金を払わなければならなかったのに投票はできず、陪審員《ばいしんいん》をつとめることも、法廷で目撃者として出廷することもできませんでした。

不幸なことに、一八八三年、アメリカ合衆国最高裁判所の判決によって、密接な個人的接触をともなうすべての関係について隔離《かくり》が認められました。これによって南部の州は隔離された学校をつくり、電車、バス、図書館、公園、水泳用のプール、その他の公的な施設内での分離が認められました。〝異人種間〟の結婚がふたたび法的に禁止できるようになったのです。

このようにして、悪名高い**ジム・クロウ**の隔離制度が出現しました。この名前は、白人によって演じられた、怠惰《たいだ》でバカげていて子どもっぽい陽気な〝黒い顔の〟人物にちなんでいます。改定された隔離制度は、法的に強化されただけでなく、**クー・クラックス・クラン**やほかの自警団《じけいだん》グループ

ジム・クロウ　二二〇ページ注参照。

クー・クラックス・クラン　二二八ページ注参照。

によって暴力的に管理されました。〝生意気な〟黒人への、とくに白人女性に対して侮辱的《ぶじょくてき》な態度をみせたと非難して行われる私的制裁《リンチ》は、ぞっとするほど一般的になりました。

　歴史家は一八九〇年から一九〇〇年にかけて、推定一一〇〇件以上の私的《してき》制裁《せいさい》があったとしています。こうして描きだされた歴史に照らしてみると、直観に反しているようにみえるかもしれませんが、〝白人性〟――と〝黒人性〟――は、**生得《しょうとく》のもの**であると同時に、**獲得《かくとく》されるもの**でもあるのです。

　白人が多数を占める社会に生きる白人の大半が、これを意識していないことは明らかです。白人性は、当たり前の事実となっており、レイシズムや民族の問題に取り組もうとする視界を狭《せば》めます。非白人の食物や衣服を〝民族〟のものとしてラベリングすることは、とくに西欧では白人性が当たり前になっていることについての、小さいけれどきわめて印象的な例です。

　これは、白人性が**エスニシティ**でもなければ、人種化されたカテゴリーでもないことを示唆《しさ》しています。しかし、白人性は明らかにエスニシティであり、人種化されたカテゴリーなのです。

生得のもの…獲得されるもの
「先天的」な(生まれつき)のものであると同時に、「後天的」な(生まれつきでない)ものでもあるという論理矛盾がここにもある。

エスニシティ　一一二ページ参照。

カラーブラインド・レイシズム
「カラーブラインド」は本来、色の認識や区別のしかたが一般とは異なる、いわゆる「色盲」のことをさすが、そこから転じて、人種的な差別意識や偏見が(少なくとも自覚的には)ないにもかかわらず起こるレイシズムのことをいう。

カラーブラインド・レイシズム

たとえばバーク、ボニージャ゠シルバ、ワイズなどの研究者のあいだで一致しつつある意見によれば、現在もっとも一般的なレイシズムの形態は、とくにアメリカでは〝**カラーブラインド・レイシズム**〟であるといわれています。これは、矛盾した表現のように聞こえるかもしれません。

レイシズムが、たいてい身体的なマーカー、とくに肌の色を言及することに関係するとすれば、肌の色に言及しない態度や行為をどうやってレイシストとよべるのでしょうか。アメリカで適用されている、メーガン・バーク(Meghan Burke)のカラーブラインド・レイシズムの定義を手はじめにみていくと、わかりやすいでしょう。

〝カラーブラインド・レイシズムとは、私たちの社会にはレイシズムにまつわる現実の問題はなにもなく、その問題は私たちの制度や集合的な思考やふるまいではなく個人から生じるものだと主張することである〟

さらに、

〝この意味では、カラーブラインドネスは現状を擁護《ようご》している。また世の中は偏見などない状態で機能していると誠実に信じている人も擁護しているし、ほかのだれかにくらべてかなり特権を得ている人もいなければ、不利益をこうむっている人もいないと考えている人も擁護している〟

カラーブラインド・レイシズムの出現は、次のような（誤った）考えを前提としています。それは、一九六〇年代に、アフリカ系アメリカ人とヒスパニックの平等な機会の獲得を否定する多くの合法的・半合法的な障壁《しょうへき》をとりはらう公民権が合法化されたあと、彼らの住宅、教育、雇用の機会への障害はほぼすべてなくなったというものです。

このカラーブラインドの神話は、著名なアフリカ系アメリカ人社会学者である**ウィリアム・ジュリアス・ウィルソン**の研究によって、経験的な素地《そじ》を与えられました。『人種の重大性の減少（*The Declining Significance of Race*）』（一九八〇年）、『**本当に不利な人たち**（*The Truly Disadvantaged*）』（一九八七年）やそれ以後の出版物のなかでウィルソンは、アメリカ社会の現実の分断線《ぶんだんせん》は

ウィリアム・ジュリアス・ウィルソン（一九三五〜）米国の社会学者。ハーバード大学教授、アメリカ社会学会や全米科学アカデミーの会長を務めた。

『**本当に不利な人たち**』原題は《*The Truly Disadvantaged: The Inner City, the Underclass, and Public Policy*》で、『アメリカのアンダークラス──本当に不利な立場に置かれた人々』が邦訳として明石書店から一九九九年に出ている。

脱産業化　「脱工業化」ともいう。産業化（工業化）ののちに出現するとされる社会。アメリカの社会学者ダニエル・ベルらが論じたもので、モノの生産が中心の経済社会から情報や知的財産が中心の経済社会への変化が特徴。

アウトソーシング化　業務などを外部にゆだねること。「外部委託（いたく）化」とも。

いまや白人と黒人とのあいだではなく、社会的階級のあいだにあると主張しました。

彼の研究によって、すべての労働者階級のコミュニティは、白人であれ黒人であれ、サービス業偏重による製造業の崩壊、**脱《だつ》産業化**、職務の**アウトソーシング化**に、多少のちがいはあれど等《ひと》しく苦しんできたことがしめされました。また、アフリカ系アメリカ人の失業率が白人より高いとしても、それは、新たなサービス業領域での職が生まれつつある郊外ではなく、都心部に住みつづけているという地理的なミスマッチによるところが大きいとウィルソンは主張しています。

カラーブラインドという視点は、黒人、白人、非白人のヒスパニックはいまや公平な場で活動しており、就職や大学入学を志望する人の〝人種的な〟背景《バックグランド》について、なんら特別な配慮は必要ないという認識にもとづいています。この認識にもとづいて法廷は教育機関やその他の機関に、アフリカ系アメリカ人とヒスパニックが生活で直面する歴史的で継続的に不利な立場への配慮を法的に強《し》いた積極的格差是正措置《かくさぜせいそち》（アファーマティブ・アクション）

政策を少しずつ崩《くず》しはじめました。

要するに、アフリカ系アメリカ人が通う人材不足の学校や、はるかに不良な住宅の状況、最低賃金の職への就職は、ますます過去のことにされてしまうのです。**エドアルド・ボニージャ゠シルバ**（Eduardo Bonilla-Silva）は、この視点を〝非現実的なリベラリズム〟とよびました。

この視点によって、個人から、人種化された不利な立場という社会経済的なコンテクストが剝《は》ぎ取られ、それと同時に、たとえば居住区隔離は〝似た者は似た者を引き寄せる〟という人間の性質の結果であると考える不動産業者によってなされる隔離方針のせいで、アフリカ系アメリカ人は、購入する経済的余裕がある人でさえ、魅力的な郊外の家を手に入れにくいという重大な差別が無視されることになります。

アフリカ系アメリカ人は、連邦住宅局によって設《もう》けられた巨大な郊外化プログラムでも故意に蚊帳《かや》の外《そと》に置かれました。この計画によって、第二次世界大戦後に、白人ばかりが暮らす郊外住宅ができました。これは、たとえば**ジョージ・リプシッツ**などによって、さまざまな歴史や白人性の社会学で注

エドアルド・ボニージャ゠シルバ（一九六二〜）米国の社会学者で、米国社会学会（ASA）の会長もつとめた。米国ペンシルベニア州でアフリカにルーツをもつ家庭に生まれ、米国の自治領であるプエルトリコで育った。

ジョージ・リプシッツ　二二二ページ注参照。

復員軍人援護法　戦地から帰還した復員軍人（GI／ジーアイとよばれる）を援護する目的で定められた法律。一九四四年制定。

目されている事実です。

郊外住宅地での住宅の建設や州をまたぐハイウェイの建設には白人労働者に多くの雇用機会が与えられ、大手メーカーも意図的に白人居住エリアに工場をつくりました。大半の白人の郊外住宅地では、居住地を統合しようとしても、白人の居住者によって激しく反対されました。白人の郊外住宅地にある学校は、いい人材がそろっていました。資産価値にもとづいて資金が助成されていたからです。そして、もちろん白人だけの郊外住宅地のほうが資産価値はずっと高いのです。

さらに、戦後の**復員《ふくいん》軍人援護法**（GI Bill）は、戦地で戦った退役軍人が大学やほかの教育機関に比較的容易に入学できるようにするものでしたが、白人の利益になるように徹底的に区別されました。

一九七〇年代、郊外住宅地では民族の多様化がよりいっそうすすみましたが、これが〝ホワイト・フライト〟の波をもたらして資産価値の崩壊が起こったため、現在はアフリカ系アメリカ人やヒスパニック、アジア人が転入した学校の人材は不足し、脱産業化プロセスによる打撃を受けて雇用機会も低下しました。言いかえれば、一九八〇年代のアメリカでは、住宅や教育的な資源、雇用機会に関してますます公平な競技場ができていたという考えは神話《しんわ》にすぎなかったのです。

研究によると、裕福なアフリカ系アメリカ人でさえ、労働者階級の白人が住んでいる居住区とくらべて、あらゆる面でかなり劣悪《れつあく》な市街化区域で暮らしていたことが実証されました。**ワイズ**やほかの研究者によって引用された研究では、有色人種の学生は、学校でより低い能力編成クラスに入れられたり、薄弱《はくじゃく》な証拠にもとづいて学習障害というレッテルを貼《は》られたりする可能性が相当に高いことがしめされています。

失業率は、カレッジを卒業したアフリカ系アメリカ人のあいだでさえ、白人の卒業生にくらべて相当かつ執拗《しつよう》に高く、白人世帯と黒人世帯間の財産の格差はずっと大きいままでした。

したがって、有色人種は、たとえ大学入学や経営者、専門職への雇用が考《こう》慮《りょ》できるポイントまでたどり着いたとしても、どう考えてもまったく直面する必要もなく、知らないままでよかったはずの白人の進路指導教官や雇用主

ワイズ　二二一ページ注「ティム・ワイズ」参照。

という障壁をのりこえなければならなかったのです。ところが住宅の隔離によって、白人と有色人種は必然的に〝並行した生活《パラレル・ライヴズ》〟を送ることになり、そのため白人は有色人種の現実生活での経験に気づかないわけです。

すべての人が平等な機会を与えられているという前提は、人生の失敗は個人の至《いた》らなさに起因するという考えを生みかねませんし、同じ理屈で不出来がコミュニティ全体に特有なこととして起こるとき、そのコミュニティが非難される傾向にあります。こうして〝**貧困の文化**（culture of poverty）〟説《せつ》が生まれました。これは、とくに片親の家族、教育熱の不足、怠惰、〝福祉依存〟という文化的な欠乏《けつぼう》に悩まされるアフリカ系アメリカ人コミュニティを描《えが》いており、それらが組みあわさり、あるいは単独で、とくにアフリカ系アメリカ人の継続的に不利な立場を説明しているという説です。

とくにレーガン大統領は、給付金で贅沢《ぜいたく》をして考えなしに子育てする〝福祉の女王（Welfare Queen）〟というステレオタイプの作成にかかわりました。

この神話はすべて、厳密《げんみつ》な経験的研究によって反証を挙《あ》げられました。た

貧困の文化　米国の人類学者オスカー・ルイス（一九一四〜一九七〇）が著書『貧困の文化』（一九五九年）で用いた表現。貧しい人がその貧しい生活をあえて次世代に受け継ぐような生活習慣や価値観、世界観を伝承しており、それは国境をこえもすると説いた。入手しやすい文庫版が二〇〇三年に筑摩書房から出ている。

とえば、片親の黒人家庭が多いのは、たんに、結婚したアフリカ系アメリカ人に子どもが少ないため、その数とくらべると、庶出《しょしゅつ》のアフリカ系アメリカ人の数がふくらむだけのことです。また、黒人の生徒は白人の生徒にくらべて親と学業成績について話し合う率が高いので、教育に無関心という神話は崩壊します。

雇い主によるアフリカ系アメリカ人に対する直接的な差別が複数の研究によって、くりかえし記述されています。それらの研究の一つで、明らかにアフリカ系アメリカ人の名前を付《ふ》した履歴書と、内容はまったく同じで白人の名前を付した履歴書が送られました。同様の資格と職歴であったにもかかわらず、白人の名前で送られた履歴書は、少なくとも二倍は面接によばれる確率が高くなりました。ある研究では、犯罪歴のある白人は、同程度の適性《てきせい》で犯罪歴のないアフリカ系アメリカ人よりも面接によばれる確率が高くなりました。

カラーブラインド・レイシズムは、〝**自由放任主義**《レッセフェール》のレイシズム〟でもあるといえます。なぜなら、これは自由市場で競争している平等な出発点にあ

自由放任主義　《laissez-faire（レッセフェール）》は「なすに任せよ」という意味のフランス語。日本語では「自由放任」と訳され、おもに経済学で市場における経済活動の自由をさしていう。

る個人どうしであるという神話にもとづいているからです。

したがって新自由主義《ネオリベラリズム》という経済の妙薬《みょうやく》ともよく調和します。たしかに、**ランドルフ・ホーレ**（Randolph Hohle）の主張によると、人種化というプロセスは、市場の規制緩和、とくに福祉領域での公的セクターの縮小をふくむ新自由主義の台頭と決定的に強く結びついています。実質的に、新自由主義的な政策は、白人の特権を再生させるのに役立っているのです。

貧困の文化説は、アジア系アメリカ人の推定される成功などにみられる〝模範的な少数派（model minority）〟神話によって、しばしば強化されます。その主張は次のようになされます。

有色人種が差別されているとするなら、あのアジア系アメリカ人たちは、どうやってあれほど成功できたのか？

けれども、このような論拠の場合、個人の努力だけでアメリカン・ドリームを実現するアジア系アメリカ人の割合はごくわずかで、経済的な成功をもたらすのはコミュニティの強さであるという事実は無視されます。

新自由主義　市場原理にまかせることをよしとする経済思想。国家による公共的な福祉サービスをできるだけ小さくする「小さな政府」の考えにもとづき、国営企業の民営化や大規模な規制緩和を行う経済路線のこと。

ランドルフ・ホーレ　ニューヨーク州立大学フレドニア校の社会学准教授。

メーガン・バーク、ワイズ、エドアルド・ボニージャ゠シルバやほかの研究者が引用している研究でしめされているとおり、〝アジア系アメリカ人の成功物語〟は、成功していないアジア系アメリカ人集団の大多数を無視しています。それはたとえば、ベトナム人、カンボジア人、タイ人、韓国人、中国系さえもそうです。

バラク・オバマの選挙

レイシズムがアメリカ国家で制度的かつ文化的にそれほど深く浸透《しんとう》しているのなら、みずからを黒人と認識している**バイレイシャル**男性で黒人女性と結婚したバラク・フセイン・オバマがいかにして、この国の大統領選挙に勝利できたのでしょうか。一度ならず、二度までも?

毎回の選挙でオバマに有利に働いたのは、名門大学で教育を受けた黒人男性と、同様に高学歴の妻、そのどちらもが貧しい環境で育ったため、プアホワイト（白人低所得者）でさえ彼らに親近感をいだくことができたことです。

バラク・オバマは**フード・スタンプ**という（福祉の）助けを借りてテープ

バイレイシャル　「二つの人種」という意味。バラク・オバマの場合は、父親はアフリカ系黒人、母親は白人。

フード・スタンプ　米国で低所得者向けに行われている公的扶助の一つで、食料費を補助するもの。一九六四年のフード・スタンプ法の制定により本格的に開始。現在は正式には「補助的栄養支援プログラム」(Supplemental Nutrition Assistance Program＝SNAP)という。食料品限定のクーポン券として使う。タバコやビールなどの嗜好品（しこうひん）は対象外。

ルに並んだ食べ物を食べる気分がどういうものかを知っていました。ミシェル・オバマは、シカゴの貧困地域のサウスサイドにある、寝室が一部屋しかないアパートメントで育ちました。

二人は揺《ゆ》るぎない努力で成功しました。アフリカ系アメリカ人の人生に苦しみをもたらす怠《なま》け者とか、福祉依存者などといった根強い固定観念でこの二人を非難することはけっしてできないでしょう。

また、特別な状況もありました。二〇〇八年、評判の悪い**イラク戦争**にオバマは早くから反対し、存在を疑問視されていた悪名高い**グアンタナモ湾《わん》収容所**の閉鎖を約束したことが選挙民の心に強くひびいたのです。

しかし、もっと決定的だったのは、オバマによる〝細心《さいしん》の注意をはらった〟人種への取り組みです。大統領立候補前に出したベストセラーでも、選挙キャンペーンでも、オバマは人種特有の政策を支持していないことを明確にしていました。はっきりいえば、アメリカ社会にあるレイシズムの問題を回避したのです。

オバマは一貫して〝ユニバーサリスト（普遍《ふへん》主義者）〟政策を支持しました。

イラク戦争　ジョージ・W・ブッシュ大統領の米国が中心となり二〇〇三年からイラクで行われた軍事行動。「第二次湾岸戦争」ともいわれる。戦争にふみきる根拠だった大量破壊兵器が発見されないまま、イラク国内の治安悪化により長期化。二〇一〇年八月末にオバマにより戦闘終結宣言が出され、翌年一二月に米軍の完全撤退が完了した。

グアンタナモ湾収容所　グアンタナモ湾はキューバ東南部にある湾で、米国海軍の基地がある。米国の援助でスペインから独立したキューバ政府との取り決めで一九〇三年以来、米国がキューバから租借している。二〇〇二年、基地内にアフガン紛争やイラク戦争で拘束した人物を収容するキャンプが設けられた。二〇〇四年に、被収これは、以前の成功した党公認大統領候補が支持していた〝上《あ》げ潮《しお》はすべての船をもちあげる〟という概念にもとづいていました。

すなわち、すべての貧困環境の収入や全般的な環境が改善されれば、黒人にも利益があり、白人が犠牲《ぎせい》になっていると認識されることはない――これにより数世紀ものあいだアフリカ系アメリカ人が苦しんできたすべての不公平に対し、オバマにとことん復讐《ふくしゅう》されるかもしれないと考えていたかもしれない白人投票者を恐れさせずに済んだのです。

オバマは、怒《いか》れる黒人に対する白人の恐怖をとりのぞいたわけです。

その後、数々の賞を受賞した黒人ジャーナリスト、**タナハシ・コーツ**（Ta-Nehisi Coates）による、**オバマの在任時についてのとても重要な著作**のタイトルから借用すれば、〝政権の座にあった八年間〟が終わり、黒人の大統領が制度のなかでもっとも強力な位置から、ようやく自分たちの側《がわ》に立って戦ってくれるだろうというアフリカ系アメリカ人の望《のぞ》みは打ち砕《くだ》かれました。

もう一人、影響力の強いアフリカ系アメリカ人の知識人、**コーネル・ウェスト**（Cornel West）は、オバマをアメリカの黒人運動を衰《おとろ》えさせた、もう一

容者に対して米軍が拷問に等しい強制的な行為をしたとする赤十字国際委員会の報告書がリークされた。

タナハシ・コーツ（一九七五～）ワシントンDCにある「黒人のハーバード大学」ともいわれるハワード大学を中退後、ジャーナリスト・作家として活躍。《*Between the World and Me*》（邦題『世界と僕のあいだに』慶應義塾大学出版会）で米国で最高権威の文学賞の一つ〈National Book Awards〉（全米図書賞）などいくつもの賞を受賞。二〇一六年、タイム誌の選ぶ「世界でもっとも影響力のある一〇〇人」に選ばれた。

オバマの在任時についてのとても重要な著作　《*We Were Eight Years in Power*》（我々は八年間、政権の座にあった）のこと。

人の**新自由主義者**にすぎないと批判しました。
ワイズは二〇一〇年出版の著書で、オバマは〝ポスト・レイシャル（人種差別後）〟のアメリカというカラーブラインド神話を大きく広めたプロモーターだと糾弾《きゅうだん》しました。このポスト・レイシャルというフレーズは、白人解説者がさんざんふれまわったことばで、彼らは、オバマの当選によってアメリカは〝人種〟をのりこえてポスト・レイシャル時代に突入し、いまや黒人でさえ大統領になれる時代になったと述べました。
コーツ、ウェスト、ワイズによるオバマの批評には、その意見を支える証《しょう》拠《こ》に重みがあります。しかし、オバマが黒人の視点で人種問題をとりあげたとき、どうなったかも覚えておくべきでしょう。一つは、ゲイツ教授の逮捕は〝愚《おろ》か〟な行為だと述べたとき。もう一つは、ソーダの缶とスナック菓子しか手にしていなかったトレイヴォン・マーティンが射殺されたことについてオバマ大統領が公《おおやけ》の場で、自分に息子がいたらマーティンのようにみえていたかもしれないし、三五年前は自分自身もトレイヴォン・マーティンと似ていただろうと思いをめぐらせたときです。

邦題『僕の大統領は黒人だった――バラク・オバマとアメリカの八年』で慶應義塾大学出版会から刊行された。

コーネル・ウェスト（一九五三〜）アフリカ系米国人の哲学者にしてマルチな文化人としても知られる。著書多数。邦訳も多く、『人種の問題』（新教出版社 二〇〇八）、『民主主義の問題』（法政大学出版局、二〇一四）、『哲学を回避するアメリカ知識人』（未来社 二〇一四）、『コーネル・ウェストが語るブラック・アメリカ』（白水社 二〇一六）などがある。

新自由主義者 二五三ページ注「新自由主義」参照。

ゲイツとマーティンについての一連のことばは、どちらも、オバマに対して邪悪で悪意のある、おもに右翼のレイシストによる反発を誘発《ゆうはつ》しました。

これは、過去のレイシストの不正な行為を正《ただ》そうという意図を明確にした政策にもとづいて大統領選を戦っていたら、どうなっていたかをしめしています。オバマの見解は寛大なものでしたが、復讐しようと躍起《やっき》になる怒《いか》れる黒人をあらわすあらゆることばがオバマと結びつけられ、ラジオやテレビのトーク番組では、攻撃の先鋒《せんぽう》となった**ラッシュ・リンボー**や**グレン・ベック**から追及を受けました。

とりわけ、オバマの政策は奴隷制度の隔離と差別の〝埋《う》めあわせ〟を得ようとする隠れた試《こころ》みだと非難されました。当初、コーツはオバマを〝天才〟や〝白人のあいだにある人種についての懸念《けねん》をしずめる注目すべき能力がある〟と称《たた》えていましたが、いまでは〝人種を意識した〟大統領がけっきょくどういう帰結をむかえたかを理解しています。

〝上げ潮はすべての船をもちあげる〟という姿勢にもとづいた政策は、アフリカ系アメリカ人を助けますが、同じくらい白人の上昇志向も促進するとい

ラッシュ・リンボー（一九五一～二〇二一）米国のトークラジオショーのホスト。右寄りでタカ派、反リベラル、反フェミニズムで知られ、二〇二〇年二月の連邦議会の一般教書演説に招待された際にドナルド・トランプ大統領から大統領自由勲章を授与された。

グレン・ベック（一九六四～）米国の保守系のラジオパーソナリティ、コメンテーター。保守系複合メディア企業〈THE BLAZE〉を設立し、現在もオーナーを務めている。

う考えも吟味《ぎんみ》する必要があるでしょう。コーツが指摘しているとおり、証拠がしめしているのは、すべての梯子《はしご》が同じというわけではなく、〝「黒人種」の一員であるということから、特異的で定量可能な結果がもたらされることです。貧しい黒人は、梯子をのぼっていける可能性がずっと低いだけでなく、下に転落する可能性がずっと高いのです。〟

白人は、たとえば〝亡《な》くなった親の自宅やささやかな遺産、大好きな叔父《おじ》からの贈り物〟など何世代にもわたって蓄積《ちくせき》してきた富《とみ》をそなえていることが多いですが、中産階級の黒人は、たとえば〝投獄された父親、立《た》ち退《の》きをせまられた姪《めい》、妹の子どもを世話しなければならない母親など、世代にわたる負債《ふさい》をかかえていることが多い〟わけです。

しかし、白人もまた階級と性別によって分断されています。そのため、インターセクショナリティという概念《がいねん》を探求する必要があります。

Chapter

6

インターセクショナリティと〝暗《あん》黙《もく》〟あるいは〝無意識〟の偏《へん》見《けん》

〈人種〉〈階級〉〈性別〉は、一九八〇年代の社会学的分析では〝三《さん》位《み》一《いっ》体《たい》〟のものとして言及されることが多くありました。〈人種〉による不平等は、〈階級〉と〈性別〉の両方との関連で考える必要があることがはっきりしてきたからです。

白人労働者階級の男女は、同じ立場のエスニック・マイノリティよりも収入が高かったとはいえ、それでも、白人中産階級および上流階級の男女にくらべれば、やはり不利な立場でした。

中産階級の黒人は疑《うたが》いの目で見られ、白人の多い郊外でよく職務質問をされました。そういう場所に住んでいたのは大半が中産階級の白人男女です。

三位一体　父なる〈神〉、子なる〈イエス＝キリスト〉、そして〈聖霊〉がもとは一つのものであるというキリスト教の考えを三位一体〈Holy Trinity〉という。ここでは〈人種〉〈階級〉〈性別〉が三つでセットになっていることをいっている。

インターセクショナリティ研究

〈人種〉〈階級〉〈性別〉というこの〝**マントラ**〟が、現在は新しくある程度はほぼ別の分野といってもいい〝**インターセクショナリティ**〟研究という呼《よ》び名のもとでの研究につながっています。この研究の枠組《わくぐ》みには、年齢、身体や精神の障害、市民権も、多数派および少数派のコミュニティや個人に差別をもたらす影響があるという理解もふくまれています。インターセクショナリティ研究が最初にアメリカではずみをつけたのは、黒人女性が白人フェミニストたちに次のような意見を投げかけたときでした。

白人フェミニストたちは、黒人女性が社会的な相互作用において経済的な不平等、権力や威厳《いげん》という点でこうむっている不利な立場を無視しているのではないか——。

これは、それ以前の黒人女性活動家からも指摘されていました。たとえば、**ソジャーナ・トゥルース**（娘を連れて逃亡した奴隷。そのとき、ほかの子ども三人は置き去りにせざるをえませんでした）の〝私は女ではないのか？（Ain't I a

マントラ　サンスクリット語で「聖なることば」。本来は宗教にかかわる用語で、「真言」と訳されることも。口をついて自然と出てくる主張や信条のこと。

インターセクショナリティ　英語の《intersection》は「交差」「交差点」、《intersectionality》は「交差性」と訳すこともあるが、ふつうは「インターセクショナリティ」とカタカナで表記する。個人のアイデンティティが交差していくつか組みあわさることで生まれる優越感や劣等感を理解するときの考えかた。さらにそこから立ち上がる社会的な特権や、それが組みこまれた制度を分析する。

ソジャーナ・トゥルース（一七九七ごろ～一八八三）一九世紀アメリカの奴隷制度廃止論者にして、女性の権利を擁護・拡大する

woman?)〟という悲痛な叫《さけ》びは一九世紀半《なか》ばに発せられました。

その視点は、白人女性による〝第二波〟フェミニズムに対応して一九七〇年代から起こった黒人女性の活動にとりいれられていきました。インターセクショナリティ研究にとくに大きな影響をおよぼしたのは、二人の著名《ちょめい》な黒人女性研究者で活動家でもある、**キンバリー・クレンショー**（Kimberlé Crenshaw）と**パトリシア・ヒル・コリンズ**（Patricia Hill Collins）です。

コリンズは近年の共著で、インターセクショナリティ研究の基礎となる理念を以下のように定義しています。

〝社会的不平等という点では、ある社会での人びとの生活と権力組織は、人種や性別や階級といった社会的区分の一つの軸《じく》によって形成されているのではなく、それがいっしょになって作用し、相互に影響を与えあう多数の軸で形成されていると考えたほうが理解しやすい。インターセクショナリティを分析手段として考えれば、複雑な世界と複雑な自分自身にアクセスしやすくなる〟（〔傍点部の〕強調は著者〔ラッタンシ教授〕による）

運動の先頭に立った黒人女性。一八二七年にニューヨーク州が奴隷制度を廃止するまでに五人の主人に仕えた。同州で奴隷として生まれ、イザベラ・ボームフリーと名づけられたが、この世の「真実」を伝える「滞在者」という意味の「ソジャーナ・トゥルース(Sojourner Truth)」と改名。黒人の女性であることで二重の差別を受けてきた立場から〝私は女ではないのか?〟の一節で後世に伝わる演説を行った。

キンバリー・クレンショー（一九五九〜）米国の法学者。「インターセクショナリティ」という用語をはじめて使ったとされる。

パトリシア・ヒル・コリンズ（一九四八〜）インターセクショナリティの社会学的な発展に寄与した米国の社会学者。

変数　さまざまな値をとって変わる数量のこと。もとは数学用語で、最近はコンピュータ用語としても使われる。決まった値をいう「定数」に対することばで、数学ではアルファベットの***x***（エックス）や***y***（ワイ）などの文字であらわすことが多い。

〝相互に影響を与えあう〟という箇所《かしょ》を強調したのは、インターセクショナリティは〝追加していく〟方法では理解できないという事実を強調したかったからです。そのような方法では、どのようなケースの統計学的分析にも使える、それぞれ独立した〝**変数**《へんすう》（variables）〟のように、〈人種〉や〈階級〉や〈性別〉を組みあわせ、個人の収入や社会的地位や投獄の可能性などにその三つの要素がどれほど寄与《きよ》するのかを見きわめようとしても、うまくはいかないでしょう。

そのような追加していく方法では、〈人種〉と〈階級〉と〈性別〉がそれぞれ別々に発展し、それがのちに積み重なって個人に影響を与えているとの考えを前提にしています。しかし、〈階級〉は人種化されていますし、〈性別〉もしかり。また〈人種〉は階級や性別によって異《こと》なった影響を受けます。

これら三つの要素はすべて、最初の段階からあらゆるひとの人生を形づくるほどの影響を与えますし、さまざまなライフステージにおいて、またさまざまな社会、文化、人間関係、組織という文脈によって、そのときどきに変化する影響力をもっています。この過程を私は交差的相互形成（intersectionalinterformation）とよんでいます。

社会学者と活動家にはつねに相互作用があります。それは社会学者の一部は活動家でもあり、活動家のなかには社会学を研究している者もいるからですが、先に述べたように、彼らは年齢や身体や精神の障害とともに市民権にも重要な側面があることを認識していて、現在ではこれらも人びとの生活における交差的相互形成の特徴にふくめられています。

ほとんどのインターセクショナリティ研究がさまざまなバックグラウンドをもつ女性の状況に焦点をあてていることから、私は対照的にインターセクショナリティによってアフリカ系アメリカ人男性の状況がどのように明らかになるか、また労働者階級のアフリカ系アメリカ人男性の男性性《だんせいせい》〔男らしさ〕の形成について焦点をあてます。これは、ほとんどの研究が女性に関するものではありますが、男性の状況と生活史もインターセクショナリティというレンズを通して見なければ正確には理解できないことを明らかにするためです。

まずはエリック・ガーナーのケースを見てみましょう。

ガーナーは四三歳のアフリカ系アメリカ人男性で、二〇一四年に**スタテン島《とう》**の路上で違法にばら売りタバコを売っていたかどで逮捕《たいほ》されたとき、警官に絞《し》め技《わざ》をかけられ舗道《ほどう》で亡くなりました。この事件は録画されていてガーナーは一一回「息ができない」と言っていますが、警官はしばらくのあいだ絞め技をゆるめませんでした。

ところが、この警官は**大陪審《だいばいしん》**の法廷審問で不起訴が決定しました。この手続きと警官の告発は秘密裏《り》に行《おこな》われましたが、警官の弁護側から、ガーナーが危険なふるまいをしたために、警官はガーナーに恐怖心をいだいて自己防衛で行動したとの見解がしめされたであろうことは容易に想像がつきます。

ガーナーは労働者階級のアフリカ系アメリカ人男性で、どこから見ても危険とはほど遠い人物でした。じっさいガーナーは家族おもいで、ニューヨーク市公園レクリエーション局で庭師として働いていましたが、健康状態が悪化したため引退せざるをえませんでした。友人の話では寛大《かんだい》で親しみやすく、〝となり近所の仲裁役《ちゅうさいやく》〟でしたが、無許可でのタバコ販売がおもな理由で逮捕歴が数回ありました。ちょうど逮捕直前に喧嘩《けんか》をとめたところだったため、

スタテン島　米国東海岸、マンハッタンの南、ニューヨーク湾の入口の西側にある島。

大陪審　陪審制は市民が法律を身近に学び、その運用に直接たずさわる機会として市民教育の場であるというのが、それを採用している国ぐにで高らかにうたわれている。米国の場合、起訴すべきかを裁く「大陪審」と、具体的に起訴内容を審理・公判する「小陪審」に大別される。

あの運命の瞬間に警察の注意を引いたのかもしれません。

どういうわけでガーナーが危険人物に見えたのでしょう。これを理解するためには、アフリカ系アメリカ人の若い男性が共通して経験していることを分析しなければなりません。すなわち、死亡時のガーナーよりも若い男性です。下層階級（ある程度は中産階級も）の黒人のアイデンティティがどのように語られているかと、白人警察官の認識がどのようにつくられているのかをあわせて考えていくべきでしょう。

ここで、もう一人のアフリカ系アメリカ人男性の死が重要なヒントを与えてくれます。

トレイヴォン・マーティンは一七歳で、フロリダ州で母親と暮らしていましたが、その当時は父親といっしょに父の婚約者が住む同じ州のサンフォードにある**ゲーティッド・コミュニティ**を訪《おとず》れていました。

マーティンはジョージ・ジマーマンという混血のヒスパニック男性に射殺されました。ジマーマンはそのゲーティッド・コミュニティで自警団《じけいだん》のコーディネーターをしていました。マーティンの死以前にそのコミュニティで強《ごう》

ゲーティッド・コミュニティ　おもに防犯の意図から、周囲を塀で囲んで入口にゲート（門）を設置することで住民以外の人の内部への立ち入りを制限・管理する居住地域のこと。米国では一九九〇年代以降に増えた。「ゲート・コミュニティ」ともいう。

盗《とう》事件が何件か起こっていたためです。

マーティンは近所の店でスナック菓子を買ったあと、歩いて父の婚約者の家に戻《もど》るところでした。ジマーマンは自警団の見まわり中ではありませんでしたが、用があって車で出かけており、マーティンを見かけてサンフォードの警察に電話し、〝ひじょうに怪《あや》しげな男〟が表向《おもてむ》きは目的もなくぶらぶらしているが、ドラッグをやっているようで家のなかを覗《のぞ》いていると報告しました。ジマーマンは意味ありげに、その〝怪しげな男〟はパーカーのフードをかぶっている（当時、雨がふっていました）と告《つ》げ、警察に記録されているとおり、「ああいうろくでなしどもは、いつだって逃《に》げおおせるんだ（these assholes, they always get away)」と語っていました。

ジマーマンはその若い男が逃げていると報告しましたが、警察からはいまそちらに向かっているのでマーティンを追跡しないようにと厳《きび》しく言いわたされていました。ジマーマンはマーティンをつけるのをやめることに同意しました。しかし理由ははっきりしないのですが、二人のあいだで口論が起こり、ジマーマンはマーティンが滞在《たいざい》していた家から遠くない場所で、マー

第二級殺人罪　殺人罪の分類の一形態で、殺意があって故意で人を殺したが計画的ではないもの。米国の州法やカナダの刑法に規定されている。

ティンを射殺しました。ジマーマンは駆《か》けつけた警官たちに正当防衛だったと語り、実際に出血し、浅《あさ》い傷を負《お》っているようでした。

ジマーマンは事情聴取のため拘束《こうそく》されましたが、五時間後には釈放されました。警察署長の話では、射殺にいたった経緯に関するジマーマンの供述に疑問をはさむような証拠がなかったからということでした。

ジマーマンの裁判にいたるまでの経緯と法的な説明や目撃者の説明はあまりにも複雑なため、ここで詳述することはできませんが、黒人コミュニティで大きな怒《いか》りの声があがり、オバマ大統領までもがその議論に意見を挟《はさ》み、もし自分に息子がいたら〝トレイヴォンに似ていただろう〟と発言しました。

裁判の結果、ジマーマンは**第二級殺人罪**で無罪になりました。その後、オバマ大統領は記者会見を開き、黒人男性が不当に人種差別的な取り締まりを受けていると訴《うった》え、すでに前述したとおり、トレイヴォン・マーティンは〝三五年前の私であったかもしれない〟と述べました。

ＦＯＸニュースのキャスターであるジェラルド・リベラは、その〝不良の服装〟もジマーマンと同じくらい死の原因になったのだと主張し、それにつ

ラティーノ　中南米（ラテンアメリカ）諸国に文化的な接点を有する米国人をさすことば。女性の場合は「ラティーナ」になる。

ヒスパニック　二七ページ注参照。

人種プロファイリング　二〇一ページ注参照。

づけて〝黒人と**ラティーノ**の若者たちの親にはとくに、子どもたちにフーディ（フード付きパーカー）を着て外に出ないようにさせてほしい〟と発言しました。

ワシントン・ポスト紙とABCニュースが全国的に行った世論調査では、黒人アスリートのO・J・シンプソンの裁判中に明らかになった世論調査の結果と同様に、九割近くのアフリカ系アメリカ人が銃撃は不当だと考えていましたが、同じように考えている白人は三三パーセントしかいませんでした。

これがインターセクショナリティとどう関係するのでしょうか。

エリック・ガーナーは〈黒人〉で、〈男性〉で、〈労働者階級〉でした。この三つの要素が組みあわさって交わると、攻撃的で危険なアフリカ系アメリカ人男性というステレオタイプが形成されてしまうのです。

ロメロ（M. Romero）をはじめとして多くの人が指摘しているように、黒人や**ヒスパニック**の若い男性に対して行われる警察の**人種**《レイシャル》**プロファイリング**は、〝都会的な〟服装を強調しています。そのような服装にふくまれるのは、だぶだぶのジーンズ、Tシャツ、うしろ前にかぶった野球帽、そしてフーディです。このせいで、トレイヴォン・マーティンの銃撃へとつながる出来事が起きたのだと私は考えます。

私が強調したいのは、マーティンが〝フーディ〟を着ていたこと、そして、FOXニュースのキャスターなどが黒人とヒスパニックの若い男性の疎外感《そがいかん》と敵意と犯罪性の象徴としてフーディに焦点をあてていたことの二点です。

ロメロは、警察との接触（そこには私が交差的相互形成プロセスとよぶものがあります）によって、黒人とヒスパニックの男性性がいかにして形をあらわすかをしめした研究を引用しています。

ロメロが〝過度《かど》の男性性《だんせいせい》（hyper-masculinity）〟とよぶものは、黒人やヒスパニックの若い男性と警察官や保護観察官や拘留《こうりゅう》施設の権力者などとの〈人種〉〈性〉〈階級〉による差別的な接触のなかで生まれてきます。その後、その接触から、拘留された若者が〝本物の男〟の特徴を誇示《こじ》することが予想され、このタイプの男性性は危険な地域や刑務所で尊敬を集めるための一般的な生存戦略にもなっていきます。

これに加えて、アメリカ教育省のデータからは、黒人少年が容疑者として扱《あつか》われる頻度《ひんど》は白人少年の三倍（黒人少女は白人少女の六倍）になることがしめされています。さらに、黒人少年が退学になる頻度は白人少年の一〇倍であることをしめす証拠もあり、そうなると必然的に彼らが路上で過ごす時間が長くなり、警察と遭遇《そうぐう》する機会も増え、そのような相互作用が結果的に逮捕や拘留、犯罪歴へとつながって、それがまた雇用機会の妨《さまた》げなどを引き起こします。

ここから考えられるのは、黒人男性が何世代にもわたって不利な立場におかれてしまっているいっぽうで、過度の男性性というアイデンティティが彼らを危険な存在として扱うことを正当化してしまっているという〝制度的〟プロセスです。エリック・ガーナーとトレイヴォン・マーティンは、かならずしもそのようなプロセスに巻きこまれたわけではありませんが、彼らのふるまい、すなわち大柄《おおがら》な黒人男性による軽度の（暴力行為はまったくありませんでした）違法行為や〝黒人がフーディを着ていた〟ことによって脅威《きょうい》を感じさせる存在だと見なされたことは、交差的相互形成分析という方法でしか理解しえないでしょう。

黒人とヒスパニック女性の世代間不平等とステレオタイプもまた、交差的分析の枠組みでしか理解できません。その理由について詳《くわ》しく解説するスペースはありませんが、黒人女性アスリートのトップにいるテニス界のスター、**セリーナ・ウィリアムズ**（Serena Williams）の扱われかたに光をあて、彼女の性別がいかにして人種化されてきたかを理解してみましょう。

ウィリアムズは二〇一五年にグランドスラム・トーナメントで、**マリア・シャラポア**（Maria Sharapova）に二二回勝利していますが、ウィリアムズが広告契約で得た金額が一二〇〇万ドルだったのに対し、シャラポアは二九〇〇万ドルでした。

ウィリアムズはその筋肉質の体格のせいで、女性らしさに欠けるという攻撃を受けつづけています。ウィリアムズの成功は、驚異的なテニスの才能や懸命な努力の賜物《たまもの》ではなく、その〝女性らしくない〟体格によるものにすぎないとつねに論じられ、彼女が勝利したあと、ツイッターには人種差別的ヘイトスピーチの嵐が吹き荒れました。ロザンヌ・バーの〝猿の惑星〟コメントについてはすでに述べましたし、その発言はミシェル・オバマがつねにゴ

セリーナ・ウィリアムズ（一九八一〜）米国ミシガン州出身の女子プロテニスプレーヤー。一歳ちがいの姉ヴィーナスも女子プロテニス選手として知られる。

マリア・シャラポワ（一九八七〜）ロシアの女子プロテニスプレーヤー。その容姿からファッションモデルとしても活躍。二〇二〇年二月に現役引退を表明。

リラと比較されることにもつながっています。とくに古いタイプの人種差別的表現とジェンダーのインターセクションは、その女性の地位や業績がどうあれ、黒人女性をとらえて逃《のが》さないのです。

〈人種〉〈性別〉〈階級〉で不平等に差別化された、経済的関係、文化的関係、および力《ちから》関係が、いかに慣習化され受け継がれているかを理解するためには、インターセクショナリティという枠組みが不可欠です。ヒスパニック女性を例に挙げると、**女性政策研究所**（Institute for Women's Policy Research）の調査によって、二〇〇九年の白人女性の平均収入は、白人男性の七五パーセントだったのに対し、ヒスパニック女性の収入はわずか五二・九パーセントだったことが明らかになりました。

女性政策研究所　米国のシンクタンクで一九八七年に設立された。略称はＩＷＰＲ。

〝暗黙〟で〝無意識〟の偏見

黒人男性に話をもどすと、本章冒頭で述べたような、丸腰《まるごし》の黒人男性をアメリカ人警察官が撃《う》つ理由として、彼らの行動が黒人に対する〝暗黙《あんもく》〟で〝無意識〟の偏見《へんけん》によるものだという説明があります。

〝レイシズム〟ということばがこのような文脈で使われることはめったになく、それ自体が興味深いといえるでしょう。

二〇一八年四月一二日、二人の黒人男性が**フィラデルフィア**のスターバックスのある支店で、テーブルについて白人の仕事仲間の一人が来るのを待っていました。数分前、そのうちの一人が店内のトイレを使うことを拒否されていました。二人は注文を訊《き》かれたときはなにも注文せず、仕事仲間が来てから注文すると答えていました。店長はすぐに警察に電話し、警察が到着すると同時に白人の仕事仲間もやってきて、二人と会うために来たと述べ、仲間の話を裏づけました。

ところが警察は二人の黒人を逮捕し、手錠をかけ、拘置所に連行しました。逮捕の様子は、別の白人客が携帯電話で録画しており、その動画が拡散《かくさん》して、それを見た幅広い年代のアメリカ国民のあいだで怒《いか》りがわきおこりました。人びとはこの事件を、アフリカ系アメリカ人が直面しているアメリカのレイシズムの露骨《ろこつ》で典型的な事例とみなしたのです。

逮捕された二人の二三歳の男性は、それ以前にも警察から嫌《いや》がらせを受け

フィラデルフィア　米国東部にあるペンシルベニア州の州都で、独立当初、合衆国の政治的中心だった。《Philadelphia》はギリシア語で「兄弟愛」の意味する。名門私立大学のペンシルベニア大学がある。二〇一九年の国勢調査(推定値)では人口約一五八万人。

たことはありましたが、逮捕されたのは初めてでした。

二人はその先どうなるかわからないまま拘置所で数時間を過ごし、自分たちの逮捕劇がオンラインで大勢に見られ、怒りが広がっていることなど当然知りませんでした。

週末にそのスターバックスの店舗でデモがあり、全国的なスターバックスの不買運動《ボイコット》がよびかけられました。スターバックスの経営陣は謝罪し、全店舗に閉店を命じ、〝無意識〟の偏見に対処するための**多様性《ダイバーシティ》研修**（diversity training）を義務づけました。その後、同様のプログラムがカナダのスターバックスでも導入されました。

スターバックスのみならず、ほかの多くの企業や機関が〝無意識〟の偏見とよんでいるものは、〝暗黙〟の偏見ともよばれ、事実上その概念を専門用語として用いている社会心理学分野では、とくにそうよばれています。〝無意識の〟のレイシズムということばも使われていますが、あとで述べるとおり、社会心理学では〝レイシズム〟や〝レイシスト〟という用語を使いたがりません。

多様性研修　二八一ページ注「ダイバーシティ研修」参照。

〝ダイバーシティ研修〟ということばは〝偏見をなくす〟プログラムをあらわす際によく使われ、アメリカではダイバーシティ研修を提供する業界が数百万ドル規模の産業に成長しており、イギリスやほかの地域でも同様の現象が起こっています。ダイバーシティ研修は多くの民間機関および国家機関で必修《ひっしゅう》になっているのです。

二〇一八年一一月、イギリスでは、収監者をコミュニティ内に釈放するかどうかを決定する**仮釈放**《かりしゃくほう》委員会（Parole Board）に黒人の委員がいないことが発表されました。報告によると、委員長のキャロライン・コービーは、黒人の委員がいないことで、また委員会が採用したエスニック・マイノリティの人数が少ないことで〝無意識〟の偏見が作動《さどう》するのではないかと懸念《けねん》をいだいていると述べました。

同月、イギリス国民保健サービス（NHS）の黒人ITマネジャーで、キングス・カレッジ病院NHSトラストで働いていたリチャード・ヘイスティングスに、人種差別で受けた被害に対して一〇〇万ポンドの賠償金が支払われました。これは、内部調査の裁定で、ヘイスティングスが〝無意識〟の偏見の

仮釈放　収容期間満了前に条件つきで仮に釈放されること。

被害者になっていたことが明らかになったからでした（二〇一八年一一月二三日付のガーディアン紙による報道）。

二〇一八年一二月、ガーディアン紙は、委託《いたく》世論調査の結果にもとづいて、いわゆる〝無意識〟の人種的偏見がいまだになくなっていないことと、その影響に関する連載記事を報じました。一二月二日の記事で同紙は〝無意識〟で〝暗黙〟の偏見という概念をめぐる問題に真正面から取り組んでいますが、この記事を書いた科学担当記者ハナ・デヴリンは、この枠組《わくぐ》みに対する批判のなかには、指針となる概念としては不充分で、付随《ふずい》する理論的基盤をふくめ〝無意識〟の偏見を帯《お》びたプロジェクトをガーディアン紙の記者チームに実施しないようにさせるほどの価値がそなわっていないものもあるとみなしていました。

調査結果は「発見：イギリスにおける日常的な人種的偏見の明白な証拠」という見出しがつけられ、有益な読みものになっています。この世論調査では、エスニック・マイノリティ出身の人びと一〇〇〇人の経験が、同数の白人の経験と比較されました。ガーディアン紙によれば、〝この世論調査によって、無意識の偏見がイギリスに住む八五〇万人の黒人・アジア人・少数民族（ＢＡＭＥ）の人びとにネガティブな影響を与えているという懸念を裏づける包括的《ほうかつてき》な証拠がしめされた〟のです。調査結果のなかには以下のようなものがありました。

- この五年間でまちがって万引《まんび》きを疑われた人は、エスニック・マイノリティでは三八パーセント、白人では一四パーセントで、黒人や女性のほうが標的にされやすかった。
- 前月に万引きをしそうな人間として扱《あつか》われた人が、エスニック・マイノリティでは七人に一人いたのに対し、白人では二五人に一人だった。
- 前週に見知らぬ人から受けた暴言や無礼な態度がマイノリティでは二倍多く、調査の前月に自分に直接向けられた人種差別的発言を耳にしたのは八人に一人だった。
- 自分の髪《かみ》や服装や見た目によってちがう扱いを受けたと考えている人の率は、マイノリティのバックグランドを有する人では五三パーセントだが、白人では二九パーセントしかいなかった。

・エスニック・マイノリティの人びとの四一パーセントが、過去一年間に、自分のエスニシティのために、イギリス人ではないと思われたと述べた。

さらには、

・マイノリティの五七パーセントが成功するためには白人よりも努力が必要だと感じていて、四〇パーセントが自分の民族的バックグラウンドのせいで、収入が低かったり、雇用の見通しがよくなかったりすると答えた。

このような主観的な認識の多くは、人種的な偏見の結果をより客観的に測る尺度によって補完されています。BAMEの失業率は六・三パーセントで、三・六パーセントにとどまる白人の失業率よりかなり高くなっています（この統計結果は、前述の二〇一八年一〇月に入手したデータとは異《こと》なっています）。

スタンガン　暴力をふるう相手に電気ショックを与えて、自身の安全を図るための防犯用具。

テーザー銃　米国のテーザー・インターナショナル（現アクソン社）が発売しているスタンガンのブランド。ワイヤー針が射出される形式で、多数の死亡例が報告されている。

この数値は性別とエスニシティ別で分類されておらず、BAMEコミュニティ内の宗教的バックグラウンドもふくまれていないので、いかなる形であれ、インターセクショナリティ分析はできません。

別の客観的尺度によって、ロンドン警視庁が黒人に対しては白人の四倍も**スタンガン**や**テーザー銃**を使っていることが明らかになりました。これは黒人のほうがより危険であるという警察の思いこみからきているといわれています。

インターセクショナリティに関する考察のなかで私は、このような認識が自己完結するサイクルをまねき、白人にくらべて不釣り合いなほど多くの黒人が収監され、逮捕や警察による拘留のあいだに命を落とすことになりうることを検討しました。

ガーディアン紙は、黒人女性とエスニック・マイノリティの男性は、白人男性よりも運転免許試験に合格する率が低いという調査結果も伝えています。民族的な背景が個人の運転能力に影響を与えるという証拠はなく、これはまさしく人種的偏見が原因といえます。ガーディアン紙はそこまでふみこんだ分析はしていませんが、インターセクショナリティ分析が重要であることはまちがいないでしょう。データは、女性の合格率は一貫して男性よりも低いものの、そのいっぽうで女性ドライバーのほうが交通事故を起こす確率が低いこともしめしています。運転免許試験官の多くは、白人で男性です。

これらの事象や出来事の多くは、イギリスに制度的な人種差別が存在することを突きつけた**マクファーソン・レポート**が明らかにした〝無意識のレイシズム〟が引き起こしたように思えるかもしれません。ですが、かならずしもそうとはいえません。このあとで述べるように、〝暗黙〟や〝無意識〟の〝偏見〟という概念が前提とするものは、制度的、構造的な枠組み内にしっかり組みこまれているというよりも、むしろ歴史とは無関係で、個人的な傾向だからです。

そもそも〝暗黙〟や〝無意識〟の偏見とは、いったいなんなのでしょうか。〝暗黙のレイシズム〟ということばが使われることはあまりありません。〝偏見〟は人種差別よりも当たりさわりのない無難《ぶなん》な概念です。**社会心理学**（social psychology）の分野や〝**ダイバーシティ研修**〟（以下では括弧《かっこ》〝〟をは

マクファーソン・レポート　一九〜二〇ページ参照。

社会心理学　心理学の領域の一つで、社会活動や個人間の相互的な関係が個人に対してどのように影響するかを科学的に分析・研究する。

ダイバーシティ研修　人種や国籍・宗教から社会的性差（ジェンダー）や年齢・障害の有無や程度、さらには価値観などが人それぞれで多様であることを前提として、それを理解したうえで、お互いに尊重しあう考えかたを積極的に活用し促進するトレーニングのこと。

ファスト&スロー　この邦題は早川書房から刊行された日本語版のもの。

ずします）での使われかたにならって、私が便宜上《べんぎじょう》使う〝無意識の〟偏見という考えかたの基盤《きばん》は、ノーベル賞受賞者であるダニエル・カーネマンの著書『**ファスト&スロー**（*Thinking Fast and Slow*）』から火がついて広く知られるようになった概念にとても近いでしょう。

カーネマンによると、人がなにかを決めるとき、その認知《にんち》構造は、最初の段階では脳がより手軽に入手できる情報と直感にたよって、たやすく意思決定がなされるようにできており、次の段階になって、脳はようやく集中と熟慮《じゅくりょ》を必要とするもう一歩ふみこんだ情報を使い、よりじっくりと徹底的に考えたうえで決断を下《くだ》そうとします。

暗黙の偏見という概念をつくりあげた社会心理学者たちも同じように、たとえば、ある白人が（日常生活や、役員任命委員会で、または警察官として）黒人やほかのマイノリティに属《ぞく》する人物とはじめて出会ったとき、その脳は即《そく》座《ざ》に直感モードに入り、いわば脳の収納庫のなかで手っとり早く利用できるステレオタイプをあてにするのだと論じます。

そのあと、さらにじっくり考えたうえで、ステレオタイプをくつがえす判断がなされるかもしれないし、なされないかもしれません。

もし、じっくり判断されることがなければ、白人であるその個人は、ステレオタイプにもとづいて行動する可能性が高くなります。

判断材料としてすぐに利用できるステレオタイプがネガティブなものである場合（そして実際、白人が支配的な社会では、とくに黒人についてはポジティブなステレオタイプよりもネガティブなステレオタイプが多いことがわかっているのですが）、その白人の反応はネガティブなものになり、仕事をオファーするときであれ、警備員が黒人の買い物客を見かけたときであれ、警官がパトロール中に若い黒人男性に出会ったときであれ、軽微《けいび》な交通違反で車をとめるかどうか判断するときであれ、黒人に理不尽《りふじん》な扱《あつか》いをする可能性が高くなります。

〝無意識の〟偏見の研究においては、ハーバード大学の社会心理学者であるマーザリン・R・バナージとアンソニー・G・グリーンワルドが著《あらわ》した『**心の中のブラインド・スポット**――善良な人々に潜《ひそ》む非意識のバイアス（*Blindspot: Hidden Biases of Good People*）』が重要な参照基準となります。

心の中のブラインド・スポット
この邦題は北大路書房から二〇一五年に刊行された日本語版による。副題の「非意識」ということばが目をひく。

アメリカとイギリスにおける警官の職務質問の統計は、前述のとおり、若い（しばしば見るからに中産階級の身なりのよい、ブリーフケースを携《たずさ》えた）黒人男性に対してでも、ずいぶん異《こと》なった扱いがなされることをしめしています。

先に紹介したハーバード大学の**ヘンリー・ルイス・ゲイツ教授のケース**は、専門職で知的な話しかたをする上位中産階級の中年黒人男性に対してでさえ、アメリカでは無意識の偏見が影響をおよぼすことをしめす典型的な例です。

社会心理学者たちは、オンラインで受けることができる《潜在《せんざい》連合テスト》（IAT＝implicit association test）を考案しました。このテストで被験者《ひけんしゃ》は次々とあらわれるさまざまな画像に反応することを求められます。

はじめのうちは白人や黒人とは関係のない画像が現れますが、テストがすすむにつれて黒人に対してネガティブな、白人に対してポジティブな反応がとられがちな画像へとすすんでいきます。

いまや民間か公共かを問わず多くの組織において〝暗黙〟で〝無意識〟の人種的偏見を弱める効果があると考えられている多様性認識プログラムとして、IATテストが義務づけられるようになっています。スターバックスの

ヘンリー・ルイス・ゲイツ教授のケース　二二三ページ参照。

経営陣が店舗を閉鎖し、すべての従業員にダイバーシティ研修を受けるよう求めた一例からもよくわかるように、〝無意識の〟偏見という概念と、それを矯正《きょうせい》するとされるダイバーシティ研修は、黒人やマイノリティの人たちに対する明らかな差別があったときに、ほとんど条件反射のように行われる対応として根づきつつあります。

暗黙の偏見という概念には、しっかりした理論的な土台があるわけではありませんが、そのことを批判的に分析する前に、無意識の偏見という概念にもとづいたダイバーシティ研修の有効性についてのエビデンスに目を向けてみましょう。**ジョナサン・カーン**（Jonathan Kahn）が著《あらわ》した『脳内人種——暗黙の偏見が人種間の平等への取り組みに与えている誤解（*Race on the Brain: What Implicit Bias Gets Wrong About the Struggle for Racial Justice*）』や、ほかの著者による多くの出版物にうまくまとめられている研究から得たエビデンスによると、ダイバーシティ研修は人種的偏見と闘《たたか》うツールとしてはきわめて効果が低いようです。

しだいに明らかになってきているダイバーシティ研修の欠陥《けっかん》について、研

ジョナサン・カーン　エール大学、カリフォルニア大学バークレー校、コーネル大学などで教鞭をとり、現在はノースイースタン大学教授。

究者たちが浮《う》き彫《ぼ》りにしている問題がいくつかあります。

研修プログラムは、ただビデオを観《み》るだけのものから、ロールプレイングをふくむ六時間の授業までさまざまで統一されていませんし、従業員たちは強制的に受けさせられる研修を嫌《いや》がり、暗黙の偏見について、なに一つ学ぼうとしないことが多いのです。

ビデオの内容や、より長時間の研修内容は、参加後数日で、悪くすれば数時間で忘れ去られます。しかも人種差別的なものの見かたが矯正《きょうせい》されるとはかぎらず、より強固なものになることも少なくありません。

さらに偏見がいたるところにあると強調することで、受講生がそれを都合《つごう》よく解釈し、偏見を表《おもて》に出したり、偏見が存在するという証拠によって自己強化サイクルが正当化されたという認識をもつ場合もあります。多くの場合、受講生も組織もこうした研修をただ義務的にこなすべきものとしかとらえず、フィードバックを得たり、研修の効果を検証したりといった取り組みは行われないのです。

このことをしめす例として研究者がよく引き合いに出すのが、二〇一五年に起きたテキサス州の警官エリック・ケースボルトの事例です。

彼はさまざまな分野のダイバーシティ研修を受け、人種プロファイリングについてのセミナーにも参加していましたが、そのすぐあとにプールサイドのパーティで口論をしていただけの一〇代の黒人女性に激《はげ》しい暴力をふるう様子が動画に撮影されました。彼が起訴されることはありませんでした。

これはほんの一例で、批判的研究としてほかにも多くの事例研究が文献で報告されています。

ＩＡＴテストや、ダイバーシティ研修プログラム、そしてそれらを擁護《ようご》する社会心理学者の研究のなかでレイシズムが言及されるときの歯切《はぎ》れの悪さは、その広範な概念上の前提に欠陥があり、レイシズムがどのような役割を果たしてきたかについての歴史的／制度的／社会的な理解が欠けている証拠です。そういった欠陥や欠如は、批評家たちによって明らかにされてきました。

〝無意識〟の偏見に関する研究における重要な問題は、人種的偏見をほかの偏《かたよ》り、たとえば、地元のスポーツチームを応援するといったような偏りと同じようにとらえている点です。しかしこれは、奴隷制やホロコースト、ジム・クロウの人種隔離法などの研究によって明らかにされているレイシズムの悲惨な歴史を完全に過小評価し矮小化《わいしょうか》するもので、白人優位の社会で白人市民が日常的に口にしてきたあからさまな人種差別的な物言いを取るに足りないものとみなすことにつながります。

さまざまな文化や慣習のなかに何世代にもわたって組みこまれてきた構造的、制度的なレイシズムに目を向ける代わりに、IATテストやダイバーシティ研修では、偏見をたんなる個人の先入観や過《あやま》ち、すなわち不合理な病理とみなし、ダイバーシティ研修で治《なお》すことができるものと考えています。

このことは、心理学や社会心理学での〝先入観〟の研究において以前からより広い問題とされてきており、第四章でふれた『偏見の向こう側（*Beyond Prejudice*）』という本のなかで詳《くわ》しく検討されています。

また、IATテストの結果の測定技術が絶対視されるいっぽう、その結果が実際にはなにを意味し、なにを明らかにしているのかが充分に理解されていないという問題もあります。こうして、社会心理学の分野におけるIAT

カラーブラインドネス　肌の色で差別しないということ。

テストやダイバーシティ研修の推進派、そして急成長するダイバーシティ研修産業は、自分たちの測定技術によって、いかにレイシズムが解消されつつあるかを明らかにし、その結果、いつアファーマティブ・アクション・プログラム（積極的格差是正措置《かくさぜせいそち》）が必要でなくなるかにづいて、科学的な根拠を提供できるものと確信しています。

ジョナサン・カーンが指摘しているとおり、このような確信は、あらゆる反レイシズム教育の目標は**カラーブラインドネス**であるという見解にもとづいています。すなわち、反レイシズムのゴールは、個人が他者を中立《ちゅうりつ》の立場で扱うときに達成されるというわけです。

しかし、この見解が浮《う》き彫《ぼ》りにしているのは、ＩＡＴテストの推進者たちは、白人が黒人に接するときに相手が白人であるかのようにふるまうことを理想としているということです。そしてそれは、このような変化によって公平な競争の場が生みだされることを前提にしています。

ところが、そういう考えは、黒人や、その他のエスニック・マイノリティが、たとえば上司や警官という立場の白人と出会うなかで、さまざまな人種差別を経験してきたという大事なポイントを見落としています。

会社の上司や大学の進路指導官は、むしろ、自分と対面している人が多くの場合、恵《めぐ》まれない環境で子ども時代を送り、より少ない人材のもとでより質の低い教育を受け、面接を受けても幾度《いくど》となく落とされたり、そもそも人種でふるいにかけられて面接を受けることさえ叶《かな》わなかったりといった経験をのりこえてきた人物なのだということを理解する必要があります。

実際のところ、白人性は、いっそう強化された標準的な前提となり、暗黙の偏見に関する研究の根底にある理論的基盤に深く埋めこまれています。

ジョナサン・カーンは、スターバックスでの一件が発生した時点ですでに『脳内人種』を出版していたのですから、二〇一八年四月二三日にミネアポリスの日刊紙スター・トリビューンのコラムで〃スターバックスの一件がしめすのは、暗黙や無意識の偏見などではなく、人種差別そのものだ〃と主張したのは当然のことでしょう。

カーンはまずこう問いかけています。

〃なぜスターバックスの店員は、友人を待っているところだと説明している、なんの問題も起こしていない二人の男性らを不法侵入者と決めつけ、警官をよんで排除しなければならないという思いに駆《か》られたのか？〟

さらにこう問《と》うています。

〝なぜ警察は大勢で駆《か》けつけ（動画を見るかぎりでは七人の警官がいました）二人に手錠をかけて逮捕までしたのか〟

カーンは次のように、きっぱりと痛烈に結論を下《くだ》しています。

> 動画に映っていたほかの客たちは、一連の出来事をただ見ていた。だからといって、レイシストだと咎《とが》められ〝暗黙の偏見矯正プログラム〟に参加させられることはなかった……
>
> この出来事はたんに、ひとにぎりの無知な人たちの誤《あやま》った〝無意識のステレオタイプ〟を映しだしているのではない。むしろ、公共の場所に人種による境界線や序列があることを警察権力で思い知らせようとしたという、より大きな制度的、構造的な問題を浮かびあがらせている……

ダイバーシティ研修は、ここ何十年かのあいだに年に数十億ドルを叩《たた》きだす産業になってきた。それは自己啓発セミナーのカリスマ講師のように、自分は偏見のない
よりよい人間になるために努力しているのだという満足感を受講生に植えつける。

カーンはこう付け加えてもいます。

〝ダイバーシティ・マネジメントは……職場でのマイノリティの発言力を増《ま》したり、スターバックスであったようなことが起こる頻度《ひんど》を減らしたりすることよりも、企業を訴訟から守ることに貢献《こうけん》している〟

イギリスの仮釈放《かりしゃくほう》委員会の議長をはじめ、人種差別は暗黙または無意識の偏見の産物と信じている人や、それを矯正するのがダイバーシティ研修だと信じるすべての人は、このことに注目する必要があるでしょう。前述のガーディアン紙の分析は、〝無意識の〟偏見という概念のうえに成り立っていますが、ダイバーシティ研修についてては、ちらりとふれただけで論じては

いません。

とはいえ、無意識の偏見という概念をベースにした、イギリスのガーディアン紙のような研究がしめす証拠にはあまり意味がないと片づけてしまってはいけないでしょう。むしろ、そういった研究は、構造的／体系的な人種差別についての分析結果を補完してくれます。

たとえば、ガーディアン紙による人種的な偏見の説明は、〝日常のレイシズム〟ともよばれるもののなかで、とくに〝**マイクロアグレッション**（微細《びさい》な攻撃）〟にスポットライトをあてるのに役立ちます。

これにあたるのは、路上や公共交通機関での人種差別的な態度や、サッカー選手にバナナの皮を投げつける行為、さらには、ひんぱんに万引きを疑《うたが》われる（人種にかかわらず、男性よりも女性がこの影響をより多く受けます）といったマイノリティが経験する数えきれないほどの差別であり、黒人やヒジャブを身につけた女性の隣《となり》にすわることを余儀《よぎ》なくされたときに一部の白人がしめす居心地の悪そうな様子もこれにあたります。

二〇一八年一二月八日のガーディアン紙に掲載されたエスニック・マイノ

マイクロアグレッション　見えにくく「あからさま」でない差別がどのような重大な結果をもたらすかについて、くわしく解説し、その対処法まで論じた邦訳書として、コロンビア大学のデラルド・ウィン・スー教授の著書『日常生活に埋め込まれたマイクロアグレッション』（明石書店、二〇二〇）がある。

リティからの投稿は、彼らがイギリスで日常的かつ継続的に経験している差別の一端を垣間《かいま》みせてくれます。以下に紹介するのは、BAMEの読者から送られた数多くの投書から選んだものです。

私は某《ぼう》有名衣料品店で働いていて、店長が履歴書《りれきしょ》をチェックするのを隣《となり》に立って見ていました……彼女〔店長〕は自分にとって馴染《なじ》みのないファーストネームの履歴書をすべて除外していました。最終的に候補に残ったなかにイギリス系以外の名前をもつ人はだれもいませんでした。もともと応募者の半数以上がアジア系やアフリカ系の名前だったにもかかわらずです。私はひどく嫌《いや》な気分になりましたが、異《い》議《ぎ》を唱《とな》える立場にないと感じたので、なにも言えませんでした。

私が英語の教師をしていると白人に話すと、かならずといっていいほど、私が白人の子どもに英語を教えることなどありえないということを次のようなことばでしめしてきます。「それって、セカンド・ラ

BAME　二二二ページ参照。

ンゲージ（第二言語）としての英語ということ？」暗《あん》に、「あなたのような見た目の人が英語を教えられるのか？」と言っているのです。同僚の白人教師がそのような質問をされることはありません。

百貨店で買い物をするのは好きではありません。警備員にあとをつけられた経験があるからです。手にとった品物を買うだけの収入は充分ありますが、どうしても百貨店に行く必要があるときは、あとをつけられないように、大きなバッグは持っていかないようにしています。

次に紹介するのは、複数のルーツをもつイギリス生まれのガーディアン紙の記者、アフア・ヒルシュが書いた二〇一八年一二月二日の記事からの抜粋《ばっすい》です。ヒルシュの著書『**Brit(ish)**』には、ほかにも数多くの事例が紹介されています。

「人種差別」は、善意《ぜんい》から出た礼儀正しいイギリス式のふるまいに

Brit(ish)　厳密には「グレートブリテン島の人びと」となるが、《Brit》も《British》も日本語の「イギリス人」といった意味合い（一一四ページの注も参照）。このタイトルで二〇一八年に電子書籍が先行して刊行され、その後ハードカバーの単行本が出された。副題は《On Race, Identity and Belonging》、直訳すれば「人種、アイデンティティおよび帰属意識」。

よって、隠《かく》されたものに進化をとげたのだろうか。私が〝あの質問〟とよんでいるのは次のようなものだ。

「出身はどこ？」そして、いかにもエキゾチックな国の名前がルーツとして挙げられるまで質問はつづく。

また、ある友人は親切にもこう言う。「あなたはいいのよ、だってあなたのことは黒人だと思っていないから」

さらに同僚から噛《か》んでふくめるように言われたこともある。「ぼくはレイシストではないけれど、もしきみが白人なら仕事の契約は更新《こうしん》されなかっただろうね」……

著書でも書いたが、地元の大通りにある高級店に行ったときのことを思い出す……そのとき私が言われたのは、「入店はご遠慮《えんりょ》ください。黒人の若い女性は万引きをしますから」だった。

彼女の本のなかでもとりわけ印象的なのは、まったく似ていないにもかかわらずミシェル・オバマと、しょっちゅうまちがえられるというエピソードです。もっと笑えない話は、オックスフォード大学在学中に、カレッジの**ポーター**から本当にオックスフォードの学生かを確認するために何度も身分証明書の提示を求められた経験です。オックスフォード大学やケンブリッジ大学のかなりの数の黒人学生がこうした屈辱的《くつじょくてき》な扱いを受けたと語っています。

日常のレイシズムは、アンドリュー・スミスの『レイシズムと日常生活（*Racism and Everyday Life*）』やフィロミナ・エスドの『日常のレイシズムを理解する（*Understanding Everyday Racism*）』、複数の書き手による著作集『良《よ》き移民（*The Good Immigrant*）』のなかでわかりやすく説明されています。

二〇一八年一二月、イギリスの平等人権委員会は、イギリスの大学に通っている黒人や人種的マイノリティの学生たちが直面している膨大《ぼうだい》なレイシャルハラスメントについての調査にのりだしました。

報告された事例を一つ挙げると、**ノッティンガム・トレント大学**の学生であるジョー・ティブナンは、同じ大学に通うルファロ・チサンゴに五〇〇ユーロの賠償金を支払わねばならなくなりました。それは人種差別的なこと

ポーター　英国の伝統のある大学内で、出入口の管理や学内の安全管理、設備のメンテナンス、郵便の仕分けなど、さまざまな職務にあたる職員。名門大学のポーターは英国でも人気のある仕事で、正面玄関わきにあるポーターズロッジとよばれる小部屋が与えられる。

ノッティンガム・トレント大学　英国中部、ノッティンガムにある国立大学。トレント・ポリテクニック（のちのノッティンガム・ポリテクニック）として一九七〇年に創立し、九二年の法改正によって大学となった。英国有数の、学生数の多いマンモス校の一つで、三万人前後の学生が在籍している。

ばを連呼していたところを撮《と》られた動画が拡散したあとのことでした。彼が連呼したことばは、「オレたちは黒人が大嫌い」でした。

イギリスの高等教育をとりあげたついでに、二〇一八年一一月に大学カレッジ経営者協会によって、黒人男性の大学職員は、同年代で同程度の学歴をもつ白人教員より平均して約一三パーセント、報酬《ほうしゅう》が低いことが明らかにされていたことにもふれておいたほうがいいでしょう。

第一章で私は、ガーディアン紙が情報公開請求をした結果、イギリスの大学に存在するかなりの程度の人種差別が明らかになったと伝える記事を引用しました。日常的にくりかえされる人種差別の例と、生活のさまざまな場面でエスニック・マイノリティに不利益があるという厳然《げんぜん》たる事実を並べることで、日常のレイシズムと、構造的・体系的な人種差別の組みあわせが、エスニック・マイノリティの不利益を〝固定〟していることがわかります。

アメリカメディア界の重鎮《じゅうちん》で、テレビ司会者の**オプラ・ウィンフリーがスイスで受けた扱《あつか》い**は、黒人であるかぎり、どれだけ富《とみ》や名声があろうとも、そのことが知られていないときには、日常のレイシズムから身を守ることが

オプラ・ウィンフリーがスイスで受けた扱い　オプラ・ウィンフリーは米国のマルチタレント。自身の名前を冠したトーク番組『オプラ・ウィンフリー・ショー』の司会者として知られる。二〇一八年末調べのフォーブスの「アメリカでもっとも裕福なセレブリティ」で堂々の三位に入ったが、その生い立ちは性的虐待被害やローティーンでの妊娠出産など苦労が多かった。奨学金を得てテネシー州

できないことをよくあらわしています。たとえセレブであろうと、ほかの黒人と同じ人種差別を経験するのです。

スイスの政府観光局は、オプラが興味をもったバッグを、店員が見せることを拒否したという告発を受けて、オプラに謝罪することを余儀《よぎ》なくされました。店員が見せなかった理由は〝高価すぎる〟からでした。オプラがなおも見せてほしいと言うと、店員はこう応じました。「だめだめ、あなたが見てもしょうがないわ……とても高くて、あなたには手が出ないもの」

オプラ・ウィンフリーは億万長者で、そのバッグは三万八〇〇〇ドルでした。

立大学で学ぶかたわら高校生時代からラジオに出演、やがてボルチモアやナッシュヴィルのテレビ局でアンカーマンとなった。俳優としてもテレビドラマや映画に多数出演し、アカデミー助演女優賞にノミネートされたこともある。二〇一三年、訪問先のスイスでブティック店員から本文にあるような差別的な扱いをされ、そのことをテレビで発言したところ、スイス政府観光局が謝罪するなどの国際的な騒動になった。

Chapter 7

右翼政党のナショナル・ポピュリズムの台頭《たいとう》とレイシズムの今後

本書の第一版は二〇〇六年に執筆しました。その後、二〇〇八年に**大不況**《だいふきょう》が起こり、そのあと**緊縮財政**《きんしゅくざいせい》政策がとられ、貧《まず》しいコミュニティがとくに大きな打撃を受けました。そして、国際化と脱産業化がすすみ、ヨーロッパとアメリカの町や都市の空洞化《くうどうか》がさらにすすみました。

ナショナリスト的な反応を促《うなが》すこのような状況には、熟練《じゅくれん》技能や専門技能を有《ゆう》する経済移民や、未熟練の合法および非合法労働者など、どんどん増える移民の影響も加えるべきでしょう。

さらに、西欧の壊滅的《かいめつてき》な介入の結果、または、たんに増加していく人口を養《やしな》えるほど充分にすばやく国が発展できないことによって、より貧しい国

大不況　「グレート・リセッション」とも。二〇〇七年の米国での住宅バブル崩壊をきっかけに発覚し騒がれはじめた「サブプライム住宅ローン危機」と、翌〇八年の「リーマン・ショック」による世界金融危機に起因する大規模な経済的衰退のこと。

緊縮財政　歳出(政府支出)の削減や増税などで政府の財政規模を縮小させることで財政赤字や財政の不均衡を小さくすること。失業者が増えたり、

国民全体の消費が落ちこんだりといった痛みがともなう。

難民危機　二〇二〇年の時点で世界には八〇〇〇万人以上の難民がいるとされ(国連難民高等弁務官事務所＝UNHCRの調べ)、そのうち、もっとも多いのは、長引く内戦の影響下にあるシリアの人たちだという。

極端な安全保障化　「安全保障化」はデンマークの国際政治学者オーレ・ヴェーヴァが提唱した概念で、「安全保障問題化」、あるいは英語のまま「セキュリタイゼーション」とも表記される。安全な社会を保障してほしいという一般市民の期待にこたえる形で国家による治安維持の取り締まりが行きすぎると、かえって市民生活が窮屈になったり、多様性が失われたりすることは過去の歴史が

家が崩壊して生じる〝**難民危機**《なんみんきき》〟という現象の増加もふくめなければなりません。

多くの難民が内戦や貧困から逃《のが》れるために危険な旅を敢行《かんこう》し、その末にヨーロッパの岸辺やアメリカの南部の国境にたどりつきました。すると、そこにいわゆる〝先住民保護主義者《ネイティビスト》（nativist）〟の反発の土壌《どじょう》が生まれました。

イスラムのテロリズムは、その国の出身であれ、他国から入ってきた者であれ、イスラム教徒の少数派によって行われているのにもかかわらず、西欧諸国では国家機構の**極端な安全保障化**が行われ、これによってヨーロッパとアメリカのイスラム教徒集団全体が、恐怖と悪魔化とさらなる人種化の恰好《かっこう》の標的にされるようになりました。これは第四章のイスラモフォビアについてのセクションで述べたとおりです。

これらの傾向は、右翼急進党への支援と新しい右翼急進党の結成急増につながりました。これは、世界全体が経験しているとされる右翼〝**ポピュリズム**〟の増大をしめす現象の一つで、けっして西欧に限ったことではありません。たとえばフィリピンやブラジル、トルコ、インド、そしてある程度は

オーストラリアでも、それぞれ独自のバージョンの右翼ポピュリズムの広がりがみられます。

もちろん、左翼政党バージョンもあります。たとえば、スペインの**ポデモス**（Podemos）や、アメリカの〝**ウォール街を占拠《せんきょ》せよ**（Occupy Wall Street）〟運動、**バーニー・サンダース**の民主社会主義を求める運動などがみられ、イギリスではみずからを〝**モメンタム**（momentum）〟とよぶ運動との組みあわせにより、若者層に労働党への支持が大きく高まっています。

しかし、この結びの章で行《おこな》う分析では、おもに右翼の過激なポピュリスト政党に焦点をしぼりたいと思います。

なぜなら、これらの政党は人種とレイシズムにおいて最大の脅威《きょうい》をもたらし、その重要性を減弱《げんじゃく》させるどころか、来《きた》る数十年間に、ヨーロッパとアメリカの政治において、いっそう重要な人種化の原動力になりうるからです。

〝ポピュリズム〟という概念を考察する

このように成長をつづける右翼急進政党の研究者は、これらの運動と政党

教えるところである。

ポピュリズム　一般大衆の利益を守ることをスローガンにして大衆の支持をとりつけ、既存の体制側やエリート層、知識人などに批判的な主張をする政治スタンスのこと。否定的な意味合いから「大衆迎合主義」と訳されることもある。

ポデモス　反エスタブリッシュメント、欧州懐疑主義を掲げるスペインの左派ポピュリズム政党。党名は「我々はできる」の意。

ウォール街を占拠せよ　たんに「オキュパイ」運動ともいわれる。二〇一一年九月からニューヨークのウォール街において発生した、政財界への一連の抗議運動。

バーニー・サンダース（一九四一〜）　バーニーは愛称で本名はバー

ナード。米国の政治家。二〇一六年の大統領選では民主党予備選挙でヒラリー・クリントンに、二〇二〇年の大統領選挙ではジョー・バイデンに敗れた。

モメンタム　現代の英国の若者による代表的な草の根組織で、インターネットやSNSを利用したイベントを行い、おもに労働党支持層に広がりをみせている。

を記述し分析するのに、ふさわしい概念は〝ポピュリズム〟であるという意見には、まったく同意していません。けれども、より幅広《はばひろ》いパブリックな議論に参加している研究者や人びとのあいだでは、〝ポピュリズム〟はこれらの右翼的な運動や右翼政党、その政党のイデオロギーを理解するための最初の枠組みとして、いまのところこれ以上適したものはないというコンセンサスが高まりつつあるようです。

もっともシンプルなポピュリズムの概念は、カス・ミュデ（C. Mudde）とクリストバル・ロビラ・カルトワッセル（C. Kaltwasser）によってしめされています。それは〝腐敗《ふはい》したエリート〟に対し〝純粋な人民〟を対抗させることによってエスタブリッシュメント〔支配層または既存体制〕や現状を批判するポピュリスト運動です。これは明らかに〝道徳的〟な主張ですが、イデオロギーとしての枠組みはうすいでしょう。

というのは、この運動では支持者がはっきり特定されないからです。

この運動が形づくる人民とエリートという構図は、驚くほどさまざまな要因に影響を受けるばかりか、歴史的な特異性にも左右されます。

すなわち、腐敗したエリートに裏切られたと主張する人民の真の声や意志をその運動が代弁することを可能にする、特定の歴史や環境が必要になるのです。したがって、ポピュリズムはどうしても、モリノー(M. Molyneux)とオズボーン(T. Osborne)が〝混合型《ハイブリッド》〟とよんだものにならざるをえません。

なぜならそれは、さまざまな突出したイデオロギーの要素を利用して人びとが共感できる視点を構築する必要がありますし、また人びとはその国で行われている政治制度に沿った複合体《ふくごうたい》に縛《しば》られていることがあるからです。

たとえば、比較的頑健《がんけん》な国家でリベラルな民主主義制度がある国では、ポピュリストはそのイデオロギーを加減して、民主主義の基準をあまりおおっぴらに侵《おか》さないようにせねばならず、このために多少〝毒抜《どくぬ》き〟をして、やや、あるいは大きく、中道《ちゅうどう》へ寄る必要があります。**マリーヌ・ル・ペン**のもとですすんだフランスの国民戦線(現・国民連合)の進化がその一例です。反セム主義を弱くし(その代わりに、もっと人気のあるイスラモフォビアに置き換えたのですが)、街頭での暴動も抑制《よくせい》されました。

いっぽう、リベラルな民主主義制度の保持が弱まっているハンガリーでは、

マリーヌ・ル・ペン(一九六八〜)フランスの政治家、弁護士。フランスの政党である国民連合の第二代党首。同党初代党首のジャン＝マリー・ル・ペンの娘。

ヴィクトル・オルバーンが〝非リベラルな民主主義〟の必要性を主張し、その方向への移行を公然と宣言しました。これによって、野党との自由な政治的結びつきなど多元的な制度の名残《なご》りはますます影を潜《ひそ》め、マスコミによる反対意見の表明は制限されました。また、大学などの機関は監視下に置かれ、与党への反対意見を弱めるように威嚇《いかく》されました。さらに、オルバーンは長くつづいている文化的な潮流を刺激して、あからさまな反セム主義を肥《こ》やす土壌《どじょう》をつくりました。

ポピュリズムの共通した側面はほかにもあります。それは指導者の**カルト化**傾向で、これは指導者が死亡したり、なんらかの方法で深刻に信用が落とされたりしたときに影響を受けやすくなります。したがって、これらの多くの運動は短命です。また、指導者のカルト化は独裁《どくさい》主義をまねきやすく、指導者自身が〝人びとの意志〟の象徴であることを宣言する誘惑《ゆうわく》に駆《か》られやすくもなります。さらに、左翼バージョンでは概《がい》して、堕落《だらく》したエリートに対する〝汚《けが》れなき人民〟という比較的シンプルなバージョンを保持していますが、右翼バージョンはスケープゴートとして第三の要素を生じさせる傾向が

ヴィクトル・オルバーン（一九六三〜）ハンガリーの政治家。一九九八年から二〇〇二年まで首相に就任し、二〇一〇年からふたたび首相となっている。なお、ハンガリーでは日本と同様に通常「姓／名」の順で記すため、それにならえば「オルバーン・ヴィクトル」と表記するのが正しい。

カルト化　「カルト」はもともとは「儀礼」や「儀式」「祭典」の意味だったが、現在はもっぱら犯罪や常識はずれの行いをする反社会的な集団をさす否定的な意味合いで使われる。そういう反社会的な集団になることが「カルト化」である。カリスマ指導者と、それに妄信し、つきしたがう人びとで構成される。なお「カルト」には派生的に、一部の人に熱烈に受け入れられる映画を「カルト・ムービー」というような使われかたもある。

あります。そして、移民やその他のエスニック・マイノリティが恰好《かっこう》の標的にされ、たとえば不相応な福祉補助金を得ているというような形で、勤勉《きんべん》な現地住民に寄生《きせい》する者として描写《びょうしゃ》され、さらにエリートたちは、その援助の対象としてもっとふさわしい真の〝人民〟の利益に反して寄生虫のような他者と積極的に共謀《きょうぼう》していると非難されます。

その他のバージョンでは、エリートたちはゲイやレズビアン、フェミニストその他の〝家族中心の価値観〟に背《そむ》いている者たちに対し、あまりに寛大《かんだい》だと非難されます。そのようなケースではエリートたちは〝都会的《メトロポリタン》〟であるとか、あまりに〝国際的《コスモポリタン》〟すぎるなどと評されます（コスモポリタンということばは、反セム主義ということばと同じくらい長い歴史があります）。

右翼ポピュリズムは大半の場合、内部の敵を警告することで恐怖を煽《あお》る政治です。また、遺恨《いこん》と怒《いか》りの政治でもあります。さらに、エリートたちがあまりに長いあいだ人びとのことばに注意を払ってこなかったという感情を構築するか結集させるかして、長年鬱積《うっせき》していた感情と不満を解《と》き放たせます。

かくして、ポピュリストは〝物言わぬ大衆《サイレント・マジョリティ》（silent majority）〟という概念を生じさせます。このことばは**リチャード・ニクソン**大統領が効果的に用《もち》いて、その後アメリカやイギリスその他のヨーロッパの国でくりかえし利用されました。もう一つ無視される〝**道徳的な大衆**《モラル・マジョリティ》(moral majority)〟**という概念**がありますが、これも右翼のポピュリストによってかきたてられる概念です。

また、ポピュリストは複雑な問題に安易な解決案を提案する傾向があります。この例では、重要な政策プログラムの代わりに便利な代案としてスケープゴートが提供されます。すなわち、移民が減りさえすれば、あるいは、欧州連合のような国境をまたいだ組織から脱退しさえすれば、〝人民の問題〟は解決に向かうと提案するのです。

右翼のポピュリズム――二〇一九年のヨーロッパの簡潔で選択的な調査

フランスでは総選挙で国民戦線が得票率の一三パーセントを占《し》め、フランス下院である国民議会の八議席を獲得し、マリーヌ・ル・ペンは大統領レースの次点候補になりました。

オーストリアでは**自由党**★1が総選挙で二六パーセントの票を獲得し、現在は

リチャード・ニクソン（一九一三〜一九九四）米国の政治家で、第三七代大統領。在任期間は一九六九〜七四年。「ドル・ショック」とよばれた通貨危機への対応や、突然の訪中と国交回復などで後世に「ニクソン・ショック」ということばを残した。七二年に対立候補に大差をつけて再選されたものの、いわゆる「ウォーターゲート事件」の責任をとる形で任期半ばで辞任。

〝道徳的な大衆〟という概念 一般大衆はみずからの宗教に対してより道徳的（モラルを保っている）と強調することで、一部の権力エリートを不道徳（インモラル）であると決めつける考え。

自由党（★1）オーストリアの極右政党で、〝ポピュリズム的傾向としてEU懐疑主義、反

圧力をかけられて右にシフトした**オーストリア人民党**とともに連立政権を担《にな》っています。

ドイツでは〝**ドイツのための選択肢**（Alternative for Germany）〟という政党が得票率一二・六パーセントを獲得し、連邦議会で九四議席を占めています。

スイスでは**スイス国民党**が連邦議会で六五議席を獲得して最大政党となり、オランダでは**自由党**★2が二〇議席を獲得し、第二党になりました。**デンマーク国民党**は二〇一五年の総選挙で得票率二一パーセントを占め、欧州議会選挙では得票シェアを二七パーセントまで増やしました。**スウェーデン民主党**は得票率一七パーセントを超え、六二議席を獲得しました。フィン人党《じんとう》（Finns Party――以前は「**真**《しん》**のフィンランド人**（True Finns）」という名前で知られていました）は総選挙で一八パーセントの票を得ました。

ハンガリーの**フィデス**（Fidesz）は一九九議席中一三三議席を獲得し、ギリシアでは〝**黄金の夜明け**（Golden Dawn）〟という政党が総選挙で七パーセントを獲得し、イタリアでは本書執筆時点で、**同盟**《レーガ》党と**ベッペ・グリッロ**が

移民、反ムスリムを掲げる。略称は《FPÖ》。一九五六年結成。

オーストリア人民党　「オーストリア国民党」とも。中道右派ないし保守政党。略称《ÖVP》。一九四五年結成。

ドイツのための選択肢　ドイツの右派政党。二〇一三年設立。ドイツ語では《Alternative für Deutschland》で、略称《AfD》。

スイス国民党　スイスの保守政党。一九一七年創立の「農民・職人・市民の党」が前身。

自由党（★2）オランダの政党。イスラム移民排斥、トルコのEU加盟反対のいっぽうで、男女平等促進、同性愛の権利拡大も掲げる。略称《PVV》（オランダ語の Partij voor de Vrijheid の略）。二〇〇六年結成。

率《ひき》いる〝五つ星運動（Five Star Movement）〟党が与党連合を構成しています。ノルウェーの**進歩党**は第三党で、中道右派の連立政権を構成しています。

これらの政党は、すべてが同じ政治基盤から派生《はせい》しているわけではありません。ノルウェーの進歩党のように**リバタリアン**、税金削減、小さな政府プログラムを掲《かか》げている政党もあれば、デンマーク国民党のように福祉を強く支持しているが、その対象とみなすのは真の現地住民か長期間市民であった者に限られているものもあります。

右翼ポピュリストといっても、グローバリゼーションと欧州連合についての政策はさまざまです。

このおおざっぱな調査からでさえ、本書の第一版が出版（二〇〇七年）されてからの一二年間で、右翼ポピュリストが東西を問わずヨーロッパ全体で台頭《たいとう》し、すぐには消えなさそうな気配を感じることができます。それどころか、安定した存在になる可能性が高く、おそらく今後、政治的・文化的な重要性が増していくでしょう。

デンマーク国民党　「デンマーク人民党」とも。たんに「デンマーク党」ともいわれることもある。一九九五年結成。近年の躍進により閣外から政策決定に影響力をもち、存在感を増している。

スウェーデン民主党　白人至上主義運動により一九八八年に設立されたスウェーデンの右翼政党。略称《SD》。

真のフィンランド人　一九九五年結成。民族主義、EU懐疑主義を掲げるフィンランドの政党。一九九五年結成。

フィデス　正式には「フィデス＝ハンガリー市民同盟」。ソ連邦の衛星国だった東ヨーロッパ諸国で共産主義体制が次々と倒された、一九八八年の東欧革命の直前に設立。九八年の選挙で勝利して、ヴィクトル・オル

〝四つのD〟

右翼急進党ポピュリストの方針や政策には一貫性がないものの、それらすべてを一つに括《くく》って、おおまかに説明する枠組みをつくることは可能でしょうか。そして、そこにブレグジットやトランプ現象をふくめることはできるでしょうか。**ロジャー・イートウェル**と**マシュー・グッドウィン**（R. Eatwell and M. Goodwin）が、そのような枠組みを説明する図式を提案し、それを〝四つのD〟という公式で表現しました。

　この公式には欠陥があるものの、枠組みとしては有用で、とくに彼らが（右翼の）〝ナショナル・ポピュリズム〟とよぶものの高まりにともなって生じたレイシズムの程度の評価を提案している点が画期的です。

　四つのDとは、

- パワー・エリートに対する不信（distrust）
- 国家としての文化とアイデンティティの崩壊（destruction）
- 相対的な欠乏《けつぼう》（deprivation）
- 有権者と主流政党とのあいだの脱編成《だつへんせい》（dealignment）

バーン政権（三〇五ページ注参照）を発足させるも、その後いったん下野したが、二〇一〇年の総選挙で勝利し、政権を奪回した。《Fidesz》は「青年民主同盟」の略。

黄金の夜明け　支持者による移民排斥運動で知られる、ギリシアの極右政党。一九八五年結成、二〇一二年に国政進出。

同盟　イタリアの右派政党で二〇一八年から党名をイタリア語《Lega》に変更。それまでは「北部同盟（Lega Nord）」だった。同年の選挙で、新たに国民第一主義を掲げて躍進。

ベッペ・グリッロ（一九四八〜）イタリアのコメディアン。企業家で政治運動家のジャンロベルト・カザレッジョともに二〇〇九年に「五つ星運動」を立党。

をさします。

とはいえ、私が思うに、イートウェルとグッドウィンがナショナル・ポピュリズムとよぶものと、それを説明している部分は、それなりに価値があるものの、彼らのレイシズムの理解には大きな欠陥があります。

この欠陥は、私がずっと異議を唱《とな》えてきた、レイシズムのある種の理解不足にまつわるすべての欠陥をしめしています。と同時に、ヨーロッパやアメリカでの右翼のラディカリズムや〝ナショナル・ポピュリズム〟の台頭という背景を考慮《こうりょ》して、私が賛同してきた別の分析形態がなぜレイシズムの未来を理解するのに望《のぞ》ましいのかという理由もしめしています。

イートウェルとグッドウィンは、ナショナル・ポピュリスト政党の爆発的な成長を理解するには、二〇〇八年の大不況や最近の難民に関する社会的パニックよりも、長い歴史的な背景を考慮する必要があると強調しています。

これはもっともな話です。オーストリア人民党は、その起源が一九五〇年代後半ですし、もう一つ例を挙げるなら、フランスの国民戦線が創設されたのは一九七二年です。それらの政党の一部はファシストにルーツがあり、た

進歩党　ノルウェーの右派・リバタリアン政党。一九七三年に創設された「税金と公的介入を強力に縮小するためのアンネシュ・ランゲの党」が前身で、七七年に進歩党に改称。

リバタリアン　経済的自由だけでなく、自己ですべてを決定する個人的自由をも重視する考えかたを「リバタリアニズム」（日本語では「自由至上主義」などと訳される）といい、そのような主張をする人を「リバタリアン」とよんでいる。ちなみに共和党と民主党の二大政党制の米国には、少数政党ながら《Libertarian Party》（一九七一年に創設。「リバタリアン党」「自由主義者党」「自由党」と訳されることもある）という政党がある。

ロジャー・イートウェル　バース大学名誉教授。専門は政治学。

とえばスウェーデン民主党とフランスの国民戦線はその古典とさえいえる例です。

それでも、一九九〇年代以降に、数多くのナショナル・ポピュリスト政党のはなばなしい成長と有権者のそれら政党への支持の拡大がみられ、ときには選挙で有利になるために日和見《ひよりみ》主義的な理由だけで、以前のファシストとしての起源が無視されました。イートウェルとグッドウィンによると、急進的な右翼のナショナル・ポピュリズムのこのような隆盛《りゅうせい》は、四つのDの激化によって生じているといいます。

一つめのDは、リベラルな民主主義国家で政治的な支配力を強めるエリートの権力と健全性に対する不信感（distrust）の高まりをあらわします。そのようなエリートは、中・上流階級という小さな集団からどんどん生まれていきます（たとえば、イギリスでは私立学校《プライベート・スクール》や**オックスブリッジ**で教育を受けた者、フランスでは**グランゼコール**の卒業生など）。政治以外のなんらかの経験がある人は、ますます少なくなっているようです。

マシュー・グッドウィン（一九八一〜）英国のケント大学教授。

オックスブリッジ《Oxbridge》八〇〇年以上の歴史をもつ、英国のオックスフォード大学とケンブリッジ大学をまとめた造語。

グランゼコール　フランスの名門の高等教育機関の総称で、現在二二九校が加盟している。《Grandes Écoles》というフランス語は直訳すれば「偉大な学校」となるが、日本語では「高等専門大学校」と表記されることもある。

政治の専門化　政治家の子どもが政治家になる、いわゆる「二世議員」がいまの日本で当たり前になっているが、世襲議員の増加も一種の政治の専門化といえる。

これは一部には**政治の専門化**が理由であり、またピーター・オーボーン(P. Oborne）が〝政治階級《クラス》の勝利〟とよぶものの増加のせいです。あるいは、それに追加して、政治のエリートたちは大半の有権者よりもずいぶん裕福です（西側の政府内閣の多くは、大富豪が不相応《ふそうおう》な割合を占めています）。

アメリカでは、選挙で公職に就《つ》くために費用がかかることから、政治クラスは寄付やロビー活動や特別なアクセスを得ることのできる裕福な特別利益団体から恩恵を受けることになります。そのいっぽうで、労働組合は骨抜《ほねぬ》きにされ、市民団体は排斥《はいせき》され、一般市民は無力感にさいなまれています。

スペインやギリシアなどの国では、政治的エリートおよびビジネス界のエリートの堕落《だらく》はその土地を特徴づけるものとして有名ですが、そのせいで信用も損《そこ》なっています。

いっぽうイギリスでは、議員がかかわるスキャンダルの代償《だいしょう》として、どのような種類であれ、政治家はみな〝同じ〟で〝自分のために政治に参加している〟にすぎないという、すでにはびこっている考えがさらに強まっています。市場《マーケット》志向の政策、ネオリベラル政策にすっかり心を奪《うば》われた、以前の左翼社会民主主義者と中道右派とが類似してきたことによって、一般市民は政策の選択の幅《はば》がせまくなったという感覚を強めました。

しかも、それらの政策の大半は、富裕層にとって好都合なものなのです（たとえば、低い税金や、以前は公営だったサービスの民営化、株主の権力と短期的な儲《もう》けへの要求、銀行がしめす権力と貪欲《どんよく》さ。それが二〇〇八年の不況とその後の地元の公共団体のための緊縮財政をまねいたいっぽうで、銀行家たちの特別手当という文化は発展しつづけました）。

二つめの〝D〟は、イートウェルとグッドウィンに選ばれた挑発的なことば、破壊（destruction）です。

これは、移民と急速な民族的変化によって、大切にしてきた国民のアイデンティティと、馴染《なじ》みのある文化的な特徴が消えてしまうのではないかという恐れが一般市民のあいだに広がることをしめしています。

アーリー・ラッセル・ホックシールドの著作タイトルにもなっている〝自分たちの国でよそ者になる〟ように感じるという概念は、ポピュリストの国家主義者がよく耳にし、飛びつく嘆《なげ》きです。ナイジェル・ファラージは、現在急速に力を増してきたブレグジット政党の党首ですが、かつて電車のなかで英語以外の言語が聞こえてきたとき、落ち着かない気分になったと訴《うった》えました。これは、国際化、移民、そして〝民族の撹拌《かくはん》〟に直面した人がしばしばいだく無力感を要約した表現であり、二〇〇四年以降、ポーランド人やハンガリー人その他の東ヨーロッパ人がイギリスへ移住しはじめてから、とくにイングランドの人びとがいだいてきた不快感を代弁しているともいえます。

くりかえしになりますが、乳母《うば》や庭師を頼《たの》んだり、私立の病院や教育施設や国際的でグローバルな生活様式をとりいれる余裕のある人びとや雇《やと》い主《ぬし》にとっては、安い労働力が好都合ですが、〝物言わぬ大衆《サイレント・マジョリティ》〟は、公的サービスの乱用、慣《な》れ親《した》しんだ地元の生活や習慣の衰退、生活水準や雇用見込《みこ》みの低下などの影響を感じてきました。

怒りや遺恨《いこん》は、昔ながらの国のアイデンティティが消えていくことに対する恐怖の重要な結果であり、筋のとおった議論を行い民衆扇動《せんどう》に反対してきた与党の力は、人びとをひきよせるには不充分です。

※この図は原著にはないものです。

スコットランドはEUにとどまるほうを投票で選んだ　日本語で「イギリス」または「英国」とよばれている国の正式名称が「グレートブリテンおよび北部アイルランド連合王国（United Kingdom of Great Britain and Northern Ireland）」《略称：UK》であることは、日本のたいていの地図帳にのっているが、連合王国を構成するスコットランドが「グレートブリテン（大ブリテン：GB）」という島の一部ではあっても「ブ

このような状況では、ほかの場合と同じく、歴史に適合した推進力がつねに働いています。ドーリングとトムリンソン（D. Dorling and S. Tomlinson）は、説得力をもって、とくに帝国の喪失《そうしつ》によって重大な打撃を受けたイングランド人は、いまや欧州連合で支配力を発揮しているドイツやフランスのように、かつての敵とともに協力しあって投機的事業の比較的小さなプレイヤーになるよりも、かつての偉大さを回復して世界を導くという役割を懐《なつ》かしみ、その影を引きずっていると主張しました。

この文脈では、北部アイルランドと**スコットランドはEUにとどまるほうを投票で選んだ**ことに留意《りゅうい》しておくべきでしょう（とはいえ、ウェールズは僅《きん》差《さ》で脱退に票を入れた人が多数でした）。つまり、ブレグジットの最大の支持者はイングランドなのです。

三つめの〝D〟はマジョリティが感じる相対的な欠乏（relative deprivation）です。これは、不平等な社会のなかで、集団のなかのほんのひとにぎりが非常に大きな報酬《ほうしゅう》をかっさらいつづけていることをしめしています。

リテン（B）」ではないと主張していることを知っている日本人は少ない。NPO法人 日本スコットランド交流協会のホームページには、「ウェールズ＋イングランド＝ブリテン」（W＋E＝B）で、「ブリテン＋スコットランド＝グレートブリテン」（B＋S＝GB）との説明がある。スコットランド人が国家（UK）より大きな枠組み（EU）に留まることを望んだのは、伝統的な反イングランド精神のあらわれであり、また、イングランドと微妙な距離を保ちたい熱意の差が、北部アイルランドおよびスコットランドとウェールズの投票結果の差に反映しているともいえる。

社会民主主義　暴力をともなう革命や革命勢力による独裁を否定し、議会の手続きを通してゆるやかに社会を変えていく社会主義の考えかた。

多くの西欧諸国では、一パーセント対九九パーセントというスローガンが社会に満ちあふれました。とくに若者は、自分たちの親が享受《きょうじゅ》している保障や繁栄が失われつつあり、雇用不安だけでなく、住宅などほかの領域でも不安定な状況を感じています。

雇い主は労働市場でより大きな権力を有し、公共サービスは削《けず》られ、たとえばイギリスでは公営住宅ストックの縮小、図書館やユース・クラブ、子どもの保育施設など地域の快適な生活を支える公的な援助資金の減少につながっています。

ここでは〝相対的（relative）〟ということばが重要な意味をもちます。トランプの選挙基盤など、ナショナル・ポピュリズムの支持者の多くは、社会の最貧層の出身者ではなく、アメリカの民主党やヨーロッパで**社会民主主義**の政党に投票しない傾向の人、または投票する傾向の人、いずれをもふくみます。

ナショナル・ポピュリズムのもっとも強力な支持者のなかには、仕事があり平均的あるいは中程度の収入がある人びともいますが、移民と社会的な接触が非常に少ない比較的富裕な年金受給者もいます。また、ナショナル・ポピュリズムは、税負担の減少、**縮小国家**（a shrinking state）、職場での健康と安全保護基準の緩和《かんわ》、労働者の雇用条件と首切り《くびき》条件の緩和などの**ネオリベラル**な方針をすすめる機会を提供するので、雇い主からも支持されています。

最後の〝D〟は脱編成（dealignment）のDです。

これは主要政党への支持がますます不安定になり、党員数も減少している状況をしめしています。

西欧の社会民主主義政党は、重大な局面に立たされています。というのは、右翼のナショナル・ポピュリストが、労働者階級とともに、社会民主主義を支持する都会のエリートから自分たちの不安を蔑《ないがし》ろにされていると感じているいわゆる〝置《お》き去《ざ》りにされた人びと（left behind）〟の主張を支持しているためです。とはいえ、注意しておかねばならないのは、反移民感情と労働者階級の投票パターンによって、とくに以前はリベラルな社会民主主義であった政党をふくむすべての主流政党が移民を厳《きび》しく制御する方向に舵《かじ》を切

縮小国家　国家の役割を小さくする「小さな政府（limited government）」とほぼ同義。

ネオリベラル　新自由主義的ということ。ネオリベラリズムは「新自由主義」ともいい、オーストリア生まれの経済学者で哲学者のフリードリヒ・ハイエクにその淵源をみる。二五三ページ注「新自由主義」参照。

学位レベルの教育　「学位」は大学などで一定の教育課程の修了した者に授与される「博士」「修士」「学士」などの称号のこと。それらを与えられる程度の教育ということで、ここでは大学や大学院など高いレベルの教育のことをいっている。

り、全体として非自由主義的な政策へすすむ傾向にあることです。

なかでも、多文化主義への試《こころ》みを捨て、移民やその子孫が国民へと（またはムスリムの場合は、より広い意味での〝西洋的〟価値観へと）〝一体化〟する必要性が強調されるようになってきています。

ナショナル・ポピュリズムの支持者と、とくに**学位《がくい》レベルの教育**を受けて新たな多民族国家、コスモポリタン、グローバル化した世界を居心地よく感じる人びとという両者のあいだにある重要な境界線として浮上しているのが、〈学歴〉です。学歴が低くなればなるほど、ナショナル・ポピュリズムを支持する割合がずっと高くなるのです。

また、右翼ポピュリズムに賛同している多くの時事解説者は、次の二点を主張しています。まず実際のところ、ポピュリズムは幅広い有権者からの支持を集めているため、左派と右派という区別をあいまいにすること。さらに、彼らがうったえる政策（とくに以前は左翼や社会民主主義者の支持基盤の一部であった傾向が強い労働者階級の不安にもっと注意を払う政策）が、いまや右翼のナショナル・ポピュリストによって擁護《ようご》されていることです。

ナショナル・ポピュリズムと将来のレイシズム

イートウェルとグッドウィン（R. Eatwell and M. Goodwin）は、〝ナショナル・ポピュリストの一部がレイシズムとゼノフォビア、とくにムスリムに対する嫌悪《けんお》へと方向を転じているのはまったく疑《うたが》いの余地《よち》がない〟と認めています。しかし二人は、ナショナル・ポピュリストの支持者の大半はレイシストではないので、人種差別という批判はそれらの支持者の怒《いか》りを蓄積《ちくせき》させると主張しています。

とはいえ、イートウェルとグッドウィンはレイシズムをせまく限定的に定義しており、レイシズムの複雑さと微妙なニュアンス、とくにイングランドを例にするなら、〝国民《ネイション》〟の概念や帝国時代への郷愁《きょうしゅう》との関連性を完全に誤解しています。彼らは、明確なレイシスト（少数派というのが彼らの見かたです）と非レイシスト（多数派）という二区分をつくりました。

彼らの概念上の用語では、これは集団を〝階級的かつ敵対的〟に特徴づけることを正当と考えている〝旧式〟の〝あからさまなレイシスト〟とは別のものとしてしめされています。〝文化的レイシズム〟という概念には賛同し

デイヴィッド・キャメロン（一九六六〜）保守党所属の元・下院議員、元・英国首相。首相就任時わずか四三歳。二〇一四年、スコットランド独立の是非を問う住民投票で連合王国の分裂の危機を回避したが、一五年に前年の二倍以上の難民が殺到した欧州難民危機をうけた翌一六年の欧州連合（EU）離脱をめぐる国民投票で過半数の国民が離脱に投じる結果になり、残留派であることで首相を引責辞任、政界も引退した。

サッチャー以降の英国首相
（C＝保守党／L＝労働党／☆＝女性）

1979〜	M. サッチャー（C☆）
90〜	J. メージャー（C）
97〜	T. ブレア（L）
2007〜	G. ブラウン（L）
10〜	D. キャメロン（C）
16〜	T. メイ（C☆）
19〜	B. ジョンソン（C）

※この表は原著にはないものです。

ていますが、この用語は彼らの分析のなかでは無視されています。それは〝制度化されたレイシズム〟も〝暗黙の偏見〟も同じです。

イートウェルとグッドウィンはこれらの概念を拒否する理由として、それらの概念をとりいれると、〝多数の白人と社会制度がレイシスト〟（強調は著者）にふくまれてしまい、それによって〝きっと人びとを遠ざけ、怒りさえ引き起こす可能性がある。それらは移民とイスラム教についての重要な議論を抑圧《よくあつ》する可能性がある〟といっています。

これは印象的な告白です。

別のことばでいえば、本書で推奨《すいしょう》している枠組《わくぐ》みに従《したが》い、文化的レイシズムと制度化された（および構造的な）レイシズム、イスラモフォビア（彼らの著書では、このことばは一回しかでてきません。しかもそれは元イギリス首相**デイヴィッド・キャメロン**のことばを直接引用した部分です）などの概念をまじめにとりいれると、大多数の白人がレイシズムの網《あみ》に引っかかってくることになります。それはなぜなら、イートウェルとグッドウィンが人種化などの概念を理解していないからです。

また二人は、〝国民〟という概念が〝人種〟と密接につながっていることも理解できていませんし、一般的な言説《ディスコース》のなかで〝人種―国民―エスニシティ〟がくりかえし統一感なく互《たが》いの領域に入りこんで複雑な三和音《わおん》を形づくることも、文化的レイシズムと制度化された構造的レイシズムがレイシズムの現実的な形態であるとの考えも、イスラム教に対する敵意は（すでにしめしたとおり）生物学的・文化的レイシズムに変化しうるとの見解も、さらには〝ナショナル・ポピュリズム〟とレイシズムのあいだに厳然《げんぜん》とした区別を維持しうることも、いずれも理解できていません。

同様に二人は、ヨーロッパとアメリカで存在しているレイシズムの規模をはなはだしく過小評価しています。

別の表現でいうと、レイシズムに関する私の分析を受け入れるなら、また、彼ら自身の告白によっても、これらの社会は充分に人種化されており、自分自身のことをレイシストと訴《うった》えられることによって怒りをおぼえる多くの人びとは、自己認識と、レイシスト的な考えと習慣を再評価せざるをえなくなるでしょう。

私の論拠（とイートウェルとグッドウィンの無意識の見解）の裏づけは、フレムメンとサヴェッジ（M. Flemman and M. Savage）によって行われた人種差別的な態度についての徹底的な研究から得られます。この研究は一九五八年に産まれた小児の一グループを追跡調査したイギリスの全国小児発育研究（British National Child Development Study）をふくむ広範な研究の検討にもとづいています。彼らの分析は、おそらく大多数のイギリスの集団がもつ反レイシストの見解は〝あいまい〟または〝弱く〟て、〝レイシストの方向へ引っぱられる可能性〟があることを明らかにしています。

　とはいえ、これがブレグジット国民投票で離脱票を投じることにつながった一つの説明となるかというと、そこには議論の余地があります。とくに離脱キャンペーンのさなかとその後、そのいずれにおいても離脱キャンペーンが離脱投票者の大半によってあらわされた反移民感情を刺激したことを考慮《こうりょ》すると、なおのことです。

　イートウェルとグッドウィンと似た主張を行っているのが、〝人種的な利己心（racial self-interest）〟とレイシズムとのあいだであやふやな区別をするカウフマン（E. Kaufman）のような人や、白人性の擁護はレイシストではないと主張しているデイヴィッド・グッドハート（D. Goodhart）などがいます。

こういう主張をする理由の一つは、白人の支配する社会で白人のために組みこまれた、利益を生みだす構造的なレイシズムという事実を無視しているところにあります。さらに、白人と黒人はいずれも人種化されたカテゴリーであるという点も抜け落ちています。こういうわけで、本書で多くのページを割《さ》いて、私はそれらを考察しているのです。

人種的な**コノテーション**はとりのぞくことが可能であり、人種的にニュートラルに扱《あつか》いうるという提案は意味がありません。

もっといえば、**ミリ・ソン**（Miri Song）が主張しているとおり、かたやエスニック・マイノリティ側のレイシスト的行為にみえるもの（や黒人の自己弁護というほのめかし）と、かたや白人レイシストの行為と人種的な利己心、この両者のあいだには〝人種的な同等性〟はありません。エスニック・マイノリティが著《いちじる》しく不利な立場に置かれている白人優位社会においては、白人の利己心を維持する行為は、エスニック・マイノリティを組織的に差別し

コノテーション　一四四ページ参照。

ミリ・ソン　ケント大学の社会学教授。

ている現状を支持する行為です。バンブラ（G. Bhambra）は次のように書いています。

〝グループの感情を表明している少数派と多数派のちがいは、少数派の感情が**《包含《インクルージョン》》と《平等》**への願い（a wish for inclusion and equality）**という文脈《コンテクスト》**（context）から生《しょう》じているのに対して、多数派の感情は**《除外《エクスクルード》》と《支配》**という願い（a wish to exclude and to dominate）**の結果《コンシークエンス》**（consequence）であるという点である〟

（括弧《　》部分の強調は原著者による）

《包含》と《平等》…という文脈
《除外》と《支配》…の結果
印象的な対句表現であるため、あえて一文のなかで改行を加え、参考までに原文の英語を括弧内にしめした。

〝先住民保護主義《ネイティビズム》〟という用語は、ポピュリズムに関する政治学の文献でよくみられますが、一皮《ひとかわ》むけば根底にあるのは人種化の感情であり、白人が優位な社会では、〝ネイティビズム〟がさす先住民《ネイティブ》はエスニック・マイノリティではありません。このディスコースでの真のネイティブは〝白人〟の国民なのです。

ネイティビズムは非人種的概念であるという考えは、まったく信じがたいことです。この概念は〝人種－国民－エスニシティ〟複合体と私がよんでいる一連のものにふくまれます。

イートウェル、グッドウィン、カウフマンとグッドハートが、ヨーロッパやアメリカの人口のうち、教育をろくに受けていない〝どうにかやっている〟人びとを主流政治は置き去りにしているという主張をするかぎり、私は彼らにいくらかなりとも共感を覚えます。しかし、人口のその部分の人びとは、明らかにエスニック・マイノリティをふくみ、私がしめしてきた証拠は、エスニック・マイノリティは同じ境遇の白人よりずっと大きな不利益に歴史的にも苦しんできましたし、いまも苦しんでいることをしめしています。

そういう意味では、イートウェルとグッドウィンは、バンブラが分類した〝方法論的な白人性〟に照《て》らせば有罪です（バンブラの意見は、アメリカの研究者アーリー・ラッセル・ホックシールドにも向けられ、ホックシールドの〝自分の国でよそ者になる〈Strangers in Their Own Land〉〟でも黒人とヒスパニックの不利な立場が控えめに表現されていると述べています）。

イートウェルとグッドウィンは、著書の最後に〝ポスト・ポピュリスト〟

の将来についていくつか提案をしていますが、人種的な不利益への取り組みは、白人に対して行われているものとして白人が認めているものを除《のぞ》いて（第五章で考察した〝逆人種差別〟と分類されているもの）、その枠組みにふくまれていません。

また二人は、労働者階級は〝本能的に保守的〟であるため、リベラルなエリートたちは、反レイシズム、多文化主義、ゲイの権利、フェミニズムなどへの支持に関しては彼らのリベラリズムを抑《おさ》えるほうが賢明であるという奇妙な考えを提案しています。しかし、労働者階級の保守主義が〝本能的〟である（このことばは**二世紀にわたる労働者階級の急進主義**を消し去ってもいます）という主張の根拠を提供してはいません。

そもそも〝本能的〟とは正確にはなにを意味しているのでしょうか。

イートウェルとグッドウィンは、どちらかというと、より重要なこの疑問をはぐらかしています。もっともらしい説明は、社会学的に言うなら、工場移転や臨時労働、最低賃金以下の**〝ゼロ時間〟契約**の増加などによって、労働者階級の多くの区分がますます不安定な職で占《し》められているということで

二世紀にわたる労働者階級の急進主義　一八世紀末に英国で「急進主義」を意味する「ラディカリズム（radicalism）」ということばが登場したことに象徴されるように、一九～二〇世紀のヨーロッパは中産階級から労働者階級へと選挙権が拡大した時期であり、現状を打破して新たな社会秩序を求める運動が隆盛をきわめた時期でもある。

〝ゼロ時間〟契約　週あたりの労働時間をはっきりとさせない形で結ばれる雇用契約。

す。**リベラリズムへの価値観の急速な変化**に対する恐れもあります。そこには結果として慣れ親しんだ文化的な歴史的建造物がなくなってしまう、リベラルな移民政策もふくまれます。この恐怖が公共サービスへの圧力と組みあわさったときは、とくに不安定さが強まります。そういうとき、熟慮《じゅくりょ》のうえで課される緊縮財政や地方自治体への人員削減を強要する政府のネオリベラルな政策よりも、移民や欧州連合に対する遺恨《いこん》を刺激するほうが簡単なのです。

私たちは抽象的な〝文化衝突〟の真《ま》っ最中《さいちゅう》にいます。その衝突は、〈リベラル〉な価値観と〈保守〉的な価値観のあいだにあって、レイシズムと〝ナショナル・ポピュリズム〟を促《うなが》すだけでなく、〈当局への敬意〉と〈よりリベラルなアプローチ〉（これはカウフマンの主張です）とのあいだにもありますが、どちらもポピュリズムの興隆と関係があることはまちがいありません。

しかし、ノーム・ギドロンとピーター・A・ホール（N. Gidron and P. Hall）が行った研究によると、男性がEU離脱へ投票した（そして男性がトランプを支持する）要因の一つは、労働への女性参入の程度や平等に対する女性の野

リベラリズムへの価値観の急速な変化　リベラリズムは、ごく簡単にいえば、だれもが平等に認められた権利にもとづいて世の中をよくしようという考えのこと。英語《liberalism》はしばしば「自由主義」と訳されるが、日本語の「自由主義」（そもそも「自由」も）が人により理解のゆらぎがあり、それゆえに話者間で誤解をうむので、近年はあえて「リベラリズム」とカタカナ書きすることが多い。また一九八〇年代以降の米国や、それをうけての現代日本政治においては、保守（右派）に対する革新（左派）勢力を「リベラル」とよぶ。そのことが、さらなる混乱をまねいている。このあたりの議論については、法哲学者の井上達夫教授による『リベラルのことは嫌いでも、リベラリズムのことは嫌いにならないでください』（毎日新聞出版 二〇一五）や、

政治学者の田中拓道教授による『リベラルとは何か』（中公新書 二〇二〇）などがくわしい。

心に男性の注意が向いたことだといいます。要《よう》するに、とくにより古い産業分野で男性の雇用機会が減少している時代に、男らしさが脅《おびや》かされているという認識が、ある種の役割を果たしたといえるかもしれません。

ダニー・ドーリングとサリー・トムリンソンは『統《す》べよ、ブリタニア――ブレグジットと帝国の終焉《しゅうえん》（*Rule Britannia: Brexit and the End of Empire*）』のなかで説得力のある論拠を述べています。それは、ブレグジットに関するイギリスの国民投票時の離脱キャンペーンで成功の大きな鍵《かぎ》をにぎっていたのは〝ミドル・イングランド〟つまり中産階級の有権者であるということです。

とくに、大英帝国を褒《ほ》めたたえた教科書を糧《かて》に育った年齢の高い有権者は、《イギリスは〝独立独歩〟でやってきたし、第二次世界大戦にも勝利した》という感覚があるため、もういちど独り立ちしてやっていけるという自信をいだいたのです。〝イギリス全土にわたって、ブレグジット〔つまり離脱〕に投票した人の約六〇パーセントは六〇歳以上で、大半が一九三〇年から一九六〇年のあいだに学校教育を受けはじめた人だった〟

この世代は、植民地だけでなく、ほかのどの国よりもイギリスは優《すぐ》れていると感じるよう育てられました。高齢の中産階級有権者のあいだにある帝国主義的な考えかたは、フレムメンとサヴェッジ（M. Flemman and M. Savage）が行った研究でもしめされていました。

労働者階級の票に関していえば、ドーリングとトムリンソン（D. Dorling and S. Tomlinson）は、相対的な欠乏を分析によって確認しました。〝いちばん問題になったのは、実際に貧しい有権者ではなく、貧しいと感じている平均を若干《じゃっかん》下まわる有権者だった〟（強調は原著者）。指摘のとおり、ほかの地域より貧しいというエビデンスがない地域ほど、離脱に投票した居住者の割合が大きかったのです。

イートウェル、グッドウィン、カウフマン、グッドハート、および彼らと意見が一致している人びとは、本書の論拠についても真剣にとりあげる必要があるでしょう。

構造的なレイシズムやイデオロギー的なレイシズムは、ヨーロッパやアメリカの、白人が多数派を占める社会に深く埋めこまれています。

ジョー・コックス議員殺害　一〇九ページ注参照。

ネオナチ　一〇一ページ注参照。

トランプ一族に、黒人入居希望者に対する人種差別の長い歴史があるのではないかとの疑い　ドナルド・トランプはペンシルベニア大学在学中から一族のファミリー企業「エリザベス・トランプ・アンド・サン」（「エリザベスとその息子」の意で、ドナルドの祖母エリザベスとその息子で、のちのドナルドの父フレッドにより一九二三年に設立された）の経営に参画、六八年に正式にその一員となり、七一年に会社の実権を掌握し、社名を現在の「トランプ・オーガナイゼーション」に変更。同社は七三年に米国司法省から、黒人に部屋を貸さなかった公民権侵害の容疑で告発された。

右翼のナショナル・ポピュリズムは〝置き去りにされた人びと〟の声を合法的にはっきりと表現するのと同じ規模で、レイシズムとゼノフォビアの増加に一役《ひとやく》買っており、国の政治のなかで公共の場と声を与えられてきました。この状況を無視することは、その増大に歯止めをかけずに放置することと同じです。

イートウェルとグッドウィンが、ブレグジットの国民投票後とトランプ当選後にヘイトクライム（憎悪《ぞうお》犯罪）が急増した事実を無視しているのは、注目に値《あたい》するでしょう。また、**ジョー・コックス議員殺害**への言及もありません。し、**トランプ一族に、黒人入居希望者に対する人種差別の長い歴史があるのではないかとの疑い**（この差別はトランプ一族によって否定されていることに留意）や、**ネオナチ**の行進が組織だての抗議を受けたときの〝どちらの側にも立派な人びとがいる（there were fine people on both sides）〟というトランプの見解についての言及も同様にありません。

ネオナチには〝立派な人びと（fine people）〟がふくまれているという考えは、イートウェルとグッドウィンのトランプは断じて〝白人至上主義者〟ではないという見解とあわせて、納得しがたいものがあります。
チャーチウェル（S. Churchwell）の『アメリカを見よ――アメリカ・ファーストとアメリカン・ドリームの歴史（*Behold America: A History of America First and the American Dream*）』を一読すれば、〝アメリカ・ファースト〟と〝アメリカをふたたび偉大に〟という考えは、白人のレイシズムにうったえる**犬笛政治**の一環にとどまらないことがわかるでしょう。

イートウェルとグッドウィンの、ナショナル・ポピュリズムが現在も存在しているという判断は正しいでしょう。同様に（とはいえ、これは彼らが認識できていないことなのですが）レイシズムもいまだ存在していますし、ナショナル・ポピュリズムが台頭してきたいまは、さらに増加しています。

とくに気がかりなのは、シュテッカー（P. Stocker）やウェンドリング（M. Wendling）その他の人びとが論じているとおり、いわゆる〝**オルトライト**（alt-right）〟と極右《きょくう》が、ブレグジットやトランプ現象その他のポピュリズムの成功によって勢いづいてきたことです。

グッドハートが〝慎《つつし》み深《ぶか》いポピュリスト〟とよぶ集団の大多数と極右が合

犬笛政治 一四七ページ注参照。

オルトライト 「オルタナ右翼」とも。おもに米国でトランプ現象とともに近年その存在が明るみになった右翼思想の一種。英語《alt-right》は《alternative right》の略で、従来の保守主義に代わるオルタナティブ（選択肢）として出現したことがその名前の由来。あえてネオナチに通じるような行動をとって耳目を集めた。白人至上主義を掲げ、多文化主義やフェミニズムなどを否定する反動的な主張が目立つ。

エンツォ・トラヴェルソ（一九五七～）ホロコーストやファシズムなどの研究が専門の歴史学者。イタリア出身。一九八五年にフランスに移住したマルチリンガル。邦訳された著書に『マルクス主義者とユダヤ問題』（人文書院）、体して、ひょっとすると不安定な構成のまま、とくに新たなソーシャル・メディアを通じて、はるかに危険な右翼のレイシズム形態へと変化する重大な危険性があります。

　エンツォ・トラヴェルソ（E. Traverso）のような著者がいまや『新顔《しんがお》のファシズム（*The New Faces of Fascism*）』について語りはじめたのも、けっして意外なことではありません。白人優位社会で現在標準化《ひょうじゅんか》されてきた、ゼノフォビアや〝先住民保護主義《ネイティビズム》〟やポピュリスト・ナショナリズムおよびレイシズムが**権威《けんい》主義**と組みあわさることで定着し、さらに極端な方向へと広がる〝**ニューノーマル**（new normal）〟を形づくる可能性は、充分あります。

　レイシズムの研究者はだれも、未来を楽観してはいないのです。

『ユダヤ人とドイツ』（法政大学出版局）、『アウシュヴィッツと知識人』（岩波書店。以上いずれも宇京頼三訳）、『全体主義』（平凡社新書　柱本元彦訳）などがある。

権威主義　権威をふりかざすような行動や考えかたや、逆に、権威に無批判に従う態度。

ニューノーマル　変化が起こる前と同様のありかたには戻れないほど大きな変化が社会全体に拡大することで、まったく新しい常識が定着すること。新型コロナウィルス感染症の蔓延にともない、直訳の「新常態」ということばとともに「ニューノーマル」ということばも日本語として定着した感がある。

E. Kaufman, *Whiteshift: Populism, Immigration and the Future of White Majorities* (London: Allen Lane, 2018).

M. Molyneux and T. Osborne, 'Populism: a deflationary view', *Economy and Society* 46 (1) (2017): 1–19.

C. Mudde and C. Kaltwasser, *Populism: A Very Short Introduction* (Oxford: Oxford University Press, 2017).
『ポピュリズム――デモクラシーの友と敵』カス・ミュデ、クリストバル・ロビラ・カルトワッセル著、永井大輔、髙山裕二 訳、白水社、2018

P. Oborne, *The Triumph of the Political Class*, revised edition (London: Pocket Books 2007).

T. Skocpol and V. Williams, *The Tea Party and the Remaking of Republican Conservatism*, 2nd edition (Oxford: Oxford University Press, 2016).

M. Song, 'Challenging a culture of racial equivalence', *British Journal of Sociology* 65 (1) (2014): 107–29.

P. Stocker, *English Uprising: Brexit and the Mainstreaming of the Far Right* (London: Melville House, 2017).

E. Traverso, *The New Faces of Fascism: Populism and the Far Right* (London: Verso, 2019).

M. Wendling, *Alt-Right: From 4chan to the White House* (London: Pluto Press 2018).

原著出版社の謝辞

著作権で保護された次の記事の一部掲載を許可いただいたことに感謝します。

ガーディアン・ニュース・アンド・メディア社の2018年12月8日付ガーディアン紙の記事《"It amazes me that more isn't done to tackle it": readers on bias in Britain》から抜粋。

出版社および著者は、本書出版にあたってすべての著作権所有者を追跡し、連絡に努めました。誤記や脱落等について通知があれば、出版人はできるかぎり早く修正を行います。

K. Crenshaw, *On Intersectionality: Essential Writings* (New York: New Press, 2020).

P. Essed, *Understanding Everyday Racism* (London: Sage 1991).

A. Hirsch, *Brit(ish): On Race, Identity and Belonging* (London: Jonathan Cape, 2018).

A. Hirsch, 'This is a vital study of racial bias: now will Britain take heed?', *The Guardian*, 2 December 2018. https://www.theguardian.com/commentisfree/2018/dec/02/bias-in-britain-racial-biasethnic- minorities.

J. Kahn, *Race on the Brain: What Implicit Bias Gets Wrong About the Struggle for Racial Justice* (New York: Columbia University Press, 2018).

D. Kahneman, *Thinking Fast and Slow* (London: Penguin, 2012).
『ファスト&スロー——あなたの意思はどのように決まるか?』(上下巻)ダニエル・カーネマン著、村井章子 訳、早川書房、2014

M. Romero, *Introducing Intersectionality* (Cambridge: Polity Press, 2018).

N. Shukla (ed.), *The Good Immigrant* (London: Unbound Books, 2017).

A. Smith, *Racism and Everyday Life* (London: Palgrave Macmillan, 2015).

Chapter 7. The rise of right-wing national populism and the future of racism

A. Banks, *Anger and Racial Politics: The Emotional Foundation of Racial Attitudes in America* (Cambridge: Cambridge University Press, 2014).

M. Benjamin, *The Global Rise of Populism: Performance, Political Style and Representation* (Stanford: Stanford University Press, 2016).

G. Bhambra, 'Brexit, Trump and "methodological whiteness": on the misrecognition of race and class', *The British Journal of Sociology* 68 (S1) (2017): 215–32.

L. Bobo, 'Racism in Trump's America: reflections on culture, sociology, and the 2016 presidential election', *The British Journal of Sociology* 68 (S1) (2017): 85–104.

S. Churchwell, *Behold America: A History of America First and the American Dream* (London: Bloomsbury, 2018).

D. Dorling and S. Tomlinson, *Rule Britannia: Brexit and the End of Empire* (London: Biteback Publishing, 2019).

R. Eatwell and M. Goodwin, *National Populism: The Revolt Against Liberal Democracy* (London: Penguin, 2018).

M. Flemman and M. Savage, 'The politics of nationalism and white racism in the UK', *The British Journal of Sociology* 68 (S1) (2017): 233–64.

N. Gidron and P. Hall, 'The politics of social status: economic and cultural roots of the populist right', *The British Journal of Sociology* 68 (S1) (2017): 58–84.

D. Goodhart, *The Road to Somewhere: The Populist Revolt and the Future of Politics* (London: Hurst, 2017).

A. Hochschild, *Strangers in Their Own Land: Anger and Mourning on the American Right* (New York: The New Press 2016).
『壁の向こうの住人たち——アメリカの右派を覆う怒りと嘆き』A.R.ホックシールド著、布施由紀子 訳、岩波書店、2018

P. Ioanide, *The Emotional Politics of Racism: How Feelings Trump Facts in an Era of Colour-blindness* (Stanford: Stanford University Press, 2015).

M. Hunter, *Race, Gender, and the Politics of Skin Tone* (Abingdon: Taylor and Francis, 2005).

P. Ioanide, *The Emotional Politics of Racism: How Feelings Trump Facts in an Era of Colourblindness* (Stanford: Stanford University Press, 2015).

G. Lipsitz, *The Possessive Investment in Whiteness: How White People Profit from Identity Politics*, revised edition (Philadelphia: Temple University Press, 2006).

I. Lopez, *Dog Whistle Politics: How Coded Racial Appeals Have Reinvented Racism and Wrecked the Middle Classes* (Oxford: Oxford University Press, 2014).

D. Massey and N. Denton, *American Apartheid: Segregation and the Making of an Underclass* (Cambridge, MA: Harvard University Press, 1993).

K. Murji, *Racism, Policy and Politics* (Bristol: Policy Press, 2017).

C. Ogletree, *The Presumption of Guilt: The Arrest of Henry Louis Gates Jr., and Race, Class and Crime in America* (New York: Palgrave Macmillan, 2010).

A. Phoenix, 'I'm white—so what? The construction of whiteness for young Londoners', in M. Fine (ed.), *Off White* (New York: Routledge, 1996).

A. Phoenix, 'Remembered racializations: young people and positioning in different understandings', in K. Murji and J. Solomos (eds), *Racialization: Studies in Theory and Practice* (Oxford: Oxford University Press, 2005).

D. Roithmayr, *Reproducing Racism: How Everyday Choices Lock In White Advantage* (New York: New York University Press, 2014).

R. Shilliam, *Race and the Undeserving Poor* (Newcastle upon Tyne: Agenda Publishing, 2018).

M. Song, 'Challenging a culture of racial equivalence', *The British Journal of Sociology* 65 (1) (2014): 108–29.

S. Tharoor, *Inglorious Empire: What the British Did to India* (London: Allen Lane, 2016).

B. Trepagnier, *Silent Racism: How Well-meaning White People Perpetuate the Racial Divide*, 2nd edition (Abingdon: Routledge, 2016).

K. Tyler, 'The racialized and classed constitution of village life in Leicestershire', *Ethnos* 68 (3) (2005): 391–42.

P. Wachtel, *Race in the Mind of America* (London: Routledge, 1999).

C. West, 'Pity the sad legacy of Barack Obama', *The Guardian*, 9 January 2017.

T. Wise, *Colourblind: Barack Obama, Post-Racial Liberalism and the Retreat from Racial Equity* (San Francisco: City Lights Publishers, 2010).
『アメリカ人種問題のジレンマ——オバマのカラー・ブラインド戦略のゆくえ』ティム・ワイズ著、脇浜義明 訳、明石書店、2011

Chapter 6. Intersectionality and 'implicit' or 'unconscious' bias

M. Banaji and A. Greenwald, *Blindspot: Hidden Biases of Good People* (New York: Bantam, 2016).
『心の中のブラインド・スポット——善良な人々に潜む非意識のバイアス』M.R.バナージ、A.G.グリーンワルド著、北村英哉、小林知博 訳、北大路書房、2015

P. Collins and S. Bilge, *Intersectionality* (Cambridge: Polity Press, 2016).

J. Petley and R. Richardson, *Pointing the Finger: Islam and Muslims in the British Media* (Oxford: Oneworld, 2011).

A. Rattansi, 'The uses of racialization: space, time and the raced body', in K. Murji and J. Solomos (eds), *Racialization: Studies in Theory and Practice* (Oxford: Oxford University Press, 2005).

K. Sian, I. Law, and S. Sayyid, *Racism, Governance and Public Policy: Beyond Human Rights* (Abingdon: Routledge, 2013).

P. Silverstein, *Postcolonial France: Race, Islam and the Future of the Republic* (London: Pluto Press, 2018).

S. Tharoor, *Inglorious Empire: What the British Did to India* (London: Allen Lane, 2016).

D. Tyrer, *The Politics of Islamophobia: Race, Power and Fantasy* (London: Pluto Press, 2013).

Chapter 5. Structural racism and colourblind whiteness

M. Alexander, *The New Jim Crow* (New York: The New Press, 2012).

E. Bonilla-Silva, *Colour-Blind Racism and the Persistence of Racial Inequality in America*, 5th edition (Lanham: Rowman and Littlefield, 2018).

M. Brown, M. Carnoy, E. Currie, T. Duster, D. Oppenheimer, M. Schultz, and D. Wellman, *Whitewashing Race: The Myth of a Colour-blind Society* (Oakland: University of California Press, 2003).

M. Burke, *Colourblind Racism* (Cambridge: Polity Press, 2019).

T.-N. Coates, *We Were Eight Years in Power: An American Tragedy* (London: Hamish Hamilton, 2017).
『僕の大統領は黒人だった——バラク・オバマとアメリカの8年』(上下巻)タナハシ・コーツ著、池田年穂、長岡真吾、矢倉喬士 訳、慶應義塾大学出版会、2020

R. Diangelo, *White Fragility: Why It's So Hard for White People to Talk about Race* (Boston: Beacon Press, 2018).

R. Eddo-Lodge, *Why I'm No Longer Talking to White People about Race* (London: Bloomsbury, 2017).

J. Forman, *Locking Up Our Own: Crime and Punishment in Black America* (London: Abacus, 2018).

R. Frankenburg, *White Women, Race Matters* (Madison: University of Wisconsin Press, 1994).

S. Garner, *Racisms*, 2nd edition (London: Sage, 2017).

E. Glenn (ed.), *Shades of Difference: Why Skin Colour Matters* (Stanford: Stanford University Press, 2009).

A. Hacker, *Two Nations: Black and White, Separate, Hostile, Unequal* (New York: Ballantine Books, 1992).
『アメリカの二つの国民——断絶する黒人と白人』アンドリュー・ハッカー著、上坂昇 訳、明石書店、1994

R. Hohle, *Racism in the Neoliberal Era: A Meta History of White Power* (New York: Routledge, 2018).

N. Wade, *A Troublesome Inheritance: Genes, Race and Human History* (New York: Penguin, 2016).
『人類のやっかいな遺産――遺伝子、人種、進化の歴史』ニコラス・ウェイド著、山形浩生、守岡桜 訳、晶文社、2016

Chapter 4. Racialization, cultural racism, and religion

M. Billig, *Banal Nationalism* (London: Sage, 1995).

J. Carr, *Experiences of Islamophobia: Living with Racism in the Neo-liberal Era* (Abingdon: Routledge, 2016).

J. Dixon and M. Levine, *Beyond Prejudice: Extending the Social Psychology of Conflict, Inequality and Social Change* (Cambridge: Cambridge University Press, 2012).

R. Fine and P. Spencer, *Antisemitism and the Left: On the Return of the Jewish Question* (Manchester: Manchester University Press, 2017).

F. Halliday, 'Islamophobia reconsidered', *Ethnic and Racial Studies* 22 (5) (1999): 892–902.

D. Hirsch, *Contemporary Left Antisemitism* (Abingdon: Routledge, 2017).

S. Huntington, *The Clash of Civilizations* (New York: Simon and Schuster, 1997).
『文明の衝突』サミュエル・ハンチントン著、鈴木主税 訳、集英社、1998
（その後、集英社文庫［上下巻］2017）

A. Hussey, *The French Intifada: The Long War between France and its Arabs* (London: Granta, 2014).

J. Karabel, *The Chosen: The Hidden History of Admission and Exclusion at Harvard, Yale, and Princeton* (New York: Mariner Books, 2006).

B. Klug, 'The collective Jew: Israel and the new antisemitism', *Patterns of Prejudice* 37 (2) (2003): 1–19.

B. Klug, 'The myth of a new antisemitism', *The Nation*, 15 January: 7.

B. Klug, 'Islamophobia: a concept comes of age', *Ethnicities* 12 (5) (2012): 665–81.

N. Lean, *The Islamophobia Industry: How the Right Manufactures Fear of Muslims* (London: Pluto Press, 2012).

E. Love, *Islamophobia and Racism in America* (New York: New York University Press, 2017).

M. Mack, *Sexagon: Muslims, France and the Sexualization of National Culture* (New York: Fordham University Press, 2017).

N. Massoumi, T. Mills, and D. Miller, *What is Islamophobia? Racism, Social Movements and the State* (London: Pluto Press 2017).

P. Morey and A. Yaqin, *Framing Muslims: Stereotyping and Representation after 9/11* (Cambridge, MA: Harvard University Press, 2011).

A. Morning, *The Nature of Race: How Scientists Think and Teach about Human Difference* (Oakland: University of California Press, 2011).

M. Omi and H. *Winant, Racial Formation in the United States*, 3rd edition (New York: Routledge, 2015).

参考文献

Chapter 2. Imperialism, genocide, and the 'science' of race

Z. Bauman, *Modernity and the Holocaust* (Cambridge: Polity Press, 1989).

W. Dalrymple, *White Moghuls: Love and Betrayal in 18th Century India* (London: Harper, 2004).

E. Katz, *Confronting Evil* (Albany: State University of New York Press, 2004).

A. Nandy, *Intimate Enemy: Loss and Recovery of Self Under Colonialism* (Oxford: Oxford University Press, 1983).

N. Ohler, *Blitzed: Drugs in Nazi Germany* (London: Allen Lane, 2016).

A. Rattansi, *Bauman and Contemporary Sociology: A Critical Analysis* (Manchester: Manchester University Press, 2017).

E. Said, *Orientalism* (London: Allen Lane, 1978).

Chapter 3. The demise of scientific racism

K. Carrico, *The Great Han: Race, Nationalism and Tradition in China Today* (Oakland: University of California Press, 2017).

R. Lewontin, 'The apportionment of human diversity', *Evolutionary Biology 6* (1972): 391–8.

M. Meloni, *Political Biology: Science and Social Values in Human Heredity from Eugenics to Epigenetics* (London: Palgrave Macmillan, 2016).

A. Morning, *The Nature of Race: How Scientists Think and Teach About Human Difference* (Oakland: University of California Press, 2011).

A. Morning, 'And you thought we had moved beyond all that: biological race returns to the social sciences', *Ethnic and Racial Studies* 37 (10) (2014): 1676–85.

D. Reich, *Who We Are and How We Got Here: Ancient DNA and the New Science of the Human Past* (Oxford: Oxford University Press, 2018).
『交雑する人類――古代DNAが解き明かす新サピエンス史』デイヴィッド・ライク著、日向やよい訳、NHK出版、2018

A. Saini, *Superior: The Return of Race Science* (London: Fourth Estate, 2019).
『科学の人種主義とたたかう――人種概念の起源から最新のゲノム科学まで』アンジェラ・サイニー著、東郷えりか訳、作品社、2020

Chapter 6. Intersectionality and 'implicit' or 'unconscious' bias

A. Brah and A. Phoenix, 'Ain't I a woman? Revisiting intersectionality', *Journal of International Women's Studies* 5 (3) (2004): 75–86.

N. Yuval Davis, *The Politics of Belonging: Intersectional Contestations* (London: Sage, 2011).

Chapter 7. The rise of right-wing national populism and the future of racism

A. Abramowitz, *The Great Alignment: Race, Party Transformation, and the Rise of Donald Trump* (New Haven: Yale University Press, 2018).

K. Cramer, *The Politics of Resentment: Rural Consciousness in Wisconsin* (Chicago: University of Chicago Press, 2016).

E. Dionne, Jr, N. Ornstein, and T. Mann, *One Nation After Trump* (New York: St. Martin's Press, 2017).

M. Hetherington and J. Weiler, *Authoritarianism and Polarization in American Politics* (Cambridge: Cambridge University Press, 2009).

P. Kristivo, *The Trump Phenomenon: How the Politics of Populism Won in 2016* (Bingley: Emerald Publishing, 2017).

C. Mudde (ed.), *The Populist Radical Right: A Reader* (Abingdon: Routledge, 2017).

W. Outhwaite, *Brexit: Sociological Responses* (London: Anthem Press, 2017).

R. Wodak, M. Khosravinik, and B. Mral (eds), *Right-Wing Populism in Europe: Politics and Discourse* (London: Bloomsbury, 2013).

M. Mann, *The Dark Side of Democracy: Explaining Ethnic Cleansing* (Cambridge: Cambridge University Press, 2005).

P. Robb (ed.), *The Concept of Race in South Asia* (Oxford: Oxford University Press, 1995).

D. Stone, *The Historiography of the Holocaust* (Basingstoke: Palgrave Macmillan, 2004).
『ホロコースト・スタディーズ——最新研究への手引き』ダン・ストーン著、武井彩佳 訳、白水社、2012

J. Walvin, *Black Ivory: Slavery in the British Empire*, 2nd edition (Oxford: Blackwell, 2001).

Chapter 3. The demise of scientific racism

A. Alland, *Race in Mind: Race, IQ and Other Racisms* (Basingstoke: Palgrave Macmillan, 2002).

E. Barkan, *The Retreat of Scientific Racism* (Cambridge: Cambridge University Press, 1993).

S. Gould, The Mismeasure of Man, 2nd edition (New York: Norton, 1996).
『人間の測りまちがい——差別の科学史』スティーヴン・J.グールド著、鈴木善次、森脇靖子 訳、河出書房新社、1989（その後、河出文庫［上下巻］2008）

R. Lewontin, 'Are the races different?', *Science for the People* 14 (2) (1982): 10–14.

Chapter 4. Racialization, cultural racism, and religion

E. Balibar, 'Is there a neo-racism?', in E. Balibar and I. Wallerstein (eds), *Race, Nation and Class* (London: Verso, 1991).
〝「新人種主義」は存在するか？〟（エティエンヌ・バリバール、イマニュエル・ウォーラーステイン著『人種・国民・階級——揺らぐアイデンティティ』大村書店、1997、および『人種・国民・階級——「民族」という曖昧なアイデンティティ』唯学書房、2014、ともに若森章孝、岡田光正、須田文明、奥西達也 訳に所収）

M. Barker, *The New Racism* (London: Junction Books, 1982).

Chapter 5. Structural racism and colourblind whiteness

P. Cohen, 'Labouring Under Whiteness', in R. Frankenber (ed.), *Displacing Whiteness* (Durham, NC: Duke University Press, 1997).

S. Garner, *Whiteness: An Introduction* (Abingdon: Routledge, 2007).

I. Ignatiev, *How the Irish Became White* (New York: Routledge, 1995).

M. Jacobsen, *Whiteness of a Different Colour: European Immigrants and the Alchemy of Race* (Cambridge, MA: Harvard University Press, 1998).

T. Wise, *White Like Me: Reflections on Race from a Privileged Son*, revised edition (Berkeley: Counterpoint, 2011).

T. Wise, *Dear White America: Letter to a New Minority* (San Francisco: City Lights Books, 2012).

G. Yancy, *Backlash: What Happens When We Honestly Talk about Racism in America* (Lanham: Rowman and Littlefield, 2018).

さらに読みたい読者に

Chapter 1. 'Race' and racism: some conundrums

B. Isaac, *The Invention of Racism in Classical Antiquity* (Princeton: Princeton University Press, 2004).

A. Lindemann, *Antisemitism Before the Holocaust* (London: Longman, 2000).

W. Lowery, *They Can't Kill Us All: The Story of Black Lives Matter* (London: Penguin, 2017).

M. Taibbi, *I Can't Breathe: The Killing that Started a Movement* (London: W. H. Allen, 2018).

Chapter 2. Imperialism, genocide, and the 'science' of race

M. Banton, *Racial Theories*, 2nd edition (Cambridge: Cambridge University Press, 1998).

D. Bindman, *Ape to Apollo: Aesthetics and the Idea of Race in the Eighteenth Century* (London: Reaktion Books, 2002).

B. Cohn, *Colonialism and Its Forms of Knowledge* (Princeton: Princeton University Press, 1996).

N. Dirks, *Castes of Mind: Colonialism and the Making of Modern India* (Princeton: Princeton University Press, 2011).

A. Gill, *Ruling Passions: Sex, Race and Empire* (London: BBC Books, 1995).

S. Gilman, 'Black bodies, white bodies: towards an iconography of female sexuality in late nineteenth century art, medicine and literature', in J. Donald and A. Rattansi (eds), *'Race', Culture and Difference* (London: Sage, 1992).

S. Hall, 'The West and the rest', in S. Hall and B. Gieben (eds), *Formations of Modernity* (Cambridge: Polity Press, 1992).

B. Isaac, *The Invention of Racism in Classical Antiquity* (Princeton: Princeton University Press, 2004).

I. Kershaw, *Hitler, the Germans and the Final Solution* (New Haven: Yale University Press, 2009).

J. MacKenzie, *Orientalism: History, Theory and the Arts* (Manchester: Manchester University Press, 2011).

A. McLintock, *Imperial Leather: Race, Gender and Sexuality in the Colonial Contest* (London: Routledge, 1995).

～浄化……14
～性⇒エスニシティ
～精神⇒フォルクスガイスト

む・め・も

無意識の偏見……199, 273-299
ムルジ, カリム……199-200
メア, トーマス……109, 129
召使としての黒人……37
メル・ギブソン⇒ギブソン, メル
メローニ, マウリツィオ……92
モーニング, アン……96-100, 103
モーリー＆イェーキン……172
物言わぬ大衆⇒サイレント・マジョリティ
モメンタム……302-303
モラル・マジョリティ（道徳的な大衆）……307
モリノー＆オズボーン……304

や・ゆ・よ

薬物戦争……207-208
有色（の）／有色人種（カラード）……61, 105, 118-119, 121, 123, 125, 153, 193, 204, 211-212, 221, 224, 240, 250-251, 253
ユーデンライン……10, 14, 69
優生学……60, 62-65
〝雪のように白い山、NHS〟（ミドルセックス大学ビジネス・スクール）……20
ユダヤ　⇒反セム主義
～人独自のアイデンティティ……13
～人の人種化……12
～人の〝白人性〟……15-16
大学入学での差別……133
〝血の中傷〟……176
文化的なステレオタイプ……160
ユネスコ（国際連合教育科学文化機関）…71-72, 178
ユルコスキ, ブレンダ……88
ヨーロッパ
～人の肌の色……80-81
～内部のレイシズム……50-51
～の右翼ポピュリズム……301-302
～の国による植民地支配……54, 57-59
ブレグジットと～……108, 114, 315-316, 331
『良き移民（*The Good Immigrant*）』……297
よそ者……13, 15
〝自国にいるのに、～に〟（パウエル）……124
〝自分たちの国で～になる〟（ホックシールド）……314, 326
〝四つのD〟……310

ら・り・る

ライク, デイヴィッド……59-60, 82-83, 86, 90
ラシュディ, サルマン……174
ラティーノ……269
ラニーミード・トラスト……163-164, 194
リプシッツ, ジョージ……222, 248
リベラ, ジェラルド……268
履歴書に記入した名前による差別……171, 252
リンチ（私的制裁）……244
リンネ, カール……33-34
リンボー, ラッシュ……258
類人猿⇒猿
ルウォンティン, リチャード……75, 91
ルス人……43
ル・ペン, ジャン＝マリー……156
ル・ペン, マリーヌ……304, 307

れ・ろ

レイシズム　⇒新たな～、犬笛～、映画界における～、科学的～、カラーブラインド・～、警察による組織的な～、構造的～、国民保健サービスにおける制度的～、自然なものとしての～、自由放任主義の～、制度化された～、日常の～、文化的～、レッセフェールの～
～の定義……10-15, 120-126, 320
生物学と文化がからんだ～……13, 17-18
世論調査と～……194
連続体としての～……14
『レイシズムと日常生活（*Racism and Everyday Life*）』（スミス）……297
レーガ（同盟）党（イタリア）……308
レーガン大統領, ロナルド……207, 251
レッセフェール（自由放任主義）のレイシズム……252
労働者階級の保守主義……327
労働党（イギリス）……106, 183, 302
ローガン, リロイ……201
ローズ, スティーブン……120, 122, 130
ローズ, セシル……24
ロペス, ヘイニー……147
ロメロ, M.……269-270
ロング, エドワード……41
ロンドン……21-22, 39, 134, 198, 210-211
～警視庁……20, 149, 201, 280
～自然史博物館……81
～の爆破事件（2005年7月）……224

わ

ワイズ, ティム……221-222, 245, 250, 254, 257
ワクテル, ポール……155
ワシントン・ポスト……269
『私が白人と人種の話をするのをやめたわけ（*Why I'm No Longer Talking to White People About Race*）』（エド＝ロッジ）……219-220
〝私は女ではないのか？〟（トゥルース）……261
ワンドロップ・ルール……16, 228, 240-241

ふ

ファイン＆スペンサー……183
『ファスト＆スロー（*Thinking Fast and Slow*）』（カーネマン）……282
ファラージ，ナイジェル……108, 190, 315
フィデス（ハンガリー）……308
フィリップス，トレヴァー……209
フィン人党（フィンランド）……308
フーコー，ミシェル……57
ブース，トム……81
フーディー（フード付きパーカー）……267, 269-271
フェニックス，アン……228-229
フェミニズム……262, 327
フォアマン，ジェームス，ジュニア……208
フォークランド諸島……145
フォルクスガイスト（民族精神）……46
フォン・アイクシュテット……74
福祉……251, 253-255
ブッシュ大統領，ジョージ・W.……165
不平等……192
　〜の構造……193
　アメリカの〜……196-208
　イギリスの〜……210-216
ブラウン，マイケル……226
ブラウンらによる研究……202
〝ブラック・イズ・ビューティフル〟……118, 233
ブラックウォーター・ファームの暴動……210
ブラック・コード（黒人取締法）……242
『ブラック・パワー（*Black Power*）』（カーマイケル＆ハミルトン）……197
ブラック・パワー運動……118
ブラック・ライブズ・マター（BLM）運動..27, 225-226
フランケンバーグ，ルース……218, 228
フランス
　〜国民戦線……156, 304, 307, 311-312
　〜におけるイスラモフォビア……188, 304
　革命後の〜における国家的団結……46
『*Brit(ish)*』（ヒルシュ）……295
ブリティッシュ・メディカル・ジャーナル（BMJ）..21-22
ブレグジット……108-109, 114, 124, 315, 323, 329
　〜とトランプ現象……310, 331-332
　〜の最大の支持者はイングランド……316
フレムメン＆サヴェッジ……156, 323, 330
文化人類学……72
文化的レイシズム……18, 140, 159, 161-163, 320-322
　〜と生物学的レイシズム……18, 322
文化とアイデンティティの崩壊／破壊……310, 314
「文明の衝突」というテーマ……166

へ・ほ

米国⇒アメリカ
ヘイスティングス，リチャード……276
ヘイトクライム（憎悪犯罪）……168, 331
ベーカー，ダニー……149
BAME……212-213, 278-280, 294
ベック，グレン……258
ベネディクト，ルース……73
ヘルダー，ヨハン・ゴットフリート……46, 55
偏見……22, 134, 136-139,171, 185, 192, 194, 199, 201-202, 207, 221, 246, 273, 275-278, 280-288, 291-293, 321
『偏見の心理（*The Nature of Prejudice*）』（オールポート）……178
ボアズ，フランツ……72
暴力……179, 287
　〜的な迫害……177
　〜と人種差別……14
　警察による〜...26-27, 210, 225-226, 273, 280
　自警団による〜……225, 266-268
ホーガン＝ハウ卿，バーナード……201
ホーレ，ランドルフ……253
「母国」や「祖国」という概念……49
ホックシールド，アーリー・ラッセル……314, 326
ホッテントット・ヴィーナス（バールトマン，サラ）……45
ボニージャ＝シルバ，エドアルド……245, 248, 254
ポピュリズム……300-333
ホモ・サピエンスの分類……33
ホモセクシュアル……54
ポリティカル・コレクトネス……154
ホロコースト……14, 66, 68-69, 71-72, 93, 178-179, 185, 189, 288
ホワイト・フライト（白人の脱出）……215, 229, 249
本質主義（エッセンシャリズム）……97, 161

ま・み

マークル，メーガン……149
マーティン，トレイヴォン……225, 257-258, 266-271
マイクロアグレッション（微細攻撃）……218, 293
マイケル・ジャクソン⇒ジャクソン，マイケル
マクファーソン，ウィリアム……19-20, 198, 201
マクファーソン・レポート……198-199, 281
マスメディアにおけるステレオタイプ化……172
　⇒ステレオタイプ
マッシー＆デントン……202
マニング，バーナード……127
マル，ヴィルヘルム……11-13, 129, 177
マンドラ，グリンダ・シン……110
万引きの疑い……278, 293, 296
ミドル・イングランド……329
ミドルセックス大学ビジネス・スクール……20
ミドル・パッセージ（中間航路）……40
南アフリカ……145, 183-184, 216-217, 231
ミュデ＆カルトワッセル……303
民族
　〜自決権……184

南北戦争……241
難民……26, 109, 301

に・ね・の

ニーナ・シモン⇒シモン, ニーナ
ニクソン大統領, リチャード……307
〝ニグロ〟ということば……102
西インド諸島……104-105, 119, 124-125, 127
日常のレイシズム／日常的なレイシズム……155, 218-219, 277, 288, 294, 297-298
『日常のレイシズムを理解する(*Understanding Everyday Racism*)』(エスド)……297
日本……73, 133, 232
ニューコモンウェルス……140, 143-144, 163
人間性の喪失……68, 127, 150
ネアンデルタール人……79
ネイティビスト(先住民保護主義者)……301
ネイティビズム(先住民保護主義)……325, 333
『脳内人種(*Race on the Brain*)』(カーン)..285, 290
脳の大きさの測定……44
ノックス, ロバート……41, 43

は

バー, ロザンヌ……151, 272
バーク, メーガン……245, 254
ハート・セラー法(1965年)……65
ハーバード大学……133, 222-224, 283-284
バールトマン, サラ(ホッテントット・ヴィーナス)……45
バイディル……99
パウエル, イーノック……105, 120-126, 157
バウマン, ジグムント……67-68
白人
　〜がアメリカの少数派になる可能性……227
　〜至上主義……109, 128-129, 331
　〜性(whiteness)と〜(white)との区別……195
　〜と非〜コミュニティ……215-216
　〜の脱出(ホワイト・フライト)……215, 229, 249
　〜優位の構造への無意識の加担……220
『白人性への独占的な投資(*The Possessive Investment in Whiteness*)』(リプシッツ)……222
肌の色
　〜と特権との融合……233
　〜に言及しない態度や行為……142, 161, 245
　〜の不安定さ……240
　〜を明るくする手術……234
　インド人集団における〜……58
　身体的マーカーとしての〜……42
　石鹸による洗浄と〜……61, 103
　〝チェダーマン〟の〜……80
　道徳や知的価値を〜で評価する……34
　EU離脱派の反移民キャンペーン広告……108
ハッカー, A.……202
バティ, デイヴィッド(＆サリー・ウィール)……23
バナージ＆グリーンワルド……283
ハマス……181
バラク, エフード……184, 186
ハラスメント……20, 297
ハリディ, F.……165
パレスチナ……181, 184-186
バレンボイム, ダニエル……185
パワー・エリートに対する不信……310, 312
ハンガリーの現代政治……308
バンクス, アントワン・J.……220
反セム主義(反ユダヤ主義)……11-12, 47, 65-66, 68-69, 71, 129, 176, 179-180, 182-183, 185-191, 304-306
ハンター, マーガレット……231
ハンチントン, サミュエル・P.……166
バンブラ, G.……325-326

ひ

美⇒美《うつく》しさ
BBC……21, 149, 200, 216
ヒエラルキー……193
　人種の〜……75, 96-97
　能力と美の〜……42
微細攻撃⇒マイクロアグレッション
ヒスパニック……27
　アメリカの〜……27-28, 202-206, 224, 228, 246-247, 249, 266, 269-270, 272-273
　〜系白人……227
　〜女性の収入……273
ヒトゲノム解読……76, 98
ヒトラー, アドルフ……66, 68-70
『ヒトラーとドラッグ(*Blitzed: Drugs in Nazi Germany*)』(オーラー)……69-70
ヒューム, デイヴィッド……34, 36
ピュー・リサーチ・センター……203
表現型……74, 77, 79, 89, 98
平等人権委員会(イギリス)……297
ビリッグ, マイケル……106
ヒルシュ, アファ……295
ヒルシュ, D.……183
貧血……89
貧困……211, 251, 253, 301, 317
　〜環境／貧しい環境……254, 256
　〜地域／貧しい地域……209-211, 255
　〝〜の文化(culture of poverty)〟説……251, 253
　貧しい移民……49
　貧しい黒人……208, 259
　貧しいコミュニティと緊縮財政……300
　貧しい白人……138
　貧しい有権者……330
　より貧しい国家と難民危機……300-301
ヒンドゥトヴァのイデオロギー……84-86
貧民街⇒スラム

セント・ジョージ医学校……22
専門職における差別……214

そ

相対的な欠乏……310, 316, 330
像を倒す運動……24
〝祖国〟と〝母国〟……49
それぞれの国民の特徴の強まり……48
ソロス，ジョージ……190-191
ソン，ミリ……324

た

ダーウィン，チャールズ……62, 74
大学
　〜カレッジ経営者協会……298
　〜での人種による不平等や差別的な扱い……22-24, 213, 249, 297
　〜内のイスラム教徒の学生をスパイする……171
　〜入学者数の格差……22-24, 133-134
ダイク，グレッグ……200
〝対テロ戦争〟（ブッシュ大統領）……165
第二次世界大戦……70-71, 104, 124, 178, 193, 210, 329
ダイバーシティ研修（多様性研修）……275-276, 281, 285, 287-289, 292
タイラー，デイヴィッド……173
脱産業化……247, 249, 300
脱編成……310, 318
多様性研修⇒ダイバーシティ研修
タルール，シャシ……104
ダルリンプル，ウィリアム……53
男性性
　アメリカ人男性の〜の形成……264-271
　男性の雇用機会減少と〜……329
　男らしさ……49, 52-53, 200, 264, 329

ち

チェダーマン……80-82
チサンゴ，ルファロ……297
地中海性貧血（サラセミア）……89
知的
　〝〜発育不全〟の原理（ゴルトン）……64
　肌の色と〜な能力……34, 44
　ユダヤ人や日本人の〜イメージ……133
血の中傷……176
チャーチウェル，S.……332
中間航路⇒ミドル・パッセージ
中国
　〜統一と漢民族の由来……84
　〜における「色白」志向……232-233
　啓蒙時代における〜愛好……32
中産階級の有権者（ミドル・イングランド）……329
陳腐なナショナリズム……106

つ・て

ツイッター／ツイート……26, 149-151, 272
DNA
　〜の塩基配列……76, 82, 92
　古代の出土人骨の〜解析……59, 85
ディークマン，ヨアン……82
帝国主義……51-52, 56-57, 61, 103, 144, 166, 208
ティブナン，ジョー……297
テイラー教授，ローリー……216-217
デヴリン，ハナ……277
適者生存……63
テロ／テロリズム
　イスラムの〜……301
　〝対〜戦争〟（ブッシュ大統領）……165
デンマーク国民党……308-309

と

ドイツ　⇒ナチス／ナチズム
　〜におけるインド文献の影響……55-56
　〜におけるゼノフォビア……25
　〜のための選択肢……308
　〝〜を打ち負かすユダヤ人の勝利〟（マル）……12
同化を拒否する……13
投獄／投獄率……27-28, 205-207, 259, 263
道徳的な大衆（モラル・マジョリティ）……307
同盟（レーガ）党（イタリア）……308
東洋人……16, 160
トゥルース，ソジャーナ……261
ドーリング＆トムリンソン……316, 329-330
都会的な服装……269
独裁主義……47, 305
ド・メネゼス，ジャン・シャルル……224-225
トラヴェルソ，エンツォ……333
トランプ大統領，ドナルド……25-26, 128, 310, 317, 328, 331-332
奴隷……88, 102-103, 137, 144, 235, 261
　〜仮説……93
　〜制……24, 39-41, 93, 153, 189, 241, 258, 288
　〜貿易……39-41, 93

な

ナイジェリアでの美肌製品規制の試み……231
ナショナリズム……15, 50, 106-107, 153, 333
ナショナル・ジオグラフィック……87
ナショナル・ポピュリズム……132, 191, 310-312 ,317-333
ナチス／ナチズム……10-11, 18, 25, 72-73, 85, 107, 124, 177, 182, 185
　〜と優生学……65
　⇒ホロコースト、ユーデンライン
NatCenリサーチ……194
ナンディ，アシシュ……56

～蔑視と権利の否定……44, 48
"～らしくない"体格……272
黒人～とうつ……213
黒人～の活動……262
黒人～のセクシュアリティ……45
植民対象の～化……52
働く～への差別……52
所得格差……203
ジョンソン, サミュエル……37
『新顔のファシズム(*The New Faces of Fascism*)』(トラヴェルソ)……333
シンキング・アラウド(ラジオ番組)……216
『新ジム・クロウ(*The New Jim Crow*)』(アレグザンダー)……207
人種
～衛生運動……65
～格差監査(Race Disparity Audit)……24
～隔離政策⇒アパルトヘイト
～がミックスされた人びと……227
～関係法(イギリス)……106, 110, 121, 123-124, 126, 178, 194, 208
～グループを定義する判決……111-112
～という用語の歴史……29, 91
～と国民……46-49, 60, 83
～と生物学との誤った結合……90
～と民族性……15
～に関する声明(ユネスコ)……71-72, 178
～の"科学"……41-44, 62-63
～の分類……33-35, 47, 50, 58, 74-75, 87, 101
～平等委員会……21, 209
～プロファイリング……201, 206, 269, 287
～暴動(1992年／ロサンゼルス)……26
インターセクショナリティと～……263, 273
社会構造としての～……95-97
『人種、ジェンダーおよび肌のトーンの政治学(*Race, Gender and the Politics of Skin Tone*)』(ハンター)……230-231
人種化……51, 108, 129-133, 136, 140, 153, 155, 163, 195-196, 217-219, 244, 248, 321-325
～が存在しない場で～をもちだす……219-221
～された不平等……192-193, 242
～と制度化されたレイシズム……196
イスラム教徒への～……166-176, 301
集合的な負の～……224
制度化された～……200
ユダヤ人への～……177-178
心不全治療のための薬……99
シンプソン, O. J.……26, 269
進歩党(ノルウェー)……309
人民党(オーストリア)……308, 311
人類の起源……77-79
"人類の人種(*The Races of Mankind*)"(ベネディクト)……73
『人類のやっかいな遺産(*A Troublesome Inheritance*)』(ウェイド)……99

す

スイス……298-299, 308
『推定有罪(*The Presumption of Guilt*)』(オグルトゥリー)……223
スウェーデン民主党……308-309, 312
スカンジナビア人……43
スコチポル＆ウィリアムスン……220
スコットランド人魂……115
スター・トリビューン(ミネアポリスの日刊紙)……290
スターバックス……274-275, 284, 290-292
スティーブン・ローレンス殺害事件……19, 134-135, 198
ステレオタイプ……56, 107, 185, 199, 201, 251, 269, 272
タブロイド紙にみられる～……172
手っとり早く利用できる～……282
文化と生物学の境界をめぐる～……160-161
ポジティブな～／ネガティブな～……283
無意識の～……291
『統べよ、ブリタニア——ブレグジットと帝国の終焉(*Rule Britannia: Brerit and the End of Empire*)』(ドーリング＆トムリンソン)……329
スペンサー, ハーバート……63
スポーツ……26, 91, 287
～競技における能力……91-92, 272
スミス, アンドリュー……297
スラブ人……43, 50
スラム(貧民街)……51

せ

政治的エリート……303-306, 312-313
制度化されたレイシズム……194-202, 321-322
生物学
～と地理学がごたまぜになった概念……90
～と文化がからんだレイシズム……13, 17-18
製薬会社……99
西洋⇒ヨーロッパ
セクシュアリティ……44-45, 49
黒人女性と～……45
セックスやセックスの取引……175
石鹸による浄化……61, 103
ゼノフォビア(外国人恐怖症)……15, 25, 160, 320, 331, 333
セリーナ・ウィリアムズ⇒ウィリアムズ, セリーナ
選挙権……60, 239
選挙法改正(1867年／イギリス)……60
潜在連合テスト(IAT)……284
先住民保護主義⇒ネイティビズム
先住民保護主義者⇒ネイティビスト
選択的レイシズム(相手によってふるまいが異なる個人の例)……129

汚れと〜の同一視 61, 103
国勢調査にある集団分類の表現 116-119
国内レイシズム 50
国民概念と人種 47
国民性 36, 48-49
『国民性について(*On National Characters*)』(ヒューム) 36
国民戦線(イギリス) 109
国民戦線(フランス/現・国民連合) 156, 304, 307, 311-312
国民保健サービス(NHS/イギリス)における制度的レイシズム 20-21
『心の中のブラインド・スポット――善良な人々に潜む非意識のバイアス(*Blindspot: Hidden Biases of Good People*)』(バナージ&グリーンワルド) 283
国家主義⇒ナショナリズム
コックス, ジョー 109, 129, 331
骨粗鬆症 90
ゴビノー, アルテュール・ド 41-42, 49
雇用
〜機会の不公平 212-214, 246-250
イスラム教徒への〜差別 170-171
コリンズ, パトリシア・ヒル 262
ゴルトン, フランシス 63-64
コロンブス, クリストファー 30-32

さ

サイード, エドワード・W. 57, 166
サイニー, アンジェラ 100
裁判(スティーブン・ローレンス殺害事件の) 134
サイレント・マジョリティ(物言わぬ大衆) 306
殺人 27, 69-71, 109, 134-135
〜と警察のレイシズム 19-20, 26-28, 198
警官による〜 210, 224-226, 257, 264-266
第二級〜罪 268
サッチャー, マーガレット 141-147, 163
サラセミア(地中海性貧血) 89
猿
〝〜の惑星〟コメント 150-151, 272
アイルランド人への侮蔑としての〝〜〟表現や〜との比較 50, 236-238
黒人への侮蔑としての〝〜〟表現や〜との比較 38, 150-151
サルマティア人 43
三角貿易 39
産業化 50
脱〜 247, 249, 300
サンスクリット語 55-58
サンチョ, イグナティウス 37

し

シーク教 110-111
『シェイズ・オブ・ディファレンス(*Shades of Difference*)』(グレン) 231
死刑情報センター(DPIC) 28
自警団 225, 267
自己同一性⇒アイデンティティ
自己認識 87, 99, 111, 228, 322
自然なものとしてのレイシズム 156-157
『自然の体系(*Systema Naturae*)』(リンネ) 33
疾患と人種 89-90, 99
私的制裁(リンチ) 244
指導者のカルト化傾向 305
司法省(アメリカ) 27
ジマーマン, ジョージ 225, 266-268
自民族中心主義(エスノセントリズム) 15, 159
ジム・クロウ 207, 220, 243, 288
シモン, ニーナ 234
社会構造としての人種 95-97
社会進化論とダーウィニズム 62-63
社会的階級 62, 247
〜と人種 48
ジャクソン, マイケル 234
ジャマイカの暴動(1865年) 54, 60
シャラポア, マリア 272
シャルリー・エブド(週刊シャルリー/仏) 167
シャン&サイイッド 170
宗教 12, 17-19, 46, 55-56, 156, 159-160, 164-165, 167-170, 175, 179, 186
〜的バックグラウンド 280
〜と世俗 168
アイルランドの〜的分断 113
インドの〜 55-56
共通の〜 111-113
⇒イスラム、イスラモフォビア、十字軍
十字軍 165, 176-177
住宅
〜や居住区の不平等 197-198, 202
〜ローン危機における格差 204
イギリスの〜供給における人種的な偏見 171
分離した居住区域 215-216
自由党(オーストリア) 307-308
自由党(オランダ) 308
自由放任主義(レッセフェール)のレイシズム 252
シュテッカー, P. 332
シュレーゲル, フリードリヒ 56
使用人としての黒人 37
ジョーンズ, ウィリアム 55
職業 177, 212, 214, 247-248
植民対象の女性化 52
植民地主義 103, 231-232
職務質問 24, 206, 213, 219, 260, 284
女性
〜政策研究所(IWPR) 273
〜の運転免許試験の合格率 280-281
〜の労働参加への男性側の反応 328-329

カウフマン, E. 324, 326, 328, 330
顔の形 38
科学的レイシズム ...42-45, 62-63, 70-74, 101, 120
『科学の人種主義とたたかう(*Superior: The Return of Racial Science*)』(サイニー) 100
隔離........................ 73, 243, 248, 251, 258, 288
過激化への恐れ 171
家長主義 52
カッツ, E. 70
鎌状赤血球貧血 89
カラード(有色の) 118, 193, 211, 240
カラーブラインド・レイシズム 245-247, 252
カラベル, ジェローム 133
ガリアーノ, ジョン 151-152, 155
仮釈放委員会(イギリス) 276, 292
カント, イマニュエル 34, 36
漢民族 84

き・く

ギドロン&ホール 328
ギブソン, メル 151, 155
逆人種差別 219, 327
9.11の攻撃 165, 194
教育
　～における不均衡 133, 197, 207, 213, 222
　大学内でのレイシャルハラスメント 297-298
共通言語 111-113
ギリシア
　現代～の政治 308, 313
　古代～人 37-38, 64
キングス財団 21
キング, ロドニー 26
『近代とホロコースト(*Modernity and the Holocaust*)』(バウマン) 68
クー・クラックス・クラン(KKK) 128, 243
薬やアルコールの影響(レイシスト批判をかわすための) 150-152
グッドハート, デイヴィッド 324, 326, 330, 332
グリッロ, ベッペ 308
クリュッグ, B. 163
グレン, エヴェリン 231
クレンショー, キンバリー 262

け

警察
　～による銃撃 210, 224-225, 273
　～による組織的なレイシズム 19-20, 24-25, 198-202, 206, 213, 269
　～による無意識の偏見 273
　～の残忍性 226, 265
刑事司法制度 207-208
ゲイツ教授, ヘンリー・ルイス, ジュニア 222-223, 257-258, 284
系統という概念 147-148
啓蒙思想 32-33, 55
ケースボルト, エリック 287
ゲッベルス, J. 127
ケニアのアスリート 91-92
ケルト人 43, 236
権威主義 333
健康と人種 89-95
権力と偏見 136-139
〝言論の自由〞の問題へのすり替え 154

こ

交差的分析 271-272
構造的レイシズム/構造的人種差別..... 194-195, 208, 242, 288, 293, 298, 321-322, 324, 330
コーカサス人 87, 90, 240
コーツ, タナハシ 256-259
コービー, キャロライン 276
国際ホロコースト追悼同盟(IHRA) 179
黒人
　～が罹《かか》る病気 89
　～学生の割合 24
　～が警察から職務質問を受けた割合 24
　～差別と女性蔑視 44-45
　～ということば 118-119
　～と猿との比較 38, 150-151, 236-238
　～取締法(ブラック・コード) 242
　「～の命は大切」
　　⇒ブラック・ライブズ・マター(BLM)運動
　～の投獄率 27-28, 205
　～の召使に上等の服を着せる貴族 37
　～は市民ではない 102
　～への警察による銃撃 210, 225
　～向けの薬 99
　アイルランド人を～とみなす 16
　明るい肌の〝～〞女性の収入と司法格差 233
　アフリカ人を祖先とする人 240
　アメリカの白人と～の成り立ち 87
　エリザベス一世による～国外追放の試み 37
　鎌状赤血球貧血と～ 89
　警察による～の殺害事件 265
　制度化されたレイシズムによる～の持続的な不利益 197
　奴隷としての～ 39-41
　乳児の出生時低体重の発生率と～ 93
　白人と～の境界線 16, 26
　貧困層としての～ 208
　召使/使用人としての～ 37
黒人性 45, 47, 61, 103, 233-234, 240
　アメリカ社会における～ 233-234
　外見的な～ 37
　推定有罪と～ 223-224
　民族的なアイデンティティと～ 114-115

〜のテロリズム ……301
シャリーア法(イスラム法) ……166
〝西欧 対 〜〟という枠組み ……166
良い〜教徒と悪い〜教徒 ……172
イスラモフォビア(イスラム恐怖症) ……18, 108, 162, 168, 188, 304, 321
『イスラモフォビアの政治(*The Politics of Islamophobia*)』(タイラー) ……173
イタリア ……103, 308
〜人 ……16, 48, 65, 73, 89, 239-240
五つ星運動(Five Star Movement／イタリア) ……309
遺伝学 ……59, 75-78, 90-91, 99
〜的なばらつき ……75, 77
遺伝子
〜型 ……75
〜発現 ……93
〜プール(gene pool) ……90
『遺伝的天才(*Hereditary Genius*)』(ゴルトン) ……64
移動(「祖先」たちの) ……90-92
犬笛レイシズム／犬笛政治 ..25-26, 128, 147, 332
移民
〜制限同盟(IRL) ……65
〜と社会的階級 ……49
〜についての議論 ……108, 147
〝負けると〜〟(エジル) ……174
インターセクショナリティ(交差性) ……261
インド
〜・アーリア族／〜・ヨーロッパ語族 ……58, 85
〜人女性の性的魅力 ……54
〜大反乱(1857年) ……54
〜における植民地主義 ……57-58
〜の人種的な階級制度 ……59
古代〜由来のイデオロギーとDNA研究 …84-87
陰謀説 ……166

う・え

ウィリアムズ, セリーナ ……272
ウィルソン, ウィリアム・ジュリアス ……246
ヴィンケルマン, ヨハン・ヨアヒム ……37
ウィンドラッシュ号 ……104
ウィンフリー, オプラ ……298-299
ウェイド, ニコラス ……99
ウェスト, コーネル ……256-257
ヴェンター, クレイグ ……76
ウェンドリング, M. ……332
美しさ ……37-38, 231-233
〜の尺度 ……38
右翼ポピュリズム ……300-333
〜政党 ……191, 303, 307-312
運転免許試験の合格率 ……280
映画界におけるレイシズム ……23
ABC ……150, 269
英国⇒イギリス
エジル, メスト ……174
エスド, フィロミナ ……297
エスニシズム ……159
エスニシティ(民族性) ……15, 110, 112-113, 115-116, 133, 139-140, 146, 153, 162, 167, 169, 179, 244, 279, 280, 322, 326
エスノセントリズム(自民族中心主義) ……15, 159
エッセンシャリズム(本質主義) ……97, 161
エド=ロッジ, レニ ……219-200
エピジェネティクス ……92-95
『選ばれし者――ハーバード、エール、プリンストンの入退学秘史(*The Chosen: The Hidden History of Admission and, Exclusion at Harvard, Yale and Princeton*)』(カラベル) ……133
エリート校の入学差別 ……133-134
エリートへの敵意 ……190, 303-307, 310, 312-313, 318, 327
エリザベス一世 ……36-37
〜による黒人追放の試み ……37

お

黄金の夜明け(Golden Dawn／ギリシア) ……308
王立アフリカ会社 ……39
オーストリア人民党 ……308, 311
⇒自由党(オーストリア)
オーボーン, ピーター ……313
オーラー, ノーマン ……69
オールポート, ゴードン ……178
オグルトゥリー, チャールズ ……223-224
オスカー賞(アカデミー賞) ……23
オスマン, フセイン ……225
男らしさの象徴⇒男性性
オバマ大統領, バラク ……150, 221, 254-258, 268
オバマ, ミシェル ……150, 272, 296
オミ＆ワイナント ……131
オリエンタリズム ……57, 166
オルトライト(alt-right) ……332
オルバーン, ヴィクトル ……191, 305

か

カー, J. ……170
カースト(制) ……59, 232
ガーディアン紙 ……20, 23, 171, 186, 190, 277, 280, 292-298
ガーナー, エリック ……27, 226, 264-266, 269, 271
ガーナー教授, スティーブ ……200, 218, 225
カーネマン, ダニエル ……282
カーマイケル＆ハミルトン ……196-197, 199
カーン, ジョナサン ……285, 289-292
階級 ……260-273
人種と〜 ……51, 60
外国人恐怖症⇒ゼノフォビア

索《さく》引《いん》

索引に掲載した用語のなかに2ページにまたがる記載(例、52–53)をしているものがありますが、場合によってはいずれかのページにしか記載されていないことがあります。

あ

アーリア人／アーリア民族……10, 58-59, 86
アーレント, ハンナ……67-68
アイデンティティ
　～の二面性……151-152, 155, 196
　～を構築する……113-115
　国民としての～……116
　同化を拒否する～……13
　矛盾に満ちたものとしての～……152, 196
　レイシストとしての～……126-127
アイヒマン, アドルフ……67-68
アイルランド人(アメリカの)……236-239
アイルランドの宗教的分断……113
アカデミー賞(オスカー賞)……23
悪の陳腐さ……67
『悪魔の詩(*The Satanic Verses*)』(ラシュディ)……174
アジア
　～系アメリカ人……204, 253-255
　～系イギリス人……209, 294
　～女性の性的魅力……53
　～人……21, 50, 82-83, 88, 90, 96, 98, 104, 116-118, 125, 127, 137, 148, 153-154, 158, 164, 169, 171, 174-175, 199, 209, 211-215, 228, 230, 249, 278
　～人コミュニティ(イギリスにおける)……209, 211
アッバース, マフムード……185
アパルトヘイト(人種隔離政策)……144-145, 184-186
アフリカ
　～の奴隷制度……39-41
　遺伝学的なばらつきと～人集団……77
　人類の起源地としての～……77-79
　肌の色にかかわる変異体の起源の～……81
アフリカ系アメリカ人
　～の居住区隔離……248
　女性らしさと～……272
　推定有罪という扱われかたと～……223-224
　男性性と～……264, 270-271
　貧困の文化(culture of poverty)説……251, 253
　⇒黒人、アメリカ／米国
アメリカ／米国
　片方の親が白人である～人……227
　～生まれのアジア人……228
　～型の悪夢……209
　～合衆国憲法……102, 241
　～合衆国最高裁判所の1883年の判決……243
　～における隔離政策……243
　～における組織的な差別……196-197, 224
　～における不平等……202-208, 242, 246-252
　～のアイルランド系移民……236-239
　～の警察の人種差別……225-226
　～の国勢調査……102, 227
　～の白人がいだく感情……220-221
　～の白人と黒人……16, 87, 225-226, 233-244
　～の白人の特権問題……221-222
　〝～をふたたび偉大に〟……128, 332
『アメリカにおける人種醸成(*Racial Fermentation in the United States*)』(オミ&ワイナント)……131
『アメリカのマインドにある人種(*Race in the Mind of America*)』(ワクテル)……155
『アメリカを見よ(*Behold America*)』(チャーチウェル)……332
新たなレイシズム……18, 119, 139-140
アルコールや薬の影響(レイシスト批判をかわすための)……151-152
アレグザンダー, ミシェル……207
アングロサクソン……55, 65, 148, 188
アンチセミティズム⇒反セム主義
暗黙の偏見……134, 282, 285-286, 290-291, 321

い

イートウェル&グッドウィン……310-333
『怒りと人種政策(*Anger and Racial Politics*)』(バンクス)……220
イギリス／英国
　～国家統計局発表のガイドライン……116
　～政治における〝人種〟……105
　～という国のセルフイメージ……209
　～における組織的な差別……19-23
　～におけるナショナリズム……106-107
　～における反移民の機運……109
　～における不平等……210-214
　～における民族分離……215-216
　～の仮釈放委員会……276, 292
　～の国民保健サービス(NHS)における黒人および少数民族(BME)への差別……20
　～の植民地主義……103
　～の人種関係法……106, 110, 121, 123-124, 126, 178, 194, 208
　～の全国小児発育研究……323
　～の奴隷貿易……39-41
　～労働党……183, 302
　板挟みになるアジア系の～人……230
　イングランド対スコットランド……115, 316
異人種間結婚……242-243
イスラエルという国家への批判……180
イスラム
　～教徒の〝西洋化〟……170
　～教のなかの境界線(スンニ派とシーア派)……113
　～系の名前への差別……171
　～のアイデンティティ……173-174

著者――アリ・ラッタンシ（Ali Rattansi）

ロンドン大学シティ校社会学部客員教授。レスター大学、公立通信制のオープン大学でも教え、ケンブリッジ大学ジーザス・カレッジ客員研究員、米国ウィスコンシン大学マディソン校客員教授でもあった。ロイ・ボイネとの共著 *Postmodernism and Society*（マクミラン 1990）、サリー・ウエストウッドとの共著 *Racism, Modernity and Identity*（ポリティ・プレス社 1994）、*Multiculturalism: A Very Short Introduction*（オックスフォード大学出版 2011）、*Bauman and Contemporary Sociology: A Critical Analysis*（マンチェスター大学出版 2017）など著書多数。

訳者――久保美代子（くぼ・みよこ）

翻訳家。大阪外国語大学卒業。おもな訳書に『科学捜査ケースファイル』『人体、なんでそうなった？』『アメリカ自然史博物館　恐竜大図鑑』（以上、化学同人）、『そこそこ成長する人、ものすごく成長する人』（双葉社）、『NO HARD WORK!』『シルクロード』（以上、早川書房）、『歴史を変えた10の薬』（すばる舎）など。

装幀――遠藤陽一（デザインワークショップジン）

14歳から考えたい レイシズム

2021年6月16日　第1刷発行

著　者――――アリ・ラッタンシ
訳　者――――久保 美代子
発行者――――徳留 慶太郎
発行所――――株式会社すばる舎

〒170-0013 東京都豊島区東池袋 3-9-7 東池袋織本ビル
TEL　03-3981-8651（代表）
　　　03-3981-0767（営業部直通）
FAX　03-3981-8638
URL　http://www.subarusya.jp/

印刷・製本――株式会社シナノ

ISBN978-4-7991-0967-0